El año qu

Divulgación
Actualidad

Antonio Salas

El año que trafiqué con mujeres

temas'de hoy.

Las fotografías y documentos reproducidos en este libro han sido facilitados
por el autor

Paseo de Recoletos, 4. 28001 Madrid (España)

Diseño de la cubierta: adaptación de la idea original de Rudesindo de la Fuente
Ilustración de la cubierta: Photonica
Fotografía del autor: Karso Dai
Primera edición en esta presentación en Colección Booket: febrero de 2006

Depósito legal: B. 99-2006
ISBN: 84-8460-469-1
Composición: Víctor Igual, S. L.
Impresión y encuadernación: Litografía Rosés, S. A.
Printed in Spain - Impreso en España

Biografía

Antonio Salas es el pseudónimo de un conocido periodista de investigación que debe mantener en el anonimato su identidad por razones obvias. En los últimos veinte años ha publicado más de media docena de libros de investigación y ha desarrollado su labor profesional en diarios, revistas (*Interviú*, *Tiempo*) y cadenas de radio y televisión, como Onda Cero, Antena 3 o Tele 5. Ha sido el único periodista introducido en sectas, grupos de crimen organizado y colectivos extremistas cuyas grabaciones, realizadas con cámara oculta, se han considerado pruebas judiciales en varios casos policiales españoles.

Índice

A Andrea, Cinthya, Clara, Dalila, Danna, Diana, Grace,
Lara, Loveth, Mª Carmen, Mercedes, Mery, Nadia,
Priscila, Ruth, Susan, Valeria, Yola y a todas y cada una
del medio millón de mujeres que ejercen
la prostitución en España.

A Malena Gracia, lamento resucitar un pasado oscuro.
Creo que esta vez el fin justifica el medio.

A Carmen, Rosalía y especialmente a Valérie,
que sobrevivieron a la tentación, y ahora pueden contarlo.

A las nigerianas Hellen y Edith, que fueron asesinadas
en Madrid, Hellen lapidada y Edith descuartizada.
Para que sus muertes no pasen inadvertidas. Y a todos
los demás cadáveres anónimos de mujeres prostituidas,
convertidos en frías estadísticas policiales.

Sobre todo y fundamentalmente a Vir, gracias por todo
lo que me has enseñado y por tu comprensión.
Intento cada día ser merecedor del privilegio
de haberte conocido.

Y a mi compañero Xosé Couso, por dejarse
la vida en el oficio.
Que tu nombre no se olvide, por muchos
titulares que se apiñen en los informativos.
Y que se haga justicia.

Nota del autor

Se han alterado los nombres, ubicación y cronología de algunos hechos para evitar la identificación de las prostitutas que, sin saberlo, me pusieron en contacto con los responsables de las mafias que las trajeron a España. Y cuyas declaraciones han contribuido a la detención o la apertura de diligencias policiales contra los traficantes y proxenetas de Rumanía, Nigeria o México, cuyos delitos son desvelados en este libro. Todo lo demás es una transcripción literal y veraz de los hechos y de las grabaciones de cámara oculta que demuestran tales delitos. Además el autor ha expresado su opinión personal sobre los personajes que ha ido conociendo durante esta investigación.

«Belleza es todo aquello cuya contemplación
te la pone muy dura.»
De *Los príncipes nubios,* Juan Bonilla

«Tú no sabes los kilómetros
de pollas que me he comido
para poder hacerme famosa.»
Diálogo de *Diario de una ninfómana*, Valérie Tasso

«Como ellos insistieron en preguntarle,
se incorporó y les dijo:
El que de vosotros esté sin pecado arroje
la piedra el primero.»
Evangelio según San Juan 8, 7

Prefacio

Me ajusté la cámara oculta al cuerpo, ocultándola con la camisa, me puse las gafas de sol y me calé la gorra. Instintivamente acaricié la bala que llevaba colgada al cuello, cual supersticioso talismán, y que semanas antes había pasado rozándome, mientras negociaba con el traficante de armas y mujeres amigo de Andrea. Respiré profundamente un par de veces, y repasé por enésima vez el papel que tenía que interpretar. Recordaba perfectamente todos los matices de mi personaje, pero eso no me tranquilizaba. Sólo unos minutos después iba a reunirme con uno de los presuntos proxenetas, entre otras actividades delictivas, más veterano y escurridizo de España, puesto que en varias ocasiones había sido interrogado por la Policía española, sobre su supuesta participación en el tráfico de drogas, falsificación de documentos y «trata de blancas», pero siempre había conseguido librarse de todo. Si mi plan salía bien, esta vez nadie podría salvarlo de ingresar en prisión.

Sunny es un tipo muy corpulento. Un negrazo que podría arrancarme la cabeza con una sola mano si se lo propusiese. En su Nigeria natal había sido boxeador, y según me habían explicado otros proxenetas, prostitutas y chulos con los que llevaba meses conviviendo, «sabía utilizar los puños».

Volví a respirar profundamente y conecté por fin la cámara. Después, salí del coche y me encaminé hacia el punto de reunión que habíamos estipulado: una terracita en la plaza de la Catedral de Murcia. Yo había decidido como punto de encuentro un lugar muy concurrido, con la esperanza de que si Sunny descubría mi cámara oculta, la abundancia de testigos le intimidase lo suficiente como para desestimar la idea de agredirme —o algo peor— allí mismo. A una prudente distancia Alfonso, compañero de aventuras en algunos momentos de esta investigación, grabaría un plano de mi encuentro con el presunto traficante. Habíamos pactado que si algo salía mal, y el teleobjetivo de su cámara registraba el inicio de una agresión, llamaría inmediatamente a la Policía. Pero eso sólo me otorgaba un consuelo relativo. Era consciente de que si Sunny sospechaba por un momento que yo era un periodista infiltrado que pretendía grabar cómo me vendía a una muchacha y a su hijo, su furia sería incontenible, y la Policía de ninguna manera llegaría a tiempo.

Y es que, después de vivir durante meses como topo en el sórdido, terrible, cruel, despiadado y atroz submundo del tráfico de mujeres, me encontraba ante el momento más delicado de la investigación. Durante un año había recorrido todos los estratos de la prostitución en España: desde las desvalidas rameras callejeras que venden su honra por treinta euros, hasta las presentadoras, actrices y modelos famosas que ejercen en secreto la profesión más antigua del mundo; sin olvidar a las estudiantes universitarias que se costeaban los caprichos alquilando sus cuerpos. Incluso había negociado con un proxeneta la compra de una joven rumana de diecinueve años y la de media docena de niñas mexicanas, vírgenes de trece años, para mis ficticios prostíbulos, a un importante narcotraficante internacional...

Pero ahora aspiraba a algo más complicado. Pretendía demostrar que en pleno siglo XXI en España, el tráfico de esclavos continúa siendo una realidad. Si conseguía burlar la desconfianza del boxeador nigeriano —los negros no suelen hacer negocios con los blancos en este gremio del crimen organizado— podría grabar cómo compraba a una de sus chicas, de veintitrés años, y a su hijo, de dos.

Si Sunny me vendía a la joven y a su niño, éstos pasarían a ser de mi propiedad y yo podría hacer con ellos lo que me diese la gana. Desde obligar a la muchacha a que continuase ejerciendo la prostitución, pero ahora trabajando para mí; hasta revenderla a otro comprador de mujeres, ganando una buena suma de dinero en la transacción; o incluso, si se me antojase, podría disponer de su vida. En los terribles contratos de compra de esclavas que circulan entre las mafias queda muy clara la situación del revendido: «... Si yo fallo las normas, tiene el derecho de matarme a mí y a mi familia en Nigeria. Mi vida es equivalente a la suma que debo...». Así funciona el negocio del tráfico de mujeres en la civilizada Europa del siglo XXI.

Pero si por alguna razón Sunny intuía que yo estaba intentando grabar con una cámara oculta cómo cometía ese delito, su furia sería incontrolable y sus actos impredecibles. Creo que no pasaba tanto miedo desde mis primeros encuentros con los skinheads bajo la identidad de Tiger88...

El boxeador fue puntual. Aprieta muy fuerte —casi estruja— al estrechar la mano, y puedo observar con detalle sus enormes nudillos, curtidos en el ring, golpeando sin piedad a sus contrincantes. No puedo evitar el complejo de *punching-ball*. Sunny es mucho más alto y corpulento que yo, y sé que en un enfrentamiento directo no tendría ninguna posibilidad contra él. Pero había llegado muy lejos, y en esta ocasión había cometido el error de implicarme emocionalmente en la historia que estaba investigando.

Había llegado a plantearme seriamente casarme con

aquella chica para conseguirle la nacionalidad española, y con ella arrancarla de las garras de las mafias. E incluso había pasado por mi imaginación la posibilidad de liquidar personalmente al traficante. Supongo que son pensamientos inevitables cuando llevas meses conviviendo con uno de los aspectos más despiadados del crimen organizado: la nueva trata de esclavos, los esclavos sexuales.

—¿Qué tal, Antonio?

—Hola, Sunny. Tenemos que hablar…

Nos sentamos en una mesa, intencionadamente céntrica, y pedimos dos ginebras solas, a palo seco. Sunny siempre tomaba ginebra Larios, sin refresco ni hielo, y yo, naturalmente, le acompañaba.

Tomé un par de tragos intentando envalentonarme con el alcohol, o acaso anestesiarme en caso de recibir una inminente paliza. Sabía que no le iba a hacer gracia que un blanco le propusiese un negocio que habitualmente es cosa de negros y además, un delito grave. Después, ataqué de frente la negociación para comprar allí mismo a una muchacha y a su hijo…

—Ok, Sunny. No quiero que te enfades, ¿vale? No te enfades con Susy. Si te enfadas, que sea conmigo…

Capítulo 1

Nazis versus proxenetas

Son punibles las asociaciones ilícitas, teniendo tal consideración: las que promuevan la discriminación, el odio o la violencia contra personas, grupos o asociaciones por razón de su ideología, religión o creencias, la pertenencia de sus miembros o de alguno de ellos a una etnia, raza o nación, su sexo, orientación sexual, situación familiar, enfermedad o minusvalía, o inciten a ello.

Código Penal, art. 515, 5.

Llegué a Valencia siguiendo la pista de un insólito colectivo empresarial. Los propietarios de burdeles, lupanares y prostíbulos de toda España se habían asociado en torno a la iniciativa de un abogado valenciano con el fin de dignificar y sacar de la marginación social al «oficio» más antiguo del mundo. Porque así consideran los propietarios de ramerías a la prostitución: un trabajo como otro cualquiera. Yo disiento.

Pero mi visita a la patria de las fallas y la paella no podía ser menos oportuna. Mientras aguardaba a que el recepcionista del hotel completase mi registro, me entretenía hojeando el ejemplar de *El Mundo* que se encontraba a disposición de los huéspedes sobre el mostrador, y un elocuente titular acaparó toda mi atención: «El acto de España2000 contra la inmigración reúne a un centenar de skins en Russafa». Se me congeló la sangre en las venas.

Inmediatamente reclamé al recepcionista algún periódico local que pudiese ampliarme la información de *El*

Mundo. Me entregó un ejemplar de *Las Provincias*, y en la página 26 de dicho diario me encontré con una inquietante fotografía, ilustrando otra noticia sobre la manifestación fascista de que hablaba *El Mundo*. Un numeroso grupo de ultraderechistas, entre los que destacaban algunos de mis viejos camaradas skinheads, protagonizaba una manifestación en contra de la inmigración, convocada por el partido político de extrema derecha España2000. En la imagen, y bajo una pancarta con la elocuente leyenda de «Los españoles primero», varios jóvenes lucían cruces célticas y cazadoras bomber, mientras exigían la expulsión inmediata de todos los inmigrantes ilegales. Los folletos impresos por España2000 lucían las mismas consignas que todos los grupos neonazis con los que yo había convivido durante un año: «Limpiemos Valencia. No a la droga, no a la delincuencia, no a la inmigración ilegal». Naturalmente, y como era de esperar, se produjeron disturbios, y varios cabezas rapadas agredieron a vecinos del barrio de Russafa, de origen magrebí. Y viceversa. Los eslóganes que yo mismo había coreado en otras manifestaciones similares: «La inmigración destruye tu nación», «*sieg heil, sieg heil*», etc., habían sonado en las calles de Russafa ese fin de semana. Y las banderas preconstitucionales, los emblemas de las SS, las esvásticas e incluso los símbolos de «*Blood & Honour*» habían sido inmortalizados por los fotógrafos de prensa.

No era la primera ni la última vez que los ultras se manifestaban en Russafa. Antes incluso de que España2000 ingresase en el registro de Partidos Políticos del Ministerio del Interior, el 17 de julio de 2002, ya habían organizado varios actos de provocación como aquél. El 2 de marzo de ese mismo año, según consta en mis archivos, España2000 ya había desarrollado una manifestación similar, encabezada por varios dirigentes de Democracia

Nacional (DN), la Alternativa por la Unidad Nacional (AUN) de Ynestrillas, el Movimiento Social Republicano (MSR) y hasta por Alain Lavarde, representante en España de Jean Marie Le Pen, y responsable de los contactos mantenidos por el ultra francés y sus correligionarios españoles.

El mismo Le Pen viajaría a Valencia para mantener una entrevista personal con los dirigentes de España2000, partido que desde el año 2002 ha ido aglutinando a la nueva extrema derecha española, puesto que sus filas se habían visto engrosadas por muchos de los veteranos ultras de AUN, Falange, Democracia Nacional, y por supuesto, con la mayoría de los radicales Yomus, hinchas ultras del Valencia Club de Fútbol.

Confieso que aquellas cruces célticas, aquellos cráneos rapados y aquellas cazadoras bomber, inmortalizadas en las páginas de *Las Provincias* y *El Mundo*, me trajeron muchos recuerdos y un atisbo de inquietud. Desde luego no podía haber llegado en momento más inoportuno. «Sólo me falta —pensé— que Tiger88 se encuentre, sin quererlo, en plena manifestación ultraderechista.» A los skinheads valencianos les encantaría saber que, justo ese día, el autor del *Diario de un skin* se encontraba en su ciudad. Y entonces, para acabar de arreglarlo, sonó el teléfono. Al otro lado del auricular Belén, mi editora de Temas de Hoy, me alertaba sobre un nuevo contratiempo.

—Toni, ¿has visto hoy los periódicos?

—Sólo por encima. Acabo de llegar ahora mismo a Valencia y estaba registrándome en el hotel. No te lo vas a creer, pero me he encontrado con una manifestación ultraderechista aquí, y esto está lleno de skinheads.

Belén se quedó callada un instante, como si estuviese buscando la forma más diplomática de darme una mala noticia.

—Consíguelos. En uno sale una foto tuya y creo que te pueden reconocer. Así que, por favor, ten mucho cuidado.

Las desgracias no viajan solas. Ya era mala suerte que mi visita a Valencia coincidiese con una manifestación llena de neonazis llegados desde toda España para apoyar a sus camaradas, pero que encima, y justo ese mismo día mi foto, aunque en medio de otros skinheads, apareciese en un periódico nacional, era el colmo. En el hotel no les quedaban periódicos y tuve que acudir a un quiosco para comprobar, con profunda inquietud, que la advertencia de mi editora era exacta. El trayecto de regreso, desde el quiosco hasta el hotel, fue toda una crisis paranoide. Imaginaba Valencia repleta de skinheads llegados desde otras ciudades para apoyar la manifestación de España2000, y que sin duda se habrían quedado a pasar el fin de semana con sus camaradas. Lo sé porque yo había participado en manifestaciones como aquélla y sabía que era muy probable que todavía permaneciesen en la ciudad los neonazis llegados de fuera. Por esa razón, al girar cada esquina contenía la respiración, con los cinco sentidos alerta por si me encontraba de frente con un grupo de cabezas rapadas. He de confesar que el corazón me daba un brinco cada vez que me cruzaba con un hombre calvo. Afortunadamente no hubo más sobresaltos hasta el hotel, a pesar de llegar a la conclusión de que la alopecia es un mal creciente entre la población masculina española...

Antes de volver a mi alojamiento conseguí unas tijeras y una maquinilla de afeitar. En el baño de mi habitación procedí a cortarme el pelo y la barba yo mismo, dejándome un pintoresco bigote, y un lamentable peinado. Pocos minutos después tenía un aspecto francamente ridículo, pero la estética me preocupaba mucho menos, en aquel momento, que la posibilidad de que alguien pudiese reconocerme en la fotografía de Tiger88 publicada en el periódico. En ese momento no podía ni imaginarme que aquel improvisado cambio de imagen probablemente me salvaría de una situación francamente comprometida, sólo 24 horas después.

A la mañana siguiente me levanté temprano, aunque no tenía establecida mi cita con el fundador y secretario general de ANELA hasta el mediodía de ese lunes. Las pesadillas de aquella noche no me habían permitido descansar y me encontré despierto, empapado en sudor, casi al amanecer. Como en tantas otras noches de angustia, en sueños aparecía una jauría de lobos arios que me perseguía hasta darme alcance y despedazarme. Mi amigo Virgilio ya me había advertido que lo peor de una infiltración no son los individuos demoníacos con los que tendría que convivir durante el día a día, sino los demonios agazapados en mi mente, con los que tendría que enfrentarme cada noche. Y Virgi sabía de lo que hablaba por experiencia.

Como no podía conciliar el sueño, me duché y bajé a desayunar cuando todavía no se había abierto el comedor del hotel. Afortunadamente, la encargada se apiadó de mis ojeras, y dado que era el único cliente en pie, hizo una excepción y adelantó unos minutos el servicio de restaurante para conseguirme un café bien cargado y unos bollos.

Mientras me «chutaba» una dosis de cafeína intenté exorcizar de mi mente a los skins, concentrándome en el estudio de la documentación que había recogido sobre el mundo de la prostitución en la página web de ANELA. Al fin y al cabo había viajado hasta Valencia para intentar infiltrarme en las mafias internacionales de la trata de blancas, y no para nada que tuviera que ver con los neonazis. Estúpido de mí, qué temeraria es la ignorancia.

ANELA, o lo que es lo mismo, la Asociación Nacional

de Empresarios de Locales de Alterne, era una agrupación completamente pionera en el ámbito de la prostitución. Reunía a los propietarios de burdeles de toda España y, si no andaba equivocado, podría ser una excelente puerta de acceso para familiarizarme con el mundo de la prostitución, o incluso para intentar acceder a los proxenetas.

Según la información recogida en su página web, ANELA llevaba casi tres años funcionando. En este tiempo, docenas y docenas de burdeles habían ingresado en tan insólita confederación del vicio y el sexo de pago. Su archivo de prensa, que me había bajado de la red al disco duro del ordenador portátil, aportaba una infinidad de datos interesantes sobre un mundo tan morboso y fascinante como desconocido para mí. Pero ni siquiera en su archivo pude obtener cifras precisas sobre el número de mujeres y niñas que ejercen la prostitución en España, puesto que, según todas las fuentes oficiales que consulté durante la investigación, parecía rondar entre trescientas mil y seiscientas mil.

Tampoco encontré el número exacto de los miles de prostíbulos que existen en nuestro país. Ni siquiera la cantidad de mafias, grupos de crimen organizado y bandas de delincuentes transnacionales que nutren a esos burdeles de carne joven y fresca para saciar el apetito sexual de los varones españoles... No hay cifras. Sin embargo, la sordidez, crueldad, asco y mierda que se derrama de los titulares de prensa archivados en la sección de hemeroteca de www.anela.cc contrasta con la esmerada apariencia de modernidad, legalidad y elocuencia del resto de la página web. En principio, ANELA es simplemente una «asociación de empresarios que se dedican a trabajar honradamente en el campo de los servicios y la hostelería». Aunque en realidad, lo pinten como lo pinten, su negocio sea el de explotar la belleza de las mujeres, mientras la desesperación, las drogas o la culpabilidad no terminen por destruirlas.

No me gustan los chulos, ni los proxenetas, ni los puteros, ni tampoco los «honrados empresarios que quieren dignificar el "oficio" más antiguo del mundo». Confieso que a priori, y sin ninguna razón justificable, me caen mal. Sin embargo reconozco que José Luis Roberto Navarro, fundador de ANELA, estuvo muy amable conmigo cuando hablé con él desde Tenerife dos días antes. Por teléfono parecía un tipo cordial y dispuesto a colaborar. Sin embargo, y por pura precaución, para conseguir la entrevista le di un nombre falso y me hice pasar por el representante de una ONG dedicada a trabajar con inmigrantes que ejercían la prostitución. Mi ficticia ONG pretendía elaborar un informe sobre la situación del tráfico de mujeres en España, y por esa razón quería conocer la asociación fundada por Roberto. Me citó en su despacho del número 4 del Pasaje de Ruzafa, sede de Levantina de Seguridad, una importante empresa que nutre de guardas, escoltas, porteros de discoteca, vigilantes jurados y demás profesionales de la seguridad, a pubs, discotecas y locales de alterne de toda la región. José Luis Roberto es el director de dicha empresa.

Justo antes de llegar al local, activé mi cámara oculta. Levantina de Seguridad, haciendo honor a su nombre, es un auténtico búnker. Varios pisos plagados de cámaras de vigilancia, cajas de seguridad repletas de armas, etc. El empleado de la recepción, con aspecto de veterano militar recién jubilado, me interrogó sobre el objeto de mi visita.

—Buenas tardes, ¿qué desea?

—Estoy citado con el señor José Luis Roberto. Me está esperando.

—Espere ahí un momento.

El tipo, de unos sesenta o sesenta y cinco años, descolgó el auricular telefónico para advertir a Roberto de mi presencia. Su pelo cano cortado a cepillo, su camisa y pantalón perfectamente planchados, su tono sobrio y solemne... todo en él recordaba un estilo de vida marcial y castrense, muy acorde con una empresa paramilitar como ésa.

Mientras esperaba la autorización para subir, pude contemplar durante unos instantes la planta baja del local. En las paredes abundaban las fotografías, rigurosamente enmarcadas, de anteriores promociones de la academia. En las imágenes aparecían docenas de jóvenes, con el pelo cortado al cero o al uno, haciendo prácticas de tiro y artes marciales... Aquello me traía muchos recuerdos. Varios de aquellos jóvenes, o algunos que se les parecían mucho, subían y bajaban las escaleras, o entraban y salían de las aulas. Y atribuí a la paranoia que sentía tras la publicación de *Diario de un skin* la creciente incomodidad que me embargaba al ver que me rodeaban tantos cráneos escasos de pelo. Me reafirmé de nuevo en lo de la alopecia.

«Casualidad, es pura casualidad —me decía, intentando tranquilizarme—. Son muchachos aficionados a las armas, a la cultura paramilitar, a las artes marciales... Pero sólo son aspirantes a guardias de seguridad o a porteros de discoteca... y no tienen nada que ver con los skinheads.» Y cuando ya estaba riéndome de mi propia obsesión, el timbre del móvil me rescató de mis pensamientos. En mala hora decidí contestar.

—¿Diga?

—¿Antonio Salas?

—Sí, soy yo.

—Hola, soy Ángela, la periodista de *El Mundo* con la que hablaste ayer.

Ángela es una periodista de la delegación de *El Mun-*

do que ha realizado muchos reportajes sobre la prostitución en la comunidad valenciana. Es íntima amiga de Gisela, compañera del equipo de investigación de Tele 5, quien me había proporcionado el contacto para que una vez que hubiese llegado a Valencia, me facilitase algunas pistas para continuar mi investigación sobre la trata de blancas. Y así fue. Tras telefonearla desde el hotel, nada más cortarme el pelo y la barba, le había pedido que buscase en su archivo toda la información que pudiese sobre los prostíbulos valencianos y ANELA, la asociación que los federa. Ahora me llamaba para darme esos datos.

—Tengo la información que me pediste. ¿Podemos vernos ahora?

—Temo que no. He quedado con José Luis Roberto, el de ANELA, y ahora estoy en su oficina para...

—¡Joder! Tú estás loco.

—¿Por qué?

—¿Dónde estás?

—En su empresa, en Levantina de Seguridad...

—¡Sal de ahí ahora mismo! ¡Lárgate pitando!

—Pero ¿qué ocurre?

—¡Joder! Roberto es el presidente de España2000, el partido ultraderechista que organizó las manifestaciones de este fin de semana. La mayoría de sus «seguratas» son skinheads. Varios están en espera de juicio por dar palizas en los burdeles o en discotecas. Su empresa de seguridad tiene más denuncias que ninguna otra por la violencia de sus empleados. Y él es el candidato a la alcaldía de Paterna en estas elecciones... ¿Te parece poco? ¡Sal de ahí ya!

De pronto el mundo se hundió bajo mis pies. Aquella empresa de seguridad, repleta de cráneos rapados, era el peor lugar del mundo para que se encontrase Tiger88. Supongo que fue el arrebato de pánico, pero incluso me pareció reconocer, en alguno de los jóvenes alumnos de aquella academia, a los rapados que exhibían cruces célticas y cazadoras bomber en las fotos de *El Mundo* y *Las Provincias* el día anterior. Y para colmo, en el suplemento de ese mismo periódico del grupo Correo aparecía una larguísima entrevista detallando mi infiltración en los skinheads. No podía estar en peor lugar y en momento más inoportuno. Sentí pánico.

Opté por una retirada estratégica, pero cuando me dirigía disimuladamente hacia la puerta de salida, dos tipos me salieron al paso para, tan cortés como enérgicamente, indicarme que les siguiese. José Luis Roberto iba a recibirme en ese momento. Tenía una fracción de segundo para sopesar los pros y contras de la situación y decidir cuál sería mi próximo movimiento.

El factor sorpresa conspiraba a mi favor. Por eso pensé que si disparaba una patada contra los testículos de uno y al mismo tiempo un puñetazo contra la barbilla del otro, quizá podría tener una oportunidad. Podía intentar escurrirme entre aquellos tipos de la entrada y echar a correr como alma que lleva el diablo, hasta dejar atrás Valencia. Esto garantizaría quizá mi seguridad, pero desde luego me delataría y acabaría con la posibilidad de conocer ANELA y los prostíbulos que asocia. Por eso la otra opción, la de confiar en que mi ridículo corte de pelo y mi bigote hiciesen irreconocible a Tiger88, fue tomando fuerza hasta convencerme en aquel momento de que la entrevista con José Luis Roberto me aportaría pistas muy útiles para mi investigación sobre las mafias. Además, debo confesar que aquella insólita relación entre un partido ultraderechista, que veinticuatro horas antes se manifestaba por la expulsión de los inmigrantes, y una asociación que en definitiva se nutre en más de un 95 por ciento de las inmigrantes que ejercen la prostitución despertaba mi curiosidad periodística. ¿Realmente podía alguien ser tan hipócrita?

«Si no me pillaron en La Bodega ni en el Bernabéu —pensé— no me van a pillar aquí...» Había recorrido muchos kilómetros hasta la península como para abandonar ahora. Aunque era verdad que, tras la publicación de *Diario de un skin*, los nazis habían abierto un cerco sobre mí, buscándome por toda España. De hecho, comenzaron a circular todo tipo de historias disparatadas sobre quien esto escribe: que si me había hecho la cirugía estética, que si había salido del país, que si vivía recluido en un zulo... Incluso se empezó a especular, en los foros neonazis de Internet, sobre la identidad real de Tiger88.

A mi conocimiento habían llegado casi media docena de supuestos verdaderos nombres de Antonio Salas; entre otros, el de un médico gaditano, un ufólogo gallego, un escritor madrileño y hasta un barcelonés judío (?). Unos decían que en realidad se trataba de un espía del Mossad; otros, que era un gay resentido con los nazis e incluso algún «lince» llegó a publicar que yo trabajaba para la Policía en una campaña orquestada contra el movimiento neonazi por el Ministerio del Interior... Evidentemente algunos nazis creían tenerme identificado, pero me consta que otros oportunistas simplemente querían utilizar el odio de los skins contra Tiger88 para perjudicar a algún enemigo personal, asegurando que tal o cual persona era el verdadero Antonio Salas.

Algunas de estas hipótesis, incluso, se acompañaban de fotos, páginas web y otras supuestas pruebas sobre mis verdaderas identidades, en algunos casos verdaderamente imaginativas. Mi apartado de correos y mi buzón electrónico rebosaban amenazas de muerte, e incluso hubo algún cretino que telefoneó a mi editorial para proferir insultos y amenazas contra mis editores. Evidentemente, se localizó el teléfono desde el que hizo su llamada: el domicilio familiar. Las bravatas del joven neonazi se zanjaron con una amonestación verbal.

Lo triste es que hasta hubo un puñado de periodistas que se aliaron con los nazis —suponiendo que no lo estuviesen anteriormente—, para intentar dar caza a Tiger88. Uno de ellos, Luis Alfonso Gámez, que sorprendentemente trabaja en *El Correo Español*, diario decano del grupo en cuyo suplemento se había publicado el día anterior mi entrevista, se había empeñado en identificarme con algún enemigo personal suyo, a quien deseaba que los skinheads eliminasen. De nuevo los cabezas rapadas estaban destinados a hacer el trabajo sucio que los «serios» y «éticos» no se atreven a hacer por sí mismos. Es triste que uno de ellos fuese un compañero de profesión. Afortunadamente, y por lo que he podido saber hasta hoy, ninguno de los supuestos Antonios Salas ha sufrido ningún percance por mi causa. Supongo que, a pesar de las bravatas e insultos de los skins más violentos y de las amenazas anónimas, en el fondo no tienen ninguna certeza sobre la verdadera identidad de Tiger88.

La verdad es que todos esos rumores absurdos me beneficiaban, ya que mientras los neonazis y sus colaboradores creyesen haber identificado a Antonio Salas, yo tenía libre el camino de mi investigación sin levantar sospechas. Ésta es la razón por la que he tenido que mantener en secreto mi identidad, hasta soportar en silencio las conjeturas más absurdas y ridículas, y por lo que en ningún momento he podido disfrutar del éxito editorial de mi libro.

Reconozco que me habría encantado salir a la luz pública mostrando mi verdadera identidad. Sin duda mi ego me lo habría agradecido, pero de haberlo hecho, no tendría ninguna posibilidad de salir indemne del local en el que me encontraba en aquellos momentos y me habría cerrado todas las puertas para otra posible investigación. No obstante había resistido la tentación de la vanidad, y mi verdadera identidad no se había hecho pública. Así que, racionalmente, era imposible que los skinheads valencianos, que tan sólo conocerían los supuestos «verdaderos Antonios Salas» que aparecían en los foros nazis de Internet, pudiesen reconocerme. Sin saberlo, su odio los convertía una vez más en marionetas manipulables en mi beneficio. Por eso tenía que conseguir calmarme.

Mi problema no era que me reconociesen los ultras, sino que mi propio pánico me delatase. Finalmente decidí desatender la advertencia de Ángela, y tentar mi suerte una vez más. Aspiré profundamente, apreté los puños y seguí a los dos tipos de Levantina de Seguridad hasta el despacho de José Luis Roberto, en la planta superior de la academia, rogando que mi ángel de la guarda estuviese bien atento a mis pasos.

Subimos las escaleras y recorrimos el pasillo, dejando a mi derecha varias aulas y despachos, mientras yo me concentraba en normalizar mi respiración. Tenía que conseguir parecer tranquilo o todo se iría al traste. Respiraba e inspiraba profundamente, suplicando a los dioses paganos que mi piel no traspirase excesivamente. De pronto sentí unas ganas enormes de orinar, lo que trajo el recuerdo de mi primer viaje a Alcalá de Henares, para visitar La Bodega. Y no me ayudaba pensar en cómo reaccionarían los ultraderechistas y skinheads que estudian y/o enseñan tiro, artes marciales, etc., en aquella academia de seguridad, si supiesen que el autor del *Diario de un skin* estaba en esos momentos en su propio local... y con una cámara oculta.

Lo que yo ignoraba totalmente —de saberlo quizá, no habría seguido adelante— es que entre los hombres de confianza de Roberto vinculados a España2000 y Levantina de Seguridad, se encuentran algunos de los personajes más relevantes en la reciente historia skinhead y ultra, como Moisés, uno de los supuestos implicados en el asesinato de Zabaleta y, según me revelaron fuentes del Grupo de Violencia en el Deporte del Cuerpo Nacional de Policía de Madrid, guardia de seguridad e hincha ultra de la peña valenciana del Atlético de Madrid. Moisés habría dado cualquier cosa por saber que jamás había tenido a Tiger88 tan cerca. Al igual que un instructor de kárate de la Levantina, el célebre *coronel* Sanchís, un antiguo monitor de artes marciales de la siniestra Brigada-26 de la Policía valenciana, que a finales de los setenta pasó al servicio de orden de Fuerza Nueva, de la mano de un supernumerario del Opus Dei y mano derecha de Blas Piñar. El *coronel*, que cumplió condena en Francia, y que tras una permanencia en EE. UU. volvió a Valencia, es uno de los hombres de confianza de Roberto. Por no hablar de docenas de cabezas rapadas, porteros y vigilantes de los burdeles de ANELA, pertenecientes a la Levantina y a SERVIPROT. Con alguno de ellos, responsable de la seguridad en prostíbulos tan importantes como el Help o El Cisne, terminaría estableciendo una buena amistad meses después, al frecuentar esos lupanares, por lo que fui recopilando jugosísimas informaciones sobre España2000 y el movimiento ultra valenciano.

Regresando a la boca del lobo

Cuando entré en el despacho de José Luis Roberto se diluyeron todas las dudas que aún pudiese albergar sobre la relación entre Levantina de Seguridad y la ideología ultraderechista de España2000: una enorme bandera preconstitucional y un retrato de Primo de Rivera, entre otros elocuentes símbolos fascistas, presidían la oficina del fundador de ANELA.

Sobre su mesa encontré varios folletos y papeletas que ilustraban su candidatura a la alcaldía del pueblo de Paterna, por el partido España2000. Su lema electoral: «Las soluciones de hoy con los valores de siempre... POR SEGURIDAD», hacía clara alusión a la empresa en la que me encontraba. Para acabar de «tranquilizarme», pude ver de reojo, sobre la estantería, un revólver y varias balas... En ese momento ignoraba que a lo largo de esta investigación llegaría a tratar con excesiva frecuencia con tipos armados.

—Buenas tardes. ¿Eres José Luis? —le tuteé intencionadamente con la esperanza de romper su desconfianza lo antes posible, para parecer un camarada y no un infiltrado.

—Sí, soy yo. Siéntate, siéntate...

José Luis Roberto Navarro es un hombre aparentemente afable y cordial. Aprieta al estrechar la mano y mira a los ojos. Me recordó a algunos de mis ex camaradas skinheads, que son abogados como él. Aparenta unos cincuenta años, y todos sus gestos rezuman un aire marcial que queda frustrado por un defecto físico notable: sufre una cojera a causa de tener una pierna notablemente más larga que la otra, lo que intenta disimular utilizando un calzado especial —uno de sus zapatos tiene un alza de unos 15 o 20 cm—. Sin duda esta circunstancia lo ha imposibilitado para la carrera militar que, probablemente, le gustaría haber vivido. No puedo evitar especular, por lo que imagino que ha compensado sus aspiraciones castrenses con los cachorros neofascistas que, obviamente, engrosan las filas de los «seguratas» de su empresa y de su partido político.

—¿En qué te puedo ayudar? —me pregunta amablemente.

Siento que estoy nervioso, inseguro de mi papel, y a la vez no dejo de vigilar la puerta del despacho, esperando que, en cualquier momento, entre una docena de cabezas rapadas gritando: «¡Este tío es Antonio Salas y te está grabando con una cámara oculta!». No hablo con convicción al explicarle a Roberto por qué estoy allí. Vuelvo a pensar que debería haber hecho caso a Ángela, y haberme largado mientras aún estaba a tiempo. Sin embargo, parece que mi intención de entrevistarlo por su relación con ANELA para realizar un estudio sobre la prostitución en España le convence. El presidente de España2000 empieza a hablar por los codos. Un servidor se limita a transcribir la conversación.

—¿Qué significa ANELA?

—Asociación Nacional de Empresarios de Locales de Alterne.

—¿Y cómo se te ocurrió crear esta asociación?

—Esto empezó hace tres años, por una experiencia que yo tuve en un local de alterne… Me llaman a una redada y veo cómo la Policía entra allí como si fueran Torrente. Es decir, actúan encendiendo las luces, apoltronando a las mujeres sentadas en el suelo como si fuesen ganado, tirando a los clientes a la calle… y todo se hace por un control rutinario, de acuerdo a la antigua Ley de Extranjería. O sea, por una infracción administrativa de la caducidad del visado de pasaporte. Pero claro, es un establecimiento comercial, con sus licencias como hotel y como bar. Y si yo me voy al hotel Astoria, aquí en Valencia, pues también me encontraré extranjeros que están hospedados, que les ha caducado el visado de extranjería. Pero los modos con que se actúa no es cerrando el bar del Astoria, el comedor del Astoria, poniendo a todos los extranjeros sentados en el suelo, eh, y tratándolos como si fuesen ganado... Tienen que tener los mismos derechos, esta gente, que cualquier otro ciudadano. Me refiero a los propietarios de los locales. Pero es que luego veo cómo entran por la fuerza en las habitaciones. Y cuando llego a decirle a la Policía que está interviniendo una habitación en un hotel legal, que tiene un derecho de domicilio, y que entrar en una habitación sin una orden judicial de registro es una violación de domicilio, y es un delito grave en el Código Penal, pues acabo a punto de ser esposado y de detenerme.

—¿Y qué ocurrió?

—Pues que llega alguien que manda la unidad, que es más inteligente. Viendo que yo, pues aceptaba perfectamente que me esposaran y que me detuvieran, porque quería ver hasta dónde llegaba el circo y cómo explicaban este circo. Porque ya lo último que faltaba es que me llevaran a mí detenido, por desacato o por algo, cuando lo que estoy diciendo es que se cumpla la ley. Pues entonces alguien que mandaba las fuerzas, que era medianamente más inteligente, pues toda la historia se calmó. Entonces yo me di cuenta de que la única forma que tenía esta gente para salir de ese armario de oscuridad que se pone el club, que estaban como delincuentes, es reivindicar sus derechos y hacer que se cumpla la ley. Entonces convocamos una reunión de propietarios de locales, en Madrid, en el hotel Cuzco, a finales del año 2001. Se reunieron varios propietarios de clubes, y de ahí salió la idea de crear una asociación llamada ANELA. Se registró esa asociación, no hubo ningún problema, porque una cosa es que no esté regulado y otra cosa es que esto sea ilegal. Es decir, tener un club y la prostitución tampoco es ilegal, el proxenetismo sí. Que una gente realice actos sexuales bajo precio para quedárselo un tercero, por coacciones, sí que es ilegal, pero sin coacciones, no... Y entonces, pues bueno, empezamos a mover el tema en los medios, a dejar que la prensa entrara y vieran los clubes, y aunque habrá de todo, que vean que los clubes no son necesariamente sitios donde se explota a las mujeres. Porque hay negocios que mueven mucho dinero, con muchos empleados, que se ejerce el sexo entre adultos, previo pago, pero se ejerce con libertad.

—¿Voluntariamente?

—No van obligadas. Piden plaza y, por acoplarse a la ley, lo que han hecho es funcionar como hoteles. Y lo que hacen los empresarios es alquilar instalaciones. Es decir, alquilar la habitación con pensión completa. La señorita te paga... Luego cobras la entrada al cliente del club porque hay un espectáculo. Y cobras las copas al precio que se cobran en cualquier discoteca...

José Luis Roberto intentaba transmitirme una imagen del mundo de la prostitución totalmente limpia, legal y aséptica. Como si las mujeres que ejercen este oficio fuesen ciudadanas libres y adultas, que voluntariamente y sin ninguna coacción decidiesen vender su cuerpo y su dignidad, para ejercer una profesión tan honrada como cualquier otra. Al fin y al cabo, según este criterio, tener que chupar el pene, que te rompan el ano, o aguantar en la cara los resoplidos de un tipo sudoroso y baboso mientras te penetra, es un empleo tan normal como el de una maestra, azafata, abogada o cocinera.

Yo no puedo evitar que toda esa palabrería me parezca una justificación absurda. La argumentación de un putero que intenta dignificar el mundo en el que se desenvuelve. Pero en ese momento no estaba en disposición de discutir con Roberto, y bajo ningún concepto quería correr más riesgos que los que ya había asumido al entrar en el despacho del presidente de España2000. Así que opté por continuar la entrevista sin mostrar ninguna opinión.

—¿Cuántos clubes están asociados a ANELA?

—En este momento hay unos 80 clubes de pleno derecho, y unos 120 que están esperando que los servicios de la asociación vayan a pasar las inspecciones para darles la placa de calidad ANELA.

—¿Cuáles son los requisitos para recibir esa garantía de calidad?

—Primero que eres empresario, si no, no puedes pertenecer a una asociación empresarial; que no hay mujeres obligadas, que no hay drogas y que no hay menores. Si cumples esos tres requisitos: que no hay mujeres obligadas, drogas ni menores, puedes recibir la placa de ANELA.

Realmente, según este punto de vista, los propietarios de los lupanares resultan honrados empresarios que velan por el bienestar de sus rameras, como una especie de altruistas caballeros andantes. Sin embargo, aun en ese momento tan temprano de la investigación no pude evitar sentir un profundo escepticismo. Detrás de aquellas argumentaciones se podía intuir que la inmensa mayoría de ellos lo único que pretenden es conseguir beneficiarse de las prostitutas de cualquier manera, ya sea sin pagar sus honorarios, o a costa de la empresa. En este sentido, una frase de Roberto que transcribo directamente de la grabación parecía darme la razón:

—La verdad es que al principio visitar clubes para dar las placas de calidad era una cosa que nos seducía, pero ahora hay que ir cogiendo a la gente de la oreja para que vayan...

En otras palabras, que los «inspectores de puticlub» de ANELA tenían la tediosa misión de visitar los prostíbulos aspirantes, para comprobar que los servicios ofrecidos por cada burdel y por sus trabajadoras eran satisfactorios... ¡Lástima de «inspectores»! ¡Cuán dura es su labor! ¡Tener que recorrer España fornicando y bebiendo de garito en garito...! Sin embargo, parece que algunos clubes, que habían sido merecedores de la «garantía ANELA», tras satisfacer todas las exigencias de sus «observadores», con el tiempo se enemistaron con la asociación de burdeles, hasta llegar a ser expulsados de la misma.

—Hay algunos clubes —explica Roberto— que estaban en ANELA y que ya no están. Si por lo que sea se decide que ese club infringe las normas de la asociación, se le da de baja y ya está.

—Pero la placa de ANELA, por lo que he visto, está incrustada en la pared. Si el propietario del club no quiere entregarla, ¿qué pasa?

José Luis Roberto duda un instante antes de responderme. Después, mira de reojo hacia el exterior del despacho, por donde transitan algunos de sus empleados de Levantina de Seguridad o de España2000 y concluye:

—Pues va y se retira. O sea, actuamos *mano militaris*. Es decir, vamos, quitamos los tornillos y nos la llevamos. Y si el agente tiene algún problema, que haga lo que tenga que hacer...

No pude evitar imaginarme a un grupo de skinheads, como los que aparecían en las fotos de *Las Provincias* o de *El Mundo*, o como mis ex camaradas en el movimiento neonazi, llegando a cualquier prostíbulo para arrancar *manu militari* la placa de ANELA sin más contemplaciones. Estoy seguro de que pocos propietarios de garitos se atreverían a discutir con aquella «guardia pretoriana» de la asociación. Una vez más, y como expongo en *Diario de un skin*, los cabezas rapadas son los encargados de hacer el trabajo sucio de los que mandan. Sin embargo, —es justo reconocerlo— Roberto no necesita una «guardia pretoriana» personal para ejercer la violencia, aunque sé que la tiene. Según recogió la edición valenciana del diario *El Mundo*, él mismo, en persona, junto con otros ocho corpulentos ultraderechistas, habían protagonizado un altercado en la calle de Carlos Cervera de Valencia, durante la manifestación contra la inmigración de aquel fin de semana, al intentar agredir a varios ultraizquierdistas que les increpaban. Fue necesaria la intervención policial para que Roberto y sus camaradas retomaran el curso de la manifestación.

—Bien —continúo mi entrevista—, si yo tengo un club y conozco gente que tiene clubes, imagina que queremos entrar en ANELA. ¿Cuáles son los requisitos? Supongo que hay que pagar algo, ¿no?

—Claro. Esto no es una ONG. Se pagan 2.500 euros para cuota de inscripción y 625 euros trimestrales. Pero hay una categoría B para los clubes que son más pequeños, clubes que tienen menos de veinte mujeres trabajando. La cuota son 300 euros de inscripción y 200 trimestrales.

Está claro que ANELA es un lucrativo negocio. No sólo permite a los «inspectores» disfrutar de esos exámenes de los burdeles de toda España y de sus fulanas gratis, sino que aporta pingües beneficios económicos. A estas alturas de la entrevista, ya he llegado a la convicción de que Roberto conoce muy a fondo el mundo de la prostitución, así que decido tensar un poco más el hilo de mi fortuna, profundizando en otros aspectos.

—Supongo que en vuestras inspecciones de los clubes, os habéis encontrado todo tipo de cosas, ¿no?

—A mí personalmente me ha ocurrido encontrarme con un alto cargo de la administración, que públicamente ha dicho que la prostitución no tenía que ser legal, borracho y metiéndole mano a una chica en un club... O hay también muchas anécdotas de muchas mujeres de clubes, prostitutas, que luego terminan siendo las respetables esposas de muchos personajes influyentes. Yo me he encontrado en más de un acto oficial con personajes muy importantes, y al ver a su mujer la he reconocido de conocerla trabajando en algún club tiempo antes...

¡Bingo! Roberto está completamente relajado, no sospecha de mí, así que decido dar un paso más y hago una pregunta más arriesgada. Tomo de la mesa uno de los folletos de su candidatura a la alcaldía de Paterna y disparo:

—Veo que eres el líder de este partido político. ¿Y no es un poco contradictorio que seas el candidato de un partido nacionalista, que lucha contra la invasión de los inmigrantes, y a la vez el fundador de una asociación que vive de las inmigrantes dedicadas a la prostitución?

—Joder, eso decían en el Frente Español cuando me montaron la bronca, pero peor es lo de Blas Piñar. Su hermana es la propietaria del solar donde está el Showgirl que está en Joaquín Costa, nº 39, y nadie le dice nada.

—¿Cómo? ¿Que la familia de Blas Piñar alquila uno de sus solares a un puticlub?

—Desde hace años. El club que está en Joaquín Costa. Aquí, en Valencia.

No doy crédito. El presidente de España2000 acababa de pronunciar el nombre del más famoso y veterano representante de la ultraderecha española, relacionándolo indirectamente con el negocio de la prostitución. Es mucho más de lo que podía imaginar. Que el presidente y candidato de un partido ultraderechista, que abomina de la inmigración, sea el fundador de una asociación nacional de burdeles es insólito; pero que la familia del «patriarca» de la extrema derecha española se beneficie indirectamente de los ingresos de un prostíbulo es el colmo.

Posteriormente encontraría referencias a este mismo asunto en foros neonazis de Internet como Disidencias, o ultracatólicos, como Foro Tomás Moro. En esos puntos de encuentro de la ciberultraderecha española, el fundador de ANELA no duda en acusar a Blas Piñar de lo mismo que él ejerce.

Por supuesto no bastaba con que José Luis Roberto lo dijese. Su acusación contra Blas Piñar resultaba muy grave. Desde el punto de vista político podría parecer que el líder de España2000 pretendía desacreditar a su adversario ultraderechista, en la puja por acaparar los votos de la extrema derecha, involucrándolo en el negocio de la prostitución a través de su hermana. Así que el siguiente paso estaba claro. Si el director de Levantina de Seguridad y fundador de ANELA no me había mentido, el local Showgirl, donde las fulanas brasileñas, colombianas, europeas del Este o africanas vendían su cuerpo y su honra a los honrados españolitos blancos, sería propiedad de la hermana del legendario Blas Piñar. Y el único lugar donde podría averiguar irrefutablemente si tal información era cierta es el Registro de la Propiedad de Valencia.

Fueron necesarias muchas gestiones y seguir pistas falsas, con el consiguiente malgasto de tiempo y dinero. Roberto se había equivocado al darme la dirección del burdel. El Showgirl no se encuentra en el nº 39 sino en el nº 41 de Joaquín Costa, y lógicamente el apellido Piñar no aparecía en el registro de la propiedad de las fincas del 39. Nuevo viaje a Valencia para comprobar la ubicación exacta del prostíbulo y... *Voilà!*

Roberto no me había mentido. Según los informes expedidos por el Registro Mercantil de Valencia a mi solicitud, tanto el local del prostíbulo como incluso su pequeño aparcamiento privado de Joaquín Costa nº 41 son propiedad «en cuanto a la totalidad en pleno dominio con carácter privativo» de doña María Isabel Piñar López, con DNI 19691...

Al examinar los informes del Registro Mercantil valenciano no pude evitar una sonrisa burlona. Recordé a mis ex camaradas los skinheads, con los que había convivido durante meses, con los que en infinidad de ocasiones había discutido sobre el problema de la inmigración, y a los que había escuchado una y mil veces alabar la lucha contra la «invasión» de los extranjeros que protagonizaban sus líderes políticos de la ultraderecha... ¿Qué pensarán todos ellos al descubrir que los partidos políticos ultraderechistas a los que sustentan con sus votos no sólo no son consecuentes con la ideología que venden a sus jóvenes cachorros neonazis, sino que además se lucran indirectamente con las «negras», «moras», «sudacas» o «judías», a las que supuestamente tanto odian? Como ya expliqué en *Diario de un skin* y no me cansaré de repetir, al final los neonazis son, tan sólo, una panda de borregos ingenuos manipulados por sus líderes políticos.

En el caso del Showgirl existe un agravante, y es que este club en cuestión se vio en el eje de una compleja operación policial que, en junio de 2003, concluyó con casi una veintena de detenidos en diferentes ciudades españolas. Agentes del Cuerpo Nacional de Policía adscritos a la Unidad contra Redes de Inmigración y Falsedades Documentales (UCRIF) Central y la Jefatura Superior de Policía de Valencia, la Unidad de Delincuencia Especializada y Violenta (UDEV) de Cádiz, la Brigada Provincial de Extranjería y Documentación de Córdoba y la Comisaría

Provincial de Huelva desarticularon una red internacional de crimen organizado implantada en Valencia, Huelva, Córdoba y Cádiz, en la que estaba implicado el Showgirl, según me relataría personalmente el jefe de grupo responsable de la operación, en su despacho de la sede central de la Brigada de Extranjería de Madrid.

Las investigaciones comenzaron en noviembre de 2002, a raíz de la denuncia presentada por tres rumanas que alegaban haber sido captadas por las mafias de tráfico de personas, y trasladadas a Valencia para ser obligadas a prostituirse, en burdeles como el Showgirl, mediante engaños y amenazas. En mayo de 2003 una menor de edad huyó de uno de los clubes valencianos de la red y denunció a la compatriota que la forzaba a ejercer la prostitución, y que resultó pertenecer a la misma organización. A partir de ahí se desata una investigación policial que concluye con la entrada y registro del Showgirl, y de otros pisos y burdeles pertenecientes a la misma red internacional de falsificación y tráfico de seres humanos.

Entre los dieciocho detenidos en la operación, destaca José Benito A. P., nacido en Mañufe (Pontevedra) en 1977, y encargado de controlar a las rameras del Showgirl de Valencia, y del Glamour de Córdoba, a las que amenazaba con armas de fuego, puños americanos y porras eléctricas. Entre ellas varias sudamericanas en situación ilegal, contra las que Blas Piñar o José Luis Roberto podrían proferir todo tipo de improperios en sus manifestaciones políticas y mítines ultraderechistas. Pero a ninguno de ellos les molesta que inmigrantes ilegales como aquéllas ejerzan la prostitución en burdeles que estén relacionados con ellos o sus familias, aunque para ello las chicas, algunas menores de edad, deban vivir aterrorizadas por individuos como José Benito.

Pero aquello no era todo. Las sorpresas no habían heo más que comenzar. Al buscar información sobre la fundación de ANELA en la hemeroteca, me encontré con el Boletín Oficial del Estado del jueves 12 de abril de 2001, fecha en que se publica la resolución de la Dirección General de Trabajo sobre la presentación del Acta de Constitución y Estatutos de la Organización Patronal «Asociación de Empresarios de Locales de Alterne» (Expediente nº 7.844). ¿Y quién es, según el BOE, el representante de ANELA encargado de presentar oficialmente a la federación de burdeles? ¡Tachán! Nada más y nada menos que mi viejo y admirado camarada don Eduardo A., alias *El Duro*, mano derecha de Ynestrillas, líder de Patria Libre y abogado del nazi Pedro Varela, propietario de la legendaria Librería Europa y cofundador de CEDADE. Eduardo A. aparecía repetidamente en el libro y en el documental *Diario de un skin*, pero en aquel momento no podía suponer que su relación con la federación nacional de prostíbulos me hiciese volver a toparme con él en esta nueva investigación.

Que el organizador de la manifestación contra la inmigración, repleta de skinheads, del día anterior fuese el fundador de una asociación de burdeles, donde el 99 por ciento de las rameras son inmigrantes, era paradójico; que la hermana del ultraderechista español más relevante de la historia moderna se lucrase indirectamente con el burdel Showgirl era contradictorio; pero que hasta el representante de dicha asociación en cuanto a los trámites legales en Madrid fuese el líder de Patria Libre, mano derecha de Ynestrillas y abogado del nazi más famoso de España, resultaba increíble.

En aquel momento de la investigación no podía sospechar que durante mi infiltración me encontraría a famosos empresarios, políticos y presentadores de televisión que también eran propietarios de burdeles españoles.

Lo de José Luis Roberto, Blas Piñar o Eduardo A., de todas formas, no es más que un botón de muestra. De todos modos, en cuanto a las ideologías, creo que en *Diario de un skin* dejé muy claro que los cabezas rapadas son manipulados por sus líderes e ideólogos políticos, con lo que esto no era más que un nuevo ejemplo de su flagrante hipocresía. La consigna era expulsar a los inmigrantes... y fornicar con las inmigrantes. Lo más escandaloso es que muchas de ellas, dominicanas, nigerianas o cubanas, son negras. Me encantaría saber qué opinan las skingirls sobre esto... ¿O acaso no mestiza la raza un jerarca ultra cuando se folla a una negra? ¿Se excluye a los líderes de la lucha por la pureza racial? ¿Ejercen estos ideólogos un «derecho de pernada» al que son ajenos los skins de base?

En algunos instantes de las entrevistas que concede Roberto no puede evitar que su ideología transpire sobre sus palabras.

—En tiempos de Franco estaban mejor, porque las prostitutas estaban censadas y tenían su correspondiente cartilla sanitaria. Aunque ahora el Senado ha creado una comisión para regular la prostitución, el Parlamento Catalán ha aprobado por el cien por cien un Decreto Ley por el cual se regulan los locales de alterne, el Parlamento Valenciano ya tiene consensuado un borrador de ley, y como un efecto dominó, ya se está trabajando en otras autonomías. Y en ANELA estamos luchando por eso y por conseguir una regularización de la prostitución, similar a la que hay en Alemania u Holanda.

En otro momento de la reunión, José Luis Roberto, que ya está completamente metido en su papel de Secretario General y Jefe Jurídico de ANELA, intenta demostrarme la magnífica labor social de su asociación, con un ejemplo personal.

—Nosotros estamos ayudando mucho a las chicas.

Mira, esta chica es una nórdica que nosotros rescatamos. La habían vendido a una pareja que la puso a trabajar de prostituta aquí en Valencia. La golpeaban, le rompían vasos en la cara y le hicieron de todo…

El político ultraderechista y abogado de ANELA me enseña, en su ordenador, la fotografía de una joven extremadamente hermosa. Rubia, de ojos azules, estilizada, aquella valkiria representaba perfectamente el ideal de belleza aria.

—Nosotros nos ocupamos del caso y la retiramos de la prostitución. Le hemos conseguido trabajo de modelo y llevamos su caso a nivel judicial.

Mientras hablaba, los ojos de Roberto tenían un brillo especial. No estoy seguro de poder transmitir al lector la sensación que me producía su mirada mientras hablaba de aquella muchacha, vendida como una esclava sexual y llegada a Valencia desde los países del Este, como miles de muchachas similares. Pero yo reconocía aquel brillo en los ojos. Era el mismo que tenían mis camaradas skinheads cuando me hablaban de sus sueños de grandeza, del nuevo mundo que pensaban construir y de la revolución nacionalsocialista. Era la mirada de los adolescentes skins al contemplar las antorchas y las cruces célticas ardiendo durante la celebración de los solsticios, al pronunciar sus juramentos solemnes. Era la mirada de quienes se consideran los nuevos templarios, los guerreros místicos de la raza aria. Estoy seguro de que Roberto, de alguna forma, también se sentía una especie de caballero teutón, de guerrero patrio, salvador de aquella desvalida valkiria nórdica que, por cierto, y según averigüé posteriormente, terminaría trabajando como modelo para su empresa. He conseguido algunas fotos de aquella joven e información de su relación con Roberto, pero finalmente he optado por no publicarla, ya que su identificación podría perjudicarla notablemente. Y bastante ha sufrido ya. Ojalá ella y su familia puedan olvidar el infierno que ha vivido en los últimos tres años.

La conversación con Roberto continúa durante casi dos horas. Sin saberlo, tras responder pacientemente a todas mis preguntas, me facilita infinidad de pistas para profundizar en el tráfico de mujeres. De nuevo surge el maldito deseo de tentar una vez más a la fortuna y me aventuro a poner sobre la mesa un tema clave:

—Verás, te voy a ser sincero. A mí no sólo me interesa tener el punto de vista de las prostitutas y de los empresarios. Para comprender globalmente el fenómeno de la prostitución creo que lo ideal es conocer también la opinión de los proveedores… o sea, de los transportistas… o sea, de los que se ocupan de traer a España a las chicas que luego terminan trabajando en los clubes.

—O sea, de los traficantes… Eso es lo más complicado y lo más peligroso.

—Lo sé. Pero supongo que, aunque naturalmente ANELA no tenga nada que ver con las mafias, imagino que, al moveros en la noche, y hablar con tantas chicas, no sé, joder, a lo mejor conocéis a alguien que conozca a alguien que me pueda ayudar a llegar a los proveedores…

Y de pronto contesta algo que me coge desprevenido y termina de minar mis defensas psicológicas:

—Es que tú, entonces, lo que quieres es infiltrarte, ¿no?

—¡Hombre, no tanto!

—¡Coño!, pues entonces deberías leerte un libro que salió hace poco, de un tío con dos cojones que se infiltró en los cabezas rapadas, el muy cabrón. *Diario de un skin*, se llama. ¿Lo conoces?

No podía ser. Era demasiado fuerte para ser verdad. Soy consciente de que puede parecer increíble, pero prometo solemnemente que ocurrió exactamente así.

Estaba sentado en el despacho del presidente de un partido ultraderechista, en la planta superior de una empresa de seguridad llena de skins, y su director, con un revólver y varias balas sobre el estante, me recomendaba leerme mi propio libro para aprender a infiltrarme en un grupo de crimen organizado. Pensé que me había descubierto y mi primer impulso fue echarme a llorar y entregarle mi cámara oculta suplicándole que me perdonase la vida. El segundo fue el de salir corriendo. Pero era consciente de que no tendría ninguna posibilidad de llegar ni siquiera a la planta baja. Así que me tragué el arrebato de pánico, mientras apretaba las rodillas para contener las insoportables ganas de orinar y le respondí intentando que el sudor que empezaba a caerme por la frente no me delatase.

—¿*Diario de un skin*? Sí, ya, claro, lo conozco... pero... eso no es tan complicado. Lo jodido es meterse en las mafias, eso sí que tiene mérito...

No sabía si el intento de menospreciar el trabajo de Antonio Salas resultaba convincente y esperaba su reacción. Tal vez sólo sospechaba de mí e intentaba ponerme a prueba. Tal vez esperaba que me arrodillase pidiéndole clemencia y confesándole que yo era Tiger88. Pero no ocurrió nada. No percibí en su mirada ningún indicio de desconfianza. Y cuando me invitó a comer con él, terminé por convencerme de que no sospechaba de mi verdadera identidad. Probablemente había consultado las webs de los nazis y sus colaboradores, como el periodista de *El Correo*, y creía saber la identidad real de Antonio Salas, así que no podría ni imaginar que en ese momento tenía al verdadero Tiger 88 sentado en su despacho. Mi ángel guardián había vuelto a ganarse el sueldo, y además una paga extra. Comprendo que pida la jubilación anticipada.

Roberto me recomendó que visitase algunos prostíbulos valencianos y me indicó por quién debía preguntar en cada uno. Sus consejos terminarían siendo proverbiales para facilitar mi acceso a las mafias del tráfico de mujeres tiempo después y en lugares, es justo reconocerlo, aparentemente alejados de ANELA. Cuando decliné su invitación para comer juntos —no podía seguir aguantando tanta tensión— me acompañó hasta la salida, mostrándome todos los secretos de su empresa de seguridad y charlando conmigo como con un camarada más.

—La semana pasada dos moros intentaron entrar a robar aquí. Hace falta ser imbécil. Porque además de las cámaras de vigilancia que tenemos por todo el edificio y que se ven, tenemos cámaras ocultas que no se ven. Mira, ves aquel puntito negro, pues aquello es una cámara oculta, pero si no entiendes de esto es normal que no te enteres...

Confieso que, a pesar del nerviosismo que me inspiraba aquel lugar, tuve que contener una sonrisa. Roberto no se había dado cuenta de que yo mismo portaba una cámara oculta y había estado grabándole desde que entré en su local. Imagino que no le hará ninguna gracia el día que lea estas líneas, pero confío en que lo encaje con deportividad.

—Y mira, éste es el armero, aquí tenemos las pistolas y demás armamento con el que los chicos practican. ¡Abre ahí y enséñale a este amigo las armas!

A una orden de Roberto, el encargado de la recepción abrió el armero y pude calcular que en aquella caja de seguridad había no menos de treinta armas de fuego semiautomáticas. Eso fue la gota que colmó el vaso. Cada minuto que pasaba en aquel lugar crecía la posibilidad de que cualquiera de los skinheads o ultraderechistas que frecuentaban aquella empresa pudiese reconocerme por haber coincidido conmigo en algún acto nazi durante mi infiltración anterior. Aún hoy no quiero imaginar qué habría pasado si hubieran descubierto que aquel tipo del bigote y del peinado ridículo era Tiger88. Agradecí a José Luis Roberto sinceramente su colaboración y todas las pistas que me había dado. Agradecí también toda la documentación que me había facilitado: dossieres, revistas de ANELA, etc.

Salí del Pasaje de Ruzafa tan rápido como pude. A partir de ese momento tenía mucho trabajo por delante para conseguir entrar en uno de los suburbios más crueles y despiadados del crimen organizado: el tráfico de mujeres, pero entonces sólo podía sentarme en algún bar —las piernas no dejaban de temblarme— para beber una tila y fumarme dos o tres cajetillas de cigarrillos.

Capítulo 2

El ¿oficio? más antiguo del mundo

El que determine, empleando violencia, intimidación o engaño, o abusando de una situación de superioridad o de necesidad o vulnerabilidad de la víctima, a persona mayor de edad a ejercer la prostitución o a mantenerse en ella, será castigado con las penas de prisión de dos a cuatro años y multa de doce a veinticuatro meses. En la misma pena incurrirá el que se lucre explotando la prostitución de otra persona, aun con el consentimiento de la misma.

Código Penal, art. 188, 1
(Modificado según Ley Orgánica 11/2003, de 29 de septiembre)

Lo confieso sin pudor, sabedor del escepticismo con que los lectores varones encajarán esta afirmación, pero jamás, antes de iniciar esta investigación, había visitado un local de alterne. Tenía una curiosidad morbosa, es verdad, y en muchas ocasiones, al avistar alguno de estos serrallos a un lado de la carretera, durante mis interminables viajes, había sentido la tentación de entrar a fisgar, pero nunca lo había hecho. Ni siquiera para tomar una copa o comprar cigarrillos. Sus neones estridentes, sus nombres provocadores, sus aparcamientos atestados de vehículos llamaron muchas veces mi atención, como la de cualquiera, pero jamás se había dado la circunstancia propicia para que entrase en ninguno de ellos. Ahora, sin embargo, conozco casi todos.

Desde que Aspasia, la esposa de Pericles, inventara los prostíbulos —del latín *prostituire:* comerciar, traficar— hasta nuestros días, el negocio del sexo ha evolucionado mucho. En el siglo XXI existen millones de Marías Magdalena y de Valerias Mesalina en todo el planeta. Hasta el punto de que, en los ambientes más doctos y eruditos, a las rameras, meretrices, prostitutas, lumis, fulanas, putas, ninfas, golfas, pelanduscas, cortesanas, suripantas, furcias, zorras, busconas y demás chicas de mala vida, se las denomina precisamente con el nombre de esa emperatriz romana, tercera esposa de Claudio I, conocida por su vida licenciosa y promiscua. Su muerte, degollada por un soldado en el año 48, a los treinta y tres años de edad, refleja perfectamente la vida intensa, vertiginosa y con frecuencia corta, de muchas mesalinas actuales.

Sin embargo, y al margen de estas licencias históricas, yo no sabía nada sobre prostitutas, prostíbulos ni proxenetas, así que, como ocurre en cualquier investigación, primero debería familiarizarme teóricamente con el tema que iba a afrontar. Y como es cierto que no siempre el que va más deprisa llega antes a su objetivo, tenía claro que para acercarme a los mafiosos de la trata de blancas, debía dar un rodeo por las trastiendas de la prostitución. El contacto con ANELA no fue más que un primer paso, un primer aldabonazo para encontrar información; pero evidentemente no era el único. Hace falta llamar a muchas puertas para hacerse una idea, mínimamente aproximada, sobre el gigantesco y complejo mundo de la prostitución y esto probablemente se deba a que a pesar de sus descomunales proporciones, es en definitiva uno de los sectores más excluidos socialmente. Probablemente ningún otro colectivo social, salvo el religioso, haya influido tanto en la historia, y por supuesto, ningún otro ha movido tantas cantidades de dinero como el gremio del sexo profesional. Sin embargo, la colosal hipocresía social en la que nos movemos margina de tal forma este sector de la sociedad, que todavía en el siglo XXI, los varones ocultan el uso que hacen de estos servicios con un empeño tal que sólo es superado por el de las rameras que esconden a sus familiares y vecinos la labor que desempeñan.

Al consultar el término «prostitución» en los dos buscadores más populares de Internet, Google y Yahoo, aparecen 51.900 y 57.300 entradas respectivamente. Y aunque son demasiadas puertas a las que llamar, yo lo intentaría en muchas de ellas. Desde fuentes policiales hasta ONG dedicadas a la inmigración, pasando por periodistas especializados, asociaciones empresariales, clientes adictos, ex rameras, psicólogos, criminólogos, etc., durante meses estuve dedicado a confeccionar un voluminoso archivo con todo tipo de información sobre el fenómeno de la prostitución y su relación con el crimen organizado.

Todos los expertos coinciden en que puede resultar factible, con un poco de esfuerzo, acceder a los testimonios de las profesionales del sexo, o a sus clientes. Sin embargo, llegar a las redes del crimen organizado, a las mafias del tráfico de seres humanos, era, en opinión de esos mismos especialistas, mucho más complejo y sobre todo peligroso. Quizá porque la mayoría de los traficantes de mujeres al mismo tiempo participan de otras «especialidades» delictivas como el tráfico de armas, el narcotráfico, la falsificación de documentos, la extorsión, el homicidio incluso...

«Ten cuidado, éstos primero te pegan un tiro y luego preguntan», fue una de las frases que más veces escucharía en mi peregrinar por comisarías de Policía o cuarteles de la Guardia Civil, en busca de datos objetivos sobre la trata de blancas. De hecho, meses después de iniciar esta infiltración, me vi engarzando en un collar una bala, una 9mm, que casi me vuela una rodilla. Pero desgraciadamente, a la hora de advertirme sobre los riesgos de esta investigación, nadie supo alertarme sobre el mayor peligro de todos, en definitiva mucho peor que el miedo constante a recibir una paliza o un tiro. Me refiero a los zarpazos letales en el alma que mutilan para siempre tu mente al conocer y convivir con el lado más siniestro y despiadado de la naturaleza humana: la profunda hipocresía social que margina a las samaritanas del amor, mientras continúa exprimiéndolas hasta que sólo son pedazos de carne vacía y reseca; la adicción desesperada de los consumidores del producto, capaces de hipotecar sus vidas y sus conciencias por una nueva dosis de pasión o de un cariño tan falso, de unas caricias tan ficticias y de unos besos tan traidores como los de Judas, y sin embargo, tan imprescindibles como la dosis de heroína para las venas del drogadicto; y sobre todo, tantas mentiras, tantos engaños, tantos embustes. En ese profundo pozo oscuro y siniestro que es el mundo de la prostitución, todos mienten. Putas, puteros y proxenetas terminan siendo cofrades en la misma Hermandad de la Santa Patraña.

Ahora sólo puedo sonreír amargamente al leer los anuncios clasificados en cualquier periódico del país, donde supuestas jovencitas de dieciocho añitos, «aunque aparento menos», ofertan «griego», «francés sin» o «cubana», por 30 euros. O al observar, desde cualquier autovía española, los coches apiñados en el aparcamiento de tal o cual lupanar de carretera. O al reconocer en las portadas de *Cosmopolitan*, *Man*, *Interviú* o *Woman* a las prestigiosas y respetables actrices, modelos y presentadoras que yo he visto en los catálogos de rameras de los prostíbulos más lujosos del país.

Si no sintiese una tristeza tan profunda y devastadora, me reiría de todos ellos. De los eruditos contertulios televisivos, de los políticos conservadores que exigen la expulsión de los inmigrantes ilegales y que resultan ser propietarios de los burdeles que se nutren en un 95 por ciento de chicas extranjeras introducidas en España por las mafias; de los españolitos jóvenes, atractivos y seductores, que tienen que pagar a una fulana porque no tienen valor para compartir con sus novias o esposas sus fantasías sexuales; de los mafiosos del crimen organizado, que se creen genios del delito, situados por encima del bien y del mal, y que fueron burlados por mi cámara oculta; de las prostitutas absorbidas por la espiral del lujo y del dinero, que terminan vendiendo algo más que su cuerpo...

En este viaje hacia el infierno he sentido compasión, lástima, ira, deseo, culpabilidad, frustración, asco, impotencia y por encima de todo, tristeza. Tanta tristeza. Tal vez, si hubiese podido intuir la angustia y la desesperación que iba a experimentar al infiltrarme en este mundo perverso nunca habría iniciado esta investigación.

Crimen organizado y prostitución

El subteniente José Luis C. conoce perfectamente los entresijos del crimen organizado. Es el responsable de muchas de las operaciones de la Guardia Civil que han concluido con la detención de importantes mafiosos y traficantes de mujeres en España. Jefe de una unidad de la Policía Judicial, fue uno de los primeros en ponerme en antecedentes sobre el mundo en el que pretendía sumergirme.

—¿Infiltrarte en las mafias de la prostitución? ¿Pero tú estás loco?

El subteniente se giró bruscamente en cuanto le hice partícipe de mis intenciones y sacó una pistola semiautomática del cajón de su escritorio, colocándola sobre la mesa, mientras mordisqueaba el cigarro puro, ya reseco, que forma permanentemente parte de su fisonomía.

—¿Tú tienes una de éstas? Pues ellos tienen muchas. Y ni cámara oculta ni hostias. Si te sacan una de éstas, te puedes ir metiendo tu cámara por el culo, o te la meterán ellos.

En realidad conocía a José Luis desde tiempo atrás, cuando ambos coincidimos en otra investigación que nada tenía que ver con el tema que ahora me ocupaba. Hicimos buenas migas, y al saber que él era el responsable de algunas operaciones de la Guardia Civil contra redes de tráfico de mujeres ucranianas, rumanas o moldavas, decidí pedirle consejo.

—No te cabrees, hombre. Todavía no sé qué es lo que voy a hacer. Sólo te pido ideas. No sé cómo funciona este mundo ni por dónde empezar. Por eso acudo a ti. Tengo algunas pistas que me han dado en Valencia, pero todavía no me siento capaz de hacerme pasar por un traficante de mujeres.

—Pero ¡qué coño te vas a hacer pasar por un traficante con esa pinta! Además, ¿tú sabes cuáles son sus rutas, sus formas de trabajo, cómo introducen a las chicas, cómo las reclutan? ¿Qué sabes tú de las mafias para hacerte pasar por un mafioso? Te van a pegar un tiro.

La verdad es que el guardia civil tenía toda la razón del mundo. Pero al fin y al cabo, para eso estaba yo allí, para que me orientase. Y me orientó.

—La mayoría de los colombianos, nigerianos, rusos o chinos que están metidos en el negocio de la prostitución también están metidos en otro tipo de delitos. Tráfico de armas, drogas, secuestro, extorsión, asesinato… ¿Cómo pensabas entrar? No te imagino haciéndote pasar por sicario colombiano o por narcotraficante, para establecer un contacto con ellos…

En aquel momento, y en aquel despacho, ninguno de los dos podíamos imaginarnos que meses más tarde volveríamos a reunirnos para ver la cinta en la que me hacía pasar por un traficante de drogas, con el fin de negociar con otro narco mexicano la compra de niñas vírgenes de trece y catorce años, de Chiapas, para unos prostíbulos ficticios que yo alegaba tener en España. Aquella cinta hizo que el policía tuviese que retractarse y reconocer que yo podía hacerme pasar por lo que hiciese falta... Pero aún faltaba mucho tiempo para eso, y el veterano policía continuó con sus paternales consejos, que constituyeron una enorme ayuda para mi investigación.

—Lo más fácil es que entres en ese mundo a través de ellas, de las chicas. Si consigues ganarte su confianza tal vez te presenten a sus dueños y puedas llegar a tratar con ellos, pero yo lo veo muy jodido. Y muy arriesgado. Mira, hay colombianos que te rajan el cuello por 50.000 pesetas. Hay africanos, con unas trancas así de gordas, que te pueden hacer cantar hasta la *Traviata* si sospechan de ti. Y de los rusos ni te cuento. Muchos de ellos son ex miembros del KGB que, después de la caída del muro de Berlín, se encontraron en paro y descubrieron que con el crimen organizado ganan mucho más dinero que con el espionaje, así que imagínate lo que nos cuesta a nosotros trincarlos. ¿Cómo te vas a meter tú ahí?

Y aunque no le faltaba razón, no tardó en darse cuenta de que estaba dispuesto a llevar adelante la investigación con su ayuda o sin ella. Y como creo que en el fondo me aprecia, a pesar de que nunca sonría —quizá por tener que mantener su eterna colilla de puro colgando en la comisura de los labios—, al fin me brindó su ayuda. A él debo el haber podido acceder a algunos de los testimonios más salvajes y brutales que pude recopilar en el mundo de la prostitución, como es, por ejemplo, el caso de Nadia.

A la hora de escribir estas líneas, Nadia tiene ya veintiún años y se encuentra en otro país europeo —que no mencionaré por razones obvias—, lejos de la mafia que la secuestró en Chisinau (Moldavia), cuando sólo tenía diecisiete y era aún una estudiante. Sin duda muchos madrileños, incluso quizá alguno de los lectores de este libro, tuvieron la oportunidad de gozar de su cuerpo adolescente, por apenas 5.000 pesetas, en algunos de los locales de alterne en que se vio forzada a ejercer la prostitución en Madrid y Majadahonda. Tal vez si algunos de esos clientes supiesen el atroz infierno que tuvo que vivir esa niña antes de llegar a sus brazos, por 30 euros el polvo, no habrían tenido el valor de mantener relaciones sexuales con ella o se les habría cortado la erección. Sobre todo si supieran que Nadia apenas vería ni un céntimo del fruto de su «trabajo» —léase tortura—, puesto que inmediatamente era interceptado por Valentino Cucoara, alias *Tarzán*. Este hombre, nacido el día 4 de octubre de 1971 en Moldavia, hijo de Constantino y María, era el encargado de controlar a las chicas en España, y se ocupaba de recoger el dinero que sus «guarrillas» recaudaban en los clubes pertenecientes a la cadena Mundo Fantástico, de manos del responsable de los locales, Juan Carlos M. V., uno de esos «honrados empresarios españoles, empeñados en dignificar el "oficio" más antiguo del mundo». En su declaración policial, el señor M. V. insiste en que desconocía que las hermosas adolescentes moldavas, como Nadia, realizasen su «trabajo» bajo ningún tipo de presión mafiosa. Al parecer, suponía que aquellas jóvenes, que apenas habían cumplido la mayoría de edad, se dedicaban a chupar pollas y a dejarse follar por españoles de diecisiete a sesenta años por pura vocación profesional. El mismo argumento que mantienen los honorables empresarios de ANELA.

Toda la operación policial recibió el nombre de «Atila» debido al origen del cabecilla de la mafia, Petru Arcan. Este peligroso traficante de mujeres había nacido en Moldavia, muy cerca del río Dniester, en la hoy autoproclamada República del Dniester o Transnistria, de donde, en el siglo V, procedían varias legiones de los hunos comandados por el conquistador Atila, hasta su muerte en el 453. Dicha operación, comandada por el subteniente, concluyó con numerosas detenciones y, lo que es más importante, con la liberación de ocho mujeres secuestradas por la red mafiosa, dos de las cuales trabajaban en el conocido club Joy de Majadahonda. Señalo intencionadamente el local por si a sus clientes habituales se les indigesta el polvo del próximo sábado noche.

Pero creo que lo mejor es acceder directamente al testimonio de Nadia. Ella podrá, mucho mejor que yo, explicar a los asiduos de los prostíbulos madrileños y a los «altruistas» empresarios que los regentan cómo llegó a España. Ésta es la transcripción literal de su brutal relato. El particular descenso a los infiernos, la *Divina «Tragedia»* que tuvo que sufrir una moldava de diecisiete años.

Una testigo del infierno

«Yo tenía diecisiete años cuando fui secuestrada por primera vez por la red que desde Moldavia dirige Dimitri Samson y Anatolie Rusu, quienes me enviaron a Turquía a trabajar como prostituta. Dimitri me amenazaba con matar a mi familia ante la más mínima rebelión. En Turquía nos controlaba Sveta, la esposa de Dimitri. Ella era la encargada de recaudar el dinero que nosotras ganábamos para enviárselo a su marido a Moldavia. El transporte en avión lo hacía alguna de las chicas. El dinero viajaba oculto en un preservativo, que era introducido en la vagina de la encargada de transportarlo. Recuerdo que, una vez, el preservativo con el dinero abultaba tanto que a la chica no le cabía en la vagina. Entre las demás compañeras tuvimos que aplicarle vaselina, hasta que logramos introducírselo y tardamos horas en conseguirlo.

»En cierta ocasión, yo viajaba en autobús desde Moldavia hasta Turquía enviada por Dimitri. Como siempre, con la amenaza de éste de matar a mi familia si no le obedecía. Al intentar cruzar la frontera de Bulgaria con Turquía, las autoridades turcas no me permitieron pasar. Decidí regresar a Moldavia y decirle a Dimitri lo que había ocurrido. Mientras esperaba un autobús que me llevara de vuelta a casa, acompañada de otra chica moldava de veintitrés años que también había sido secuestrada por Dimitri, se aproximó a nosotras un vehículo en el que iban tres hombres; luego supe que dos de ellos eran ucranianos y el otro búlgaro. Al ver cómo ellos cogían a la otra chica del pelo y la introducían en el vehículo, yo salí corriendo pero me alcanzaron. Había mucha gente mirando y nadie hizo nada por evitar que nos cogieran. Me forzaron a subir al automóvil y, como yo me resistía, uno de ellos sacó una jeringuilla y quiso inyectarme algo en el brazo. Yo forcejeé con él y le rompí la jeringuilla, pero consiguieron inmovilizarme.

»Después de una hora de camino, nos detuvimos en un pueblo de Bulgaria. No sé cuál, porque ellos impedían que mirásemos los carteles de la carretera. Entramos en una casa con un restaurante. A mí me condujeron a un sótano donde había una habitación y cerraron por fuera con llave. Estuve siete días durmiendo en una cama sin sábanas. Sólo salía de allí cuando pedía ir al servicio, y siempre conducida por uno de mis raptores. A los ocho días, nos obligaron a lavarnos, a peinarnos y a pintarnos la cara. Nos esperaba un gitano. Era un hombre bajo, gordo, de unos cuarenta y cinco años, que, según pude ver, era propietario de varios prostíbulos; compraba mujeres secuestradas y las vendía al mejor postor. El gitano gordo me dijo que yo tenía que trabajar en uno de sus clubes y acostarme con, al menos, cincuenta hombres al día. El horario de «trabajo» empezaba a las 11 de la mañana y terminaba cuando yo me acostara con el último de los cincuenta. Así tenía que estar dos meses, durante los cuales el dinero que ganara era para el gitano. Después de estos dos meses, el dinero lo repartiría conmigo al 50 por ciento, pero me dijo que el total del dinero siempre lo iba a guardar él. Yo le dije que no podía hacer aquello. Él al final decidió venderme al propietario de uno de los clubes en Creta (Grecia).

»Me trasladaron a otra casa. Allí había otras ocho secuestradas, una de ellas de diecisiete años y otra de diecinueve, madre de dos hijos. Tres días después nos facilitaron una camisa, unas zapatillas y dos latas de conservas. Estuvimos poco allí, porque en seguida nos llevaron, cruzando montes durante dos días, hasta Grecia. En aquel viaje nos acompañaba un búlgaro alto, flaco, de veinticinco años, que se inyectaba heroína cada poco rato. En Grecia nos recogió un hombre alto, rubio, de treinta y cinco o cuarenta años, que nos llevó en coche hasta Salónica. Era el propietario de unos clubes de alterne en la isla de Creta. Había pagado 35.000 marcos alemanes —16.828 euros— al gitano por cada una de nosotras. El gitano nos había mostrado a todas y el búlgaro nos eligió a otras dos chicas y a mí. Por el camino supimos que nos había comprado billetes de avión con nombre falso. En el aeropuerto, cuando ya habíamos pasado el control policial para embarcar, yo salí corriendo y me agarré al brazo de un policía de servicio. Le grité que me habían secuestrado, que me llevaban a la fuerza a Creta, que otras dos chicas, al igual que yo, viajaban en el avión que yo iba a tomar. Los policías las detuvieron y nos trasladaron a una comisaría y después nos metieron a las tres en la cárcel durante 7 días, para deportarnos después a nuestro país.

»La Policía griega me pagó el billete de tren hasta Sofía y desde allí a Bucarest tenía que pagármelo yo, que no tenía ni un duro. En aquel tren era peligroso viajar porque en una de las paradas a veces subían rusos, albaneses o búlgaros y se llevaban a todas las mujeres jóvenes que viajaban, aunque fueran acompañadas de sus maridos o sus padres. Los mafiosos pagaban —u obligaban bajo amenaza de muerte— a los maquinistas del tren para que parasen el convoy donde ellos quisieran, aunque no hubiera estación. A los hombres que viajan con las mujeres, si oponen resistencia, les ponen pistolas o cuchillos en el cuello, o los matan directamente. Aquella vez ocurrió. El tren se paró en medio del campo y cuando los *negreros* entraron, una señora mayor que viajaba con su marido en mi mismo vagón me dijo que me escondiera en una abertura que había bajo los asientos, en el suelo. Así lo hice y así me pude salvar de otro secuestro. De las casi 50 mujeres jóvenes que iban en el tren, sólo yo llegué a Sofía.

»Pero cuando llegué a la estación de Chisinau —capital de Moldavia— me estaba esperando Dimitri. A los dos días nuevamente iba en avión, esta vez camino de Turquía. Poco después, Dimitri, al comprobar que en Turquía no recaudaba suficiente dinero, decidió enviarnos a España a trabajar como prostitutas o bailarinas de strip-tease.

»Llegamos a Madrid con pasaportes polacos falsos. Los hombres de Dimitri que nos esperaban nos llevaron a vivir a un piso del número 22 de la calle Federico Grases, en el barrio de Carabanchel de Madrid. De allí salíamos cada día a trabajar hasta la extenuación para esta gente.

Además de explotarnos a nosotras, un día Dimitri Samson tuvo la idea de montar en Madrid una agencia matrimonial para vender mujeres moldavas a cuatro millones por cabeza. Esas mujeres, una vez casadas, tendrían que separarse de sus maridos españoles y exigirles una pensión de 100.000 pesetas mensuales, dinero que, lógicamente, tendrían que entregar a la red. En el plan de Dimitri, esas mismas mujeres se utilizarían después para nuevos matrimonios y nuevas separaciones. Al final no lo ha podido llevar a cabo.

»En Turquía y en Moldavia, dos mafiosos de Dimitri, un moldavo llamado Pavel y un ucraniano al que conocíamos por Iván, eran los encargados de propinarnos terribles palizas si no obedecíamos sin rechistar las órdenes de Dimitri. Es más, en Turquía, a Sveta, la mujer de Dimitri, a la hora de controlarnos, le ayudaba la esposa de Iván, una tal Tamara. Aquí en España, el encargado de vigilarnos era otro moldavo. Se llama Valentín Cucoara. Durante el camino en automóvil de Moldavia a España, Dimitri nos describía a Valentín como un buen tipo, pero nos advirtió que era capaz de destrozar a una persona cuando se enfurecía. En Moldavia había trabajado como matón a sueldo de algunos mafiosos dando palizas a los que no se sometían a la disciplina de los delincuentes. En Madrid pronto supimos cómo era Valentín Cucoara. Nos pegaba, nos violaba y se quedaba con el dinero que ganábamos nosotras para enviarlo después a Moldavia, a la organización. Era un hombre muy violento, que maltrataba y violaba sistemáticamente. Algunas chicas se acostaban con él a cambio de que les permitiera quedarse con un poco de dinero del que ganábamos, aunque sólo fuera para comprar tabaco.

»Un día, Valentín me sorprendió haciendo averiguaciones sobre Dimitri. Se puso como una furia. Me sacó del piso de Carabanchel y me llevó a un descampado. Allí me puso de rodillas y sacó una pistola. Creía que me iba a matar, pero empezó a darme golpes con ella por todo el cuerpo. Estuvo mucho rato pegándome sin piedad. Volví a Carabanchel con todo el cuerpo lleno de moretones. Valentín dio orden e instrucciones a los dueños de las salas de strip-tease donde trabajábamos para que no nos dieran ni un día libre, así podía mandar más dinero a Dimitri y Anatolie. Seguro que en Chisinau estarían contentos con él...»

Esto es parte del testimonio de Nadia. Y lo más atroz es que no es una excepción. Yo mismo, durante todos los meses que permanecí sumido en el mundo de las mafias de la prostitución, conocí a docenas, quizá centenares de prostitutas rumanas, colombianas, nigerianas, brasileñas, ucranianas, dominicanas, polacas, senegalesas, rusas, etc. que habían sufrido periplos similares. Cualquiera de las chicas que ejerce la prostitución en la Casa de Campo de Madrid, en el Raval de Barcelona, en El Grao de Valencia, en El Pombal de Santiago, o en los sofisticados clubes de carretera de Marbella, Bilbao o Sevilla, tiene una brutal historia personal detrás. Y, por supuesto, incluyo a todas las prostitutas que trabajan en todos los locales con placa o sin placa de ANELA. Les guste a los neonazis o no.

Toni Salas, de profesión proxeneta

A medida que me acercaba a las mafias del tráfico de mujeres, la inquietud que me habían inspirado los cabezas rapadas se iba haciendo cada vez más insignificante. Comparados con los traficantes de mujeres, los skinheads son una pandilla de angelitos, fácilmente manipulables. Es evidente que si los neonazis me hubiesen descubierto grabándoles con una cámara oculta, habría tenido que soportar una brutal agresión, pero al lado de un calibre 38, las botas, los puños americanos o los bates de béisbol de los cabezas rapadas me parecían inocentes juguetes. Por eso sabía que debía esforzarme mucho más en conocer a fondo el mundo del crimen organizado antes de intentar introducirme en él. Y debo reconocer que dos mujeres me ayudaron mucho a familiarizarme con el mundo de la prostitución: Isabel Pisano, autora de *Yo puta*,* y Valérie Tasso, autora de *Diario de una ninfómana*.** Ambos textos son fundamentales para comprender a las profesionales del sexo.

Me reuní con Isabel Pisano en un lujoso apartamento de la Plaza de España de Madrid. Desde aquel ático se puede gozar de una panorámica extraordinaria de la capital. Desde tan alto resultan también lejanos los dramas humanos que se encierran en los corazones de las chicas que patrullan, día y noche, la calle de la Montera, la Gran Vía, o la Casa de Campo de Madrid, en busca del hombre que pague un puñado de euros por irse a la cama.

Antes de acudir a la cita me empollé a fondo el *Yo puta*, y creo que a la Pisano le gustó ver que mi ejemplar estaba lleno de párrafos subrayados y anotaciones en los márgenes. Isabel, como yo, utiliza los libros a fondo, los exprime, los usa como una herramienta de trabajo y no como un mero elemento decorativo en la estantería. Cuando nos reunimos, la famosa periodista, viuda de Waldo de los Ríos, acababa de regresar de Nigeria, tras realizar un reportaje para la revista *Marie Claire* —publicado en el número de mayo del 2002— sobre Safiya Husseini Tungar-Tudu. Safiya es la mujer condenada a morir

* Barcelona, Plaza & Janés, 2001.
** Barcelona, Plaza & Janés, 2003.

lapidada por haber cometido un terrible crimen contra la ley coránica nigeriana. Osaba seguir viva después de haber sido violada. Además la Pisano trabajaba en esos momentos en su futuro libro, tan audaz como temerario, en torno a la oscura trastienda del 11-S: *La sospecha*.* Un libro, como toda la obra de Pisano, fundamental. Y debo agradecerle que se tomase un respiro de su nuevo trabajo, para volver a repasar conmigo sus investigaciones en el mundo del sexo profesional.

Toda la información que me facilitó, así como los contactos y consejos con que me obsequió, fueron imprescindibles para poder salir airoso en los contactos que luego llegué a tener con alguna de las mafias africanas que operan en España.

—Las mafias nigerianas, junto con las mafias eslavas, croatas y de Kosovo, son las peores, porque son capaces de decapitar, de mutilar, de hacer desaparecer... y de las niñas ya no se vuelve a saber más. O sea, la vida de una cría de éstas no vale nada. Es de repente un cuerpo desmembrado en la morgue. No tiene nombre, ni cabeza, ni huellas digitales, ni nada. Es alguien que se va sin una oración, sin una flor, de la peor de las maneras. Y normalmente en plena juventud...

Estas palabras de Isabel Pisano, que transcribo literalmente del minutado de la cinta, se incrustarían en mi mente, y volverían a aflorar una y otra vez desde el inconsciente, a medida que me hundía, cada vez más y más, en los submundos del tráfico de mujeres; «... un cuerpo desmembrado en la morgue... alguien que se va sin una oración, sin una flor...».

En nuestra entrevista, la autora de *Yo puta* me habló

* Barcelona, Belaqua, 2003.

de muchas de las meretrices que había conocido durante su investigación, pero de entre todas ellas había una de la que me hablaba con un cariño especial. Se trataba de una prostituta de lujo de origen francés, afincada en Barcelona, con la que había estrechado grandes vínculos afectivos años atrás. Llegó a insistirla una y otra vez para que escribiese su historia y la diese a conocer. Esa mujer es Valérie Tasso, y a la insistencia de Isabel Pisano se debió, en buena medida, la publicación años después de *Diario de una ninfómana*.

Mi primer encuentro con Valérie Tasso se produjo en un céntrico apartamento de Barcelona. Allí descubrí a una mujer extraordinariamente inteligente, sofisticada y atractiva. Políglota, doctoranda universitaria y alta ejecutiva de empresa, nada más alejado de la imagen que se supone propia de una cortesana.

Al principio se había mostrado muy reacia a recibirme, pero me bastó mencionar el nombre de Isabel Pisano para que accediese a la reunión. Sin embargo pude detectar su desconfianza cuando le expliqué el objeto de mi visita y mi intención de introducirme en las mafias de la prostitución.

Nuestra primera entrevista no resultó demasiado productiva. Por un lado comprendía su desconfianza, pero reconozco que me sentí un poco frustrado. Valérie había sido una prostituta de lujo y conocía, desde dentro, el mundo en el que yo deseaba introducirme. Sin embargo, cuando tiempo después, tras la lectura de su libro, pude conocer su historia personal, las cosas cambiaron. En aquellas páginas se encontraban muchas pistas y datos de los que ella no había querido hablar en nuestro primer encuentro. Y el caso era que la mayoría de las cosas que la francesa apuntaba entre sus textos me resultaban familiares. De hecho, me parecía que las había leído en algún sitio antes, así que me sumergí en mis archivos, que iba engrosando de un modo alarmante, y repasé una y otra vez los miles de artículos de prensa, dossieres e informes sobre el mundo de la prostitución que iba apilando en mi casa. Y por fin apareció. Estúpido de mí, tendría que haber buscado en primer lugar en el sitio más obvio: el libro *Yo puta* de Isabel Pisano.

La Pisano le había cambiado el nombre, la nacionalidad y todos los rasgos personales que pudiesen identificar a Valérie Tasso, pero sin duda era ella. Entre las páginas 55 y 82 de *Yo puta*, la ex de Waldo de los Ríos relata la historia de Carlotta, supuesta aristócrata italiana de veintitrés años, que trabajaba en un burdel de lujo de Barcelona cuando fue entrevistada por Isabel. Ni italiana, ni aristócrata, ni Carlotta, pero las cosas que narraba aquella meretriz eran las mismas que, mucho más desarrolladas, relata Valérie Tasso en su libro. Inmediatamente envié un e-mail a la autora de *Diario de una ninfómana* preguntándole si mi intuición era correcta. Y *touché*. Valérie no sólo reconoció que ella era la Carlotta de *Yo puta*, sino que se sentía entusiasmada porque alguien hubiese leído su libro «con tanto interés y perspicacia» como para darse cuenta de que ella y la aristócrata italiana eran la misma persona. Así que volví a Barcelona, y esta vez cambió tanto la actitud de Valérie Tasso, que a partir de entonces, en todos los encuentros que se siguieron, me facilitó informaciones valiosísimas para conocer y comprender a las prostitutas. Aprendí a humanizarlas y a encontrar un camino accesible hacia ellas, hasta llegar a convertirse en cómplices inconscientes de mi investigación. Quiero dejar claro que ninguna de ellas supo que yo era un infiltrado y nunca colaboraron voluntariamente en este trabajo, de lo contrario serían contundentemente castigadas por sus proxenetas. De hecho, una de las razones por las que mi identidad continuará oculta es precisamente ésta, la de impedir que los proxenetas puedan identificarme con el supuesto mafioso que charlaba tanto con sus rameras. Y, por si eso pudiese llegar a ocurrir, es importante que afirme enérgicamente que yo soy el único responsable de esta investigación y de las indagaciones policiales, detenciones y procesamiento de varios traficantes de mujeres que ha originado mi trabajo. Ninguna de las meretrices que me facilitaron información lo hizo conscientemente.

Aunque para esas diligencias y detenciones, todavía tendrían que transcurrir muchos meses. Antes debería conocer mucho mejor, no sólo la psicología de las profesionales del sexo, sino de todos los elementos que confluyen en torno al mundo de la prostitución como son los propietarios de clubes, camareros y vigilantes de los burdeles; los proveedores de preservativos, lubricantes y otros elementos para los locales; los abogados, ONG y hasta videntes que se lucran de la candidez de las rameras; los mafiosos, proxenetas y traficantes; los taxistas, recepcionistas de hotel o camareros de restaurante que se llevan una comisión aconsejando a sus clientes a qué burdeles pueden acudir; los productores y editores de porno; los diseñadores de páginas web; los telefonistas eróticos... El negocio del sexo de pago es un gigantesco iceberg, de colosales dimensiones, en el que las prostitutas no son más que un insignificante pedazo de hielo que aflora sobre la superficie.

Y quienes mejor lo saben son las organizaciones humanitarias que se ocupan de ayudar a las víctimas del negocio del sexo, la mayoría inmigrantes ilegales, como las que supuestamente los skins de España2000 querían expulsar del barrio valenciano de Russafa, pero que en realidad terminaban trabajando en los locales de ANELA.

Organizaciones como ALECRIN en Galicia, APRAMP, ETAIRA, o las oblatas en Madrid, o AMNOT en Valencia, esta última, dirigida por la entrañable ex prostituta Paquita de Lucas, erigida como enemiga incondicional de José Luis Roberto y lo que ANELA representa. A todas esas organizaciones humanitarias debo también muchos de los contactos y formación iniciales, para convertir a Toni Salas en un convincente traficante de mujeres. Y sobre todo la posibilidad de conocer a algunas de las personas que, de una forma u otra, han sido cruciales en esta investigación.

Otros fueron apareciendo en mi camino de forma aleatoria, como Jesús o Paulino, en Cataluña y Galicia respectivamente. Dos consecuentes y consumados consumidores, puteros compulsivos con años de experiencia, que me abrieron las puertas de los puticlubs de toda España y parte de Portugal. O personajes como Manuel, el adinerado empresario barcelonés que me permitiría acceder a las agencias de lujo donde ejercen como prostitutas conocidas presentadoras, actrices y modelos. O Juan, colaborador de los Servicios de Información, que me mostraría la desconocida relación entre las prostitutas y el mundo del espionaje. O Rafael, santero cubano, habitualmente consultado por las rameras africanas, obsesionadas con los poderes mágicos de los mafiosos, que me iniciaría en la dimensión menos conocida de los traficantes de mujeres.

Todos ellos contribuirían, en mayor o menor medida, a convertirme en un convincente chulo y traficante. Lo suficientemente convincente como para intentar acercarme hasta los verdaderos mafiosos, que en la España del siglo XXI compran y venden mujeres, o niñas, para nutrir de carne fresca los burdeles, donde los respetables ciudadanos de la Europa del euro intentan satisfacer todas sus fantasías y perversiones.

Capítulo 3

Las samaritanas del amor

Son infracciones graves: Encontrarse irregularmente en territorio español, por no haber obtenido o tener caducada más de tres meses la prórroga de estancia, la autorización de residencia o documentos análogos, cuando fueren exigibles, y siempre que el interesado no hubiere solicitado la renovación de los mismos en el plazo previsto reglamentariamente.

Ley de Extranjería, art. 53, a.

Conducía por la Nacional VI mientras José Luis Perales cantaba a las «Samaritanas del amor» desde la radio del coche. Alguna emisora radiofónica había rescatado del olvido aquellos temas españoles de los ochenta, y ninguno podía ser más oportuno en aquel momento que el disco *Amaneciendo en ti*, de Perales:

Samaritanas del amor, que van dejando el corazón
entre la esquina y el café, entre las sombras del jardín
o en la penumbra de un burdel, de madrugada.
Muñecas frágiles de amor, que dan a cambio de una flor
el alma.

A medida que ganaba kilómetros, a ambos lados de la carretera iban desfilando los neones luminosos de docenas y docenas de prostíbulos, que atraían mi atención con sus letreros resplandecientes y sus nombres provocadores. Todos ellos repletos de aquellas «Samaritanas del amor» a las que cantaba Perales:

A esas chicas alegres de la calle,
que disfrazan de brillo su tristeza,
compañeras eternas del farol,
del semáforo en rojo y del ladrón,
que sueñan la llegada de alguien,
que tal vez les regale un perfume de clavel,
y las quiera. Samaritanas del amor...

Hoy sé que no habría tenido ningún problema si hubiese aparcado el coche y hubiese visitado cualquiera de aquellos burdeles de carretera, sin llevar conmigo la cámara oculta. Podría haber entrado a tomarme una copa y haber vuelto a salir sin que nadie me hubiese hecho preguntas indiscretas, pero eso lo sé ahora, no en aquel momento. Así que me limité a conducir, ordenando mis pensamientos y repasando todas las tareas que me aguardaban en Galicia y Asturias.

Mi intención era contactar con un periodista de Gijón y con una ONG de Vigo: Grupo de Estudios Sobre la Condición de la Mujer (ALECRIN), que gestiona dos casas de acogida y un piso tutelado para ex prostitutas, así como dos Centros de Día y una unidad móvil que recorre las principales ciudades gallegas asesorando a las fulanas. A esta organización debo los primeros contactos con prostitutas, que me acercarían un poco a algunas mafias del tráfico de mujeres en España. Además, ALECRIN cuenta con la única biblioteca, hemeroteca y videoteca existente en Galicia especializada en este tipo de temas.

Pero también tenía la intención de entrevistarme con un siniestro personaje, sobre el que me habían informado en la Brigada Central de Extranjería de Madrid. Había acudido allí, al igual que a la unidad de la Policía Judicial de la Guardia Civil, en busca de pistas a seguir y consejo para mi nueva infiltración. Una cabriola inesperada del destino quiso que me encontrase, en aquella comisaría central, con un joven inspector con quien había coincidido cuatro años atrás, durante mi infiltración en un colectivo muy diferente al que ahora me ocupaba. Aquel inspector acababa de terminar su formación en la Academia de Policía de Ávila y realizaba sus prácticas en el campo delictivo que yo estaba investigando en aquel momento. Supongo que nuestra edad —los dos de la misma quinta— nos ayudó a hacer buenas migas. Sin embargo, después de aquello le había perdido la pista, y la providencia quiso ponerlo de nuevo en mi camino, cuando más necesitaba de alguien que me echase una mano en un tema tan nuevo y desconocido para mí.

El inspector Dani C. me facilitó mucha documentación útil y me puso en contacto con sus superiores. Casi un año después aquel contacto sería de fundamental importancia para conseguir que mi infiltración tuviese una repercusión judicial y varios traficantes de mujeres a los que yo grabé durante mi infiltración terminasen en prisión. Pero no quiero adelantar acontecimientos. Baste decir que el inspector José G. fue el primero en hablarme de quién sería mi mentor en el mundo de la prostitución.

—Toni, yo no te he dicho nada a nivel oficial ¿vale?, pero la persona que más sabe sobre este tema en España es un tipo que vive en Galicia y que trabaja como... digamos que colabora con los Servicios de Información... tú ya me entiendes. Éste es su teléfono. Dile que llamas de mi parte y te atenderá. Nosotros hemos hecho muchos trabajitos con él y sabemos que maneja muy buena información, pero es un poco difícil de carácter. Estos tíos son muy desconfiados. Pero si le caes bien te puede ayudar más que nadie.

Y así fue. José Luis Perales continuaba su particular homenaje a las mesalinas desde la radio del coche, mientras yo detenía el vehículo en una estación de servicio para repostar y volver a telefonear a Juan. De nuevo saltaba su buzón de voz y de nuevo volví a dejarle un mensaje. «Hola, soy Antonio Salas. Le llamo de parte de José, de la Brigada de Extranjería. Voy camino de Santiago y me gustaría verle porque creo que podemos ayudarnos. Le dejo de nuevo mi número de móvil. Por favor, llámeme cuando escuche este mensaje...»

Y me llamó. Acordamos encontrarnos en un popular restaurante del casco antiguo de Santiago al día siguiente. Su afición por el buen yantar tan sólo es superada por su afición a las mujeres y al dinero. Hombre de una refinada inteligencia, sin duda superior a la media, y con un punzante sentido de la ironía, trabaja desde hace años con diferentes Servicios de Información. Lo que ha visto y vivido en estos años ha terminado por convertirlo en un escéptico desencantado del género humano. Y sin duda mi amigo, el inspector de Extranjería, no exageraba al decirme que nadie podría ayudarme más que él.

La diferencia entre el trabajo de los policías infiltrados y el mío es que en mi caso no existe ningún apoyo ni cobertura. Cada año se desarrollan en España una media docena de investigaciones criminales contando con agentes infiltrados. En esos casos todo el departamento policial pertinente elabora una «leyenda», es decir, un convincente pasado falso del agente infiltrado, incluyendo documentación, puesto de trabajo, vivienda, etc. Los fondos del Ministerio del Interior o del Ministerio de Defensa permiten contar al infiltrado con una leyenda convincente.

Además el infiltrado perteneciente a los Servicios de Información tiene un «controlador» que vela por su seguridad en todo momento. El «controlador» es un compañero del infiltrado que está al corriente de todos los avances de la investigación, viaja a los mismos lugares que él y le sigue 24 horas al día, manteniendo un código de señales entre infiltrado y controlador, para advertirse de cualquier problema o imprevisto. Es su particular «angel guardián» encargado de prevenir la enfermedad de los topos, el mal que afecta a todos los infiltrados si la misión se prolonga demasiados meses en el tiempo: el «entrampado». Cuando te ves obligado a vivir una vida diferente a la tuya, 24 horas al día y durante meses o años, es posible que tu propia personalidad se vea enganchada al personaje que estás interpretando, lo que deriva en serios problemas psicológicos que pueden poner en peligro la misión del infiltrado. El deber del controlador es detectar los primeros síntomas de ese mal del topo, para poder sacar a su compañero antes de que sea demasiado tarde.

En la historia policial española existen casos brillantes que demuestran lo efectivo que puede resultar el uso de infiltrados a la hora de combatir el crimen. Un ejemplo elocuente es el de la policía E. T. B., conocida en círculos *abertzales* como Arántzazu Berradre, que permaneció durante años infiltrada en grupos nacionalistas vascos hasta conseguir llegar a ETA y contribuir a la desarticulación del comando Donosti. En cuanto a los servicios secretos, el actual CNI y el anterior CESID también han desarrollado misiones con infiltrados en grupos de crimen organizado o bandas terroristas, con excelentes resultados. El ex coronel Juan Alberto Perote desarrolla una de esas misiones operativas en su libro *Misión para dos muertos*, editado por Foca.

Desgraciadamente yo no contaba con el apoyo de ningún organismo oficial. No tenía una leyenda ni un controlador. No disponía de fondos reservados ni de más ayuda que mi propio ingenio y mi capacidad de improvisación y aprendizaje. Y debo reconocer que el agente Juan me ayudó notablemente a elaborar mi propia leyenda.

Con Juan aprendí las cosas más importantes que después debería poner en práctica para acceder a los traficantes. Sus consejos fueron de un valor incalculable para formar mi personaje y para aprender a obtener información de los camareros, vigilantes y chicas de los burdeles.

—Si quieres que una puta te dé información, jamás, y digo jamás, te acuestes con ella. Y si lo haces, no lo hagas en el club, ni le pagues por follar. Si subes con una puta en un club y te la follas, para ella serás un cliente, no un amigo. Y a los clientes se les saca la pasta, no se les da información. Así que te guardas la chorra y te aguantas. Y si ves que te ponen muy cachondo, porque las condenadas saben ponerte cachondo, te vas al cuarto de baño y te haces una pajilla. Ya verás como después sales más calmadito y puedes seguir hablando con ellas sin pensar en tirártelas.

Así de claro, contundente y elocuente es Juan. Conoce el negocio de la prostitución mejor que nadie. Y me lo demostró en infinidad de ocasiones. Pero, como él dice, el camino se hace caminando. Esa noche, y por primera vez en mi vida, entraba en un local de alterne. Y el resultado no podía ser más desastroso.

Juan se empeñó en ponerme a prueba en un local concreto, el Vigo Noche. Creo que estaba más nervioso cuando franqueamos aquella puerta, que cuando entré por primera vez en el Bernabéu rodeado de Ultrassur. No tenía ni la menor idea de cómo era un prostíbulo. Aún no sabía cómo tenía que comportarme, ni de qué hablar, ni dónde demonios meter las manos, que no hacían más que incordiarme. Y creo que el agente se dio cuenta, porque la sonrisa burlona le delataba. Además, para terminar de intranquilizarme, justo antes de entrar en el burdel y nada más bajarse del coche, ocurrió algo insólito. Juan rodeó el vehículo hasta la puerta derecha donde yo me encontraba, y dijo: «Mejor no entro con la pipa, que para follar siempre estorba». Seguidamente, con la mayor naturalidad, se sacó de debajo de la americana una flamante Glock del calibre 9mm parabellum, le sacó el cargador y la guardó en la guantera. Era lo que menos necesitaba para tranquilizarme.

El Vigo Noche es un prostíbulo relativamente pequeño. Pese a ello, unas 10 o 12 chicas esperaban pacientemente a que algún cliente las invitase a una copa o accediese a subir con ellas a las habitaciones. Nos acomodamos en la barra, entre un grupo de tres tipos con aspecto de ejecutivos estresados y dos chicos jóvenes que no terminaban de decidir cuál de las fulanas sería la elegida para un trío con ellos. Juan se pidió un vodka con naranja y yo le imité. No fuma, pero yo no podía evitar encender un cigarrillo detrás de otro.

—Tranquilo, chaval, que no muerden. Además aquí no hay jaleo. El dueño del local es un policía amigo, así que no te preocupes. Éste es un garito tranquilito para empezar.

—¡Joder! ¿Un poli? Pero ¿hay mucho poli metido en esto?

—¡Pero qué pardillo eres! Pues claro. Aunque hay más guardia civil. Es normal, se pasan todas las noches patrullando por las carreteras, ¿y dónde se van a meter a tomar una copa a las 4 o las 5 de la mañana? Después, ven la cantidad de dinero que se mueve en este negocio y se preguntan: «¿Por qué voy a estar yo arriesgando la vida por 200.000 pesetas al mes, cuando estos cabrones, o los narcos o los etarras se levantan diez veces más?». Mira, en el Cometa-G de la Nacional VI, por ejemplo, les salían las copas gratis a todos los guardias civiles, poniendo por detrás del ticket «GC». Además, el padre de los dueños también fue guardia civil. También El Reloj, que ahora se llama Yin Yang, estaba a nombre de la mujer de un guardia civil. Y en una redada de la Policía Nacional en el Moulin Rouge de Monte Salgueiro, se encontraron con un sargento de la Guardia Civil en la entrada que no les dejaba pasar, porque estaba metido en el ajo. O el del Osiris, que es de tus amigos de ANELA, también había ahí un guardia civil... ¿Cómo no les van a dar un premio los de ANELA a la Guardia Civil, si algunos casi son socios?

Mi capacidad de sorpresa iba creciendo a la vez que mis nervios ante las revelaciones del agente. Sus burlas sobre mi inquietud eran más que comprensibles, ya que no hacía falta ser muy observador para darse cuenta de que mi mano temblaba más de lo normal al aplicar la colilla del cigarrillo anterior al que pretendía encender ahora. Fue en ese momento cuando ella se me acercó.

No era demasiado agraciada. Al menos no era mi tipo. Me dijo que se llamaba Dalila, pero sé que era un nombre falso. Sin embargo, su acento delataba su nacionalidad colombiana. Cuando me preguntó mi nombre, miré a Juan, como pidiéndole permiso para hablar. Y sólo me encontré con una carcajada despectiva. Estaba claro que mi cara debía ser de lo más elocuente. Dalila se armó de paciencia para intentar mantener una conversación conmigo, pero yo estaba demasiado nervioso como para vocalizar con claridad y sin tartamudear.

—Soy To-to-toni.

—Pues encantada, To-to-toni.

Lo que me faltaba. Hasta la ramera se burlaba de mí. Toda la teoría que había empollado sobre las mafias de la prostitución se había ido al garete. Y una vez más la experiencia me demostraba que en el campo de las infiltraciones, sólo sabes cómo vas a reaccionar cuando te encuentras sobre el terreno. Y yo no podía reaccionar peor. Desde luego, si intentaba infiltrarme entre los mafiosos demostrando aquel control de la situación, no iba a durar vivo ni dos telediarios.

—¿Qué pasa? ¿Te comió la lengua el gato? ¿O es que no te gusto?

—No, no, no es eso. Es que... na-nada.

—Pues si nadas, invítame a una copa y así nos ahogamos los dos.

Volví a mirar a Juan, esperando un gesto, una señal que me orientase sobre lo que debía hacer, pero él ya estaba muy ocupado charlando animadamente con una chica de color, que parecía conocer de toda la vida, y aparentemente no me prestaba ninguna atención. Así que, como siempre, tendría que salir solo del atolladero. La colombiana se pidió un benjamín de champán, lo que encarecía la cuenta en 5.000 pesetas más. Y yo no sabía cómo afrontar el tema que me había llevado allí.

—¿Llevas mucho en Espa-paña?

—Tres meses.

—¿Y cómo viniste? ¿Te trajo alguien?

—¿Y a ti qué te importa? ¿Vamos a follar o no?

Estaba claro que ése no era el modo de hacer las cosas. Dalila estaba en su terreno y yo me encontraba más perdido que un pulpo en un garaje. Mi torpeza no podía ser mayor. Una sonora carcajada a mi espalda me demostró que Juan estaba pendiente de mi conversación con la colombiana, al mismo tiempo que charlaba con la negrita. Sin apenas mirarme, me susurró al oído: «Lo llevas crudo, chaval, vamos a subírnoslas y veremos si tienes más suerte».

Las palabras del agente me aterrorizaron aún más. Apenas había tenido tiempo para tantear el terreno en el que me movía, cuando él ya pretendía que pasase al segundo curso. Yo hubiera necesitado haber visitado varias veces algún prostíbulo antes de subir al reservado con una prostituta en ninguno de ellos. Precisaba más tiempo para familiarizarme con ese tipo de locales, pero Juan no estaba dispuesto a concedérmelo. A una señal suya, la colombiana se me colgó del brazo empujándome hacia el fondo del local. Juan nos seguía abrazado a la imponente negraza que había escogido y que resultó ser además bailarina de strip-tease en el local.

—Oye, no sería mejor esperar un poco, tomarnos otra copa y charlar con ellas un rato...

Mi guía no tenía ningún pudor en carcajearse abiertamente de mi timidez. Él se encuentra como pez en el agua en los burdeles de cualquier parte del mundo porque los conoce mejor que nadie. Desde África hasta Asia. Es su hábitat natural desde hace muchos años y por eso disfrutaba sádicamente de mi torpeza como aspirante a infiltrado. Sin embargo, yo continuaba insistiendo.

—No, en serio, no te rías. Me han dicho que en muchos garitos de éstos hay cámaras ocultas y que graban a los clientes, ¿no te da corte?

—Es cierto —me respondió Juan para mi sorpresa—, pero en éste no. Ya te he dicho que Lorenzo, el dueño, es muy amigo mío, y no te preocupes que aquí no te van a grabar la colita...

Para cuando me di cuenta, ya estaba junto a Dalila en el mostrador que existe al fondo del local, donde se pagan los servicios sexuales y las mesalinas recogen una toalla, una sábana limpia y un preservativo, antes de entrar en los dormitorios. Ignoro cuánto costó aquel servicio porque invitó Juan, pero imagino que oscilaría entre las 5.000 y las 8.000 pesetas. Tras pagar, las dos parejas nos separamos y entramos en dormitorios diferentes. Mi estancia en aquel lugar fue una de las experiencias más incómodas y desagradables de la investigación. Me sirvió para conocer la trastienda del negocio, pero no para comprender cómo los clientes pueden llegar a convertirse en adictos al sexo de pago. Falso, artificial, forzado y bochornoso. Un sexo vacío, soez e incómodo. Un enorme reloj de pared, que se me antojaba una especie de taxímetro, marcaba los treinta minutos contratados por el servicio. Treinta minutos interminables. Me sentí aliviado cuando volví a salir de la habitación, abochornado y con un incómodo sentimiento de culpabilidad. Por supuesto Dalila no me dio ningún dato útil, y aunque le dejé mi teléfono para que me llamase, nunca lo hizo. En cuanto llegamos de nuevo al bar se alejó de mí sin despedirse para entablar conversación rápidamente con un tipo seboso con la nariz más roja que un pepino, señal inequívoca de su alto grado de contaminación etílica, que intentaba mantener el equilibrio al final de la barra. No pude reprochárselo. De mí ya había sacado lo que buscaba, una copa y un servicio, y ahora iba a por otro cliente.

Aunque yo ni estoy casado, ni tengo ningún compromiso —no como la mayoría de los clientes, que no consideran adulterio la relación con una prostituta— no podía evitar un agobiante sentimiento de culpabilidad. Pedí otro vodka y me dispuse a esperar a Juan, que tardó un buen rato en volver de la habitación. Lo hizo sonriente y abrazado a su negra, que no dejaba de susurrarle cosas al oído. Evidentemente se desenvuelve mejor que yo y estaba logrando que aquella chica le facilitara toda la información que yo no había podido obtener de Dalila. Allí mismo me prometí solemnemente que jamás volvería a repetirse lo que acababa de ocurrir en el Vigo Noche. A partir de ese día yo tendría el control de la situación y no volvería a dejarme llevar por los acontecimientos. Ahora ya sabía cómo eran los burdeles por dentro y no volvería a pagar la novatada. A Juan se le iba a terminar lo de reírse a mi costa.

Una Alicia en el país de las miserias

De la mano de Juan conocí muchos lupanares, burdeles y mancebías del norte de España. Desde el Trastevere del Valle de Trápaga en Vizcaya, hasta el Borgia, de Santander —su local gemelo, el Borgia II, está en San Vicente de la Barquera—, pasando por el Millenium de A Coruña, el Selva Negra de Solares en Cantabria, el Models de Oviedo, el Christine de San Sebastián, el Tritón de Lugo y un larguísimo etcétera. Muchos de ellos ostentan su placa de pertenencia a ANELA. La única condición que me ponía Juan es que no llevase la cámara oculta a menos que él me lo indicase expresamente. Y yo respeté siempre ese pacto.

Sin embargo, Juan no fue la única fuente, aunque sí la más importante sobre todo por ser la primera. Durante nuestros periplos por los prostíbulos de media España pude comprobar cómo en muchos —en casi todos— burdeles de carretera, era reconocido por las fulanas, por los camareros o incluso por los encargados, que lo saludaban cordialmente como si se tratase de alguien de la familia. Lamento no poder comentar algunas anécdotas extraordinarias que viví con él, ya que eso dificultaría su trabajo para los Cuerpos de Seguridad, pero puedo testificar que se trata de un verdadero profesional de la información y de la infiltración. Sólo otro de los personajes con los que conviviría durante todos estos meses recibía un trato similar, aunque por causas muy diferentes.

Me refiero al veterano putero Paulino, a quien conocí en un local perteneciente a ANELA llamado La Luna, situado en la Nacional VI, local en el que meses después, en diciembre de 2003, podría grabar con mi cámara oculta a Sonia Monroy actuando en el escenario del prostíbulo...

Paulino es el propietario de una agencia de prensa y de una pequeña productora de televisión que se gasta todo su dinero en furcias. Fuera de las ramerías, en su vida normal tiene todo el perfil del perdedor. Solitario, de aspecto desaliñado y con pocos amigos, sufre una verdadera transformación en cuanto entra en un puticlub. De pronto se convierte en un tipo audaz, extrovertido y seguro de sí mismo. Entre rameras se encuentra en su ambiente, quizá porque lleva toda la vida frecuentando mancebías, desde Cádiz hasta El Ferrol.

Y tal vez por ese carácter extrovertido y seguro de sí mismo, se convirtió en una pieza clave en mi investigación. Normalmente, los clientes de los harenes no se miran a los ojos. Acuden al burdel solos o con amigos de confianza, buscando sexo o al menos compañía femenina. Los prostíbulos no son lugares a los que se va para hacer amigos o para charlar de fútbol. De hecho, a mí me resultaba fascinante apostarme en un extremo de la barra y observar el comportamiento de los hombres: nuestra patética forma de intentar parecer tipos duros e interesantes, nuestra ridícula actitud al insinuarnos a las fulanas, como si intentásemos seducirlas. Supongo que es una justificación inconsciente para convencernos a nosotros mismos de que aún podemos parecer atractivos a una mujer, aunque esa mujer sea una profesional que va a fornicar con el usuario por su dinero y no por su atractivo.

Normalmente los clientes eludían mi mirada cuando me sorprendían observándoles, pero Paulino no. Paulino controlaba la situación, era un veterano, y no tenía ningún reparo en charlar animadamente entre polvo y polvo. Yo he visto cómo se gastaba 70.000 y 80.000 pesetas por noche, subiendo con dos, tres y hasta con cuatro chicas distintas en diferentes burdeles.

Le caí simpático y yo utilicé esa ventaja. Me convertí en uno de sus compañeros de correrías y en cada nuevo viaje a su ciudad, me ofrecía a acompañarlo de burdel en burdel. Me pagaba las copas y los servicios —que por supuesto yo jamás consumaba—, y aunque en infinidad de ocasiones intentó convencerme para que subiésemos juntos con una o dos fulanas, siempre conseguí convencerlo de que yo era demasiado tímido como para un trío o una orgía. De esa forma podía interrogar tranquilamente a mis fuentes, sin que él supiese a qué me dedicaba. Nunca su dinero estuvo mejor invertido.

No tardé en darme cuenta de que Paulino sufre una verdadera adicción. Adicción al sexo. Desafortunadamente para él, es un hombre poco agraciado físicamente. De hecho, he presenciado en varias ocasiones cómo alguna profesional llegaba a negarse a subir con él a causa de su aspecto y supongo que también a causa de su olor. Tampoco es un gran conversador, ni especialmente divertido. Sólo tiene dinero. Y a pesar de ser propietario de una productora y de una agencia de noticias, viste mal, vive en un cuartucho y su oficina parece más un trastero que una productora de televisión. Quizá porque casi todo su dinero lo invierte en el mismo lugar: su obsesión por las rameras.

—Tú piénsalo bien, Toni. Imagínate que conoces a una tía buena y te la quieres tirar. La invitas a cenar, ponle un mínimo de 5.000 pelas. Le regalas un ramo de flores, otras 5.000. La invitas a un par de copas, otras 5.000. Paga taxi para traerla y llevarla, otras 5.000. Al final de la noche te has gastado 20.000 pelas y nadie te garantiza que vayas a echar un polvo que, encima, será con una tía que igual no te la quiere ni chupar. Con esas pelas yo echo cuatro polvos con auténticas profesionales…

A pesar de lo soez de su testimonio, el empresario expresa la opinión de la mayoría de los puteros habituales de este país. Sin embargo, y pese a sus elocuentes cálculos matemáticos, intuyo que hay otros factores que influyen notablemente en la adicción al sexo y la dependencia de las prostitutas. Sé que Paulino buscaba refugio entre los muslos de las cortesanas porque pensaba que quizá allí encontraría algo que le hiciese sentirse mejor consigo mismo. Una y otra vez intentaba que, además de sexo, aquellas chicas le mostrasen cariño, comprensión y ternura... Y lo único que lograba era eyacular. Después, llegaba otra vez la frustración, la autocompasión, y entonces volvía a intentarlo con otra ya fuera en el mismo burdel o en otro diferente. Así, una y otra vez. En un viaje frenético de ramera en ramera, buscando en su quimera de la mujer perfecta lo que ninguna podía darle.

Valérie Tasso me había explicado que, durante los meses que trabajó como prostituta de lujo, se había dado cuenta de que los hombres consideraban que tanto ella como sus compañeras eran precisamente eso: las «mujeres perfectas».

—Nosotras nunca hacemos preguntas, ni reproches. Siempre estamos arregladas, maquilladas y dispuestas para complacer al hombre. Cuando el cliente llegaba a nosotras, se encontraba con una mujer atractiva, cuidada y a la vez comprensiva. Siempre dispuesta a escucharlo, a darle un masaje o a hacer el amor. Para ellos, nosotras éramos las mujeres perfectas...

Andando el tiempo constaté que esta opinión es compartida por muchos clientes habituales de los burdeles españoles, como Jesús, otro putero barcelonés gracias al cual conocí a algunos propietarios de prostíbulos catalanes. Al igual que Paulino, Jesús lleva toda la vida gastándose su dinero en fulanas... aunque intuyo que en su caso, su implicación en el sexo profesional se debió a que pasó de ser mero consumidor a formar parte activa del negocio...

Por supuesto —a diferencia del pacto que yo tenía con Juan—, yo no sentía ningún tipo de compromiso con Paulino y utilizaba el equipo de grabación siempre que lo consideraba oportuno. Desgraciadamente durante los años 2002 y 2003 los programas de cámara oculta realizados por Atlas-TV y por El Mundo-TV habían saturado el mercado televisivo, y la amenaza de las minicámaras se cernía sobre el mundo del delito como un peligro real y constante. Por eso era cada vez más difícil sortear la desconfianza de los delincuentes. Lo sé mejor que nadie porque durante el transcurso de esta investigación, en varias ocasiones, yo mismo tuve que soportar la pregunta más comprometida de mi oficio: «¿Y tú no llevarás una cámara oculta?».

Me ocurrió en prostíbulos de carretera, en reuniones con mafiosos y hasta en una de las agencias de prostitución de lujo que trata con famosas actrices, modelos y presentadoras de televisión. Todos ellos sospechan de un tipo que hace demasiadas preguntas, y ésa precisamente es la labor del periodista de investigación. Así que una y otra vez, había que retar a la fortuna, con lo que cada noche de grabación se convertía en una ruleta rusa, en la que no tenías muy claro si te iban a pillar o no. En esos momentos siempre me acordaba de mi compañero Diego, un cámara alicantino que fue sorprendido en un burdel de lujo malagueño, con su cámara oculta. La navaja de uno de los matones del puticlub rajó su carne, dejándole una elocuente advertencia en forma de cicatriz. «Y la próxima vez te meto la cámara por el culo, y te rajo el cuello en vez de la mano» —vino a decirle el matón, que en este caso no pertenecía a Levantina de Seguridad—. Yo no quería ninguna experiencia sexual con la cámara, ni que me afeitasen la yugular, así que procuraba ir con mucho cuidado.

Mis primeras grabaciones en los burdeles españoles son de pésima calidad. Tardé en habituarme al comportamiento que debía tener en los prostíbulos. Además, suelen ser locales con poca iluminación y con frecuencia, el sonido estridente de la música y la falta de luz hacían que las cintas fuesen absolutamente inútiles. Tenía que aprender a introducir la cámara en el local sin llamar la atención, buscar los lugares mejor iluminados y con menor sonido ambiente, controlar en todo momento a los vigilantes de seguridad y camareros que pudiesen sospechar de mí, y aprender a sacar información a las prostitutas recordando, cada noventa minutos, que debía cambiar las cintas y las baterías del equipo.

Los cuartos de baño de los burdeles terminaron por convertirse en mis santuarios. Cuando la presión, la angustia o el asco eran insoportables, acudía a los lavabos y allí, sentado sobre la taza, podía disfrutar de un momento de quietud para ordenar mis ideas, repasar los equipos de grabación, o simplemente repostar psicológicamente antes de volver a presenciar cómo hombres de toda edad y condición social, muchos de ellos respetados pilares de la comunidad, sobaban ansiosamente a chicas que podían ser sus hijas, o incluso sus nietas, antes de subir con ellas a los reservados, para intentar materializar sus fantasías más sórdidas. La mayoría sólo lo intentan.

Con el tiempo confirmé lo que también me había dicho Valérie Tasso, sobre los clientes que se convierten en dóciles patanes en manos de las rameras veteranas, una vez que entran en el dormitorio. Si la fulana es lo suficientemente hábil y experta, hará lo que quiera con el cliente y lo que no quiera no lo hará. Aunque le suplique besos en los labios, felación, sexo oral, fetichismo, etc., ella sabrá cómo hacer para que el varón eyacule sin necesidad de satisfacer sus fantasías. Y se reforzaba mi convicción de que los hombres somos unos seres patéticos y ridículos. Sobre todo cuando presenciaba el retorno del audaz amante, y podía escuchar cómo relataba a sus amigotes las maravillas que había hecho a la furcia, que gozaba como una zorra en sus brazos... Lamentable.

Sin embargo, tardé mucho tiempo en conseguir el primer testimonio realmente interesante. Y no fue por mérito propio, sino gracias a la ayuda inestimable de Ana Míguez, presidenta de la asociación ALECRIN, que me recibió en su despacho del centro de Vigo, en cuando le pedí ayuda.

Ana Míguez no sólo me facilitaría mucha bibliografía y documentación sobre el drama de la prostitución, sino que me pondría en contacto con algunas mujeres excepcionales. Como Carmen L., hoy una mujer felizmente casada, pero que todavía conserva en su cuerpo las heridas de su antiguo oficio. Y no es una alegoría. En las muñecas de Carmen pueden apreciarse con toda nitidez las terribles cicatrices de dos intentos de suicidio cortándose las venas.

Durante diecisiete años ejerció la prostitución de bajo y alto standing. Trabajó en burdeles de toda España, pero también era una de las meretrices más solicitadas en las fiestas privadas de los políticos y narcotraficantes gallegos, como Sito Miñanco. De hecho, mantuvo durante tres años un tórrido idilio con Eladio Oubiña hasta el mismo día de su misteriosa muerte. Oubiña perdió la vida la víspera del famoso 23-F ante sus ojos, a la salida de la discoteca La Condesa, en lo que podría haber sido un ajuste de cuentas. El responsable de aquella muerte jamás fue detenido.

Carmen, como todas las prostitutas, ha visto muchas cosas. Ha conocido, en los clubes donde trabajaba, a muchos empresarios, famosos y políticos, incluyendo algún alto cargo de la Xunta de Galicia, sadomasoquistas, coprófagos, travestidos, según ella afirmó ante mi cámara, que después se manifiestan hipócritamente en contra de la prostitución en sus debates políticos o en sus intervenciones televisivas. Precisamente ésos eran sus mejores clientes. Llegó a cobrarle a alguno de ellos hasta 100.000 pesetas, de las de hace veinte años, por una sesión de ultrasado y humillación. «Le gustaba que le pegaran. Me llevó a su casa y se puso unas bragas y un sujetador, y aunque sabía que era lo que le gustaba, a mí me costó mucho trabajo pegarle, y lo demás, más aún...»

Desde que empezó en este mundo, con diecisiete años, siguiendo la tradición familiar —su madre también fue ramera—, hasta que terminó enganchada a las drogas, como muchas de sus compañeras, la vida de Carmen ha sido muy dura. Ahora, como trabajadora de ALECRIN, visita los burdeles de toda Galicia para asesorar, consolar y ayudar a las mujeres que están pasando por el infierno por el que ella pasó. Y al que sobrevivió. Porque a la prostitución o se la sobrevive o no, pero jamás es un episodio aislado en la vida de una mujer, o algo que cuando ellas quieren abandonan y se diluye en la memoria. Como diría el agente Juan, se convierten en «disminuidas sociales» a las que, tarde o temprano, alguien les recordará que fueron busconas.

ALECRIN ayuda a muchísimas chicas que en este momento están ejerciendo la prostitución y que luego, lógicamente, quedan muy agradecidas. De hecho, fue una de ellas la que primero accedería a hablar conmigo en su propio lugar de «trabajo». Fue un testimonio que recuerdo con especial intensidad, no sólo por ser el primero importante que pude recopilar, sino porque marcaría mi vida durante los siguientes meses o quizá para el resto de mi existencia.

El burdel donde conocí a Loveth no está demasiado lejos de la frontera con Portugal. El matón de la entrada, un tipo corpulento y con cara de pocos amigos, como todos los matones de burdel, nos franqueó el paso sin que su cara de póquer expresase ninguna emoción. Instintivamente abracé la pequeña mochila, intentando que el bulto de mi cámara oculta pasase desapercibido a los ojos del portero que, casualmente, llevaba la cabeza rapada. Quizá sólo tuviese un problema de alopecia, pero confieso que últimamente los calvos me ponen especialmente nervioso, aunque éste, afortunadamente, no llevaba ningún distintivo de Levantina de Seguridad...

El local, como la inmensa mayoría de los prostíbulos españoles, permanecía en semipenumbra. Sólo las luces coloristas de las máquinas de tabaco, pinchadiscos, o pinchavídeos, conferían a aquel antro un aspecto festivalero. Aquella falta de iluminación, orientada a que las chicas menos agraciadas tuvieran también la posibilidad de seducir a algún cliente, por un lado me beneficiaba, porque mi mochila llamaría menos la atención entre las sombras del lupanar, sin embargo, por otro lado, también me perjudicaba, en tanto que dificultaba que el objetivo de la cámara captase poco más que sombras.

Siempre me fascinó observar en silencio. He visitado cientos de burdeles, pero en todos encontré una escena similar a la que vi en el primero. Sobadas por las miradas lascivas de los clientes, ellas bailan coreando la letra de todas las canciones que escupe el tocadiscos. Diez o doce horas al día encerradas en el garito, escuchando las mismas canciones una y otra vez, las convierte a todas en el coro fiel y perfecto que acompaña las voces de David Civera, Miguel Bosé, o Paulina Rubio, cuando brotan de los altavoces, intentando humanizar el mercado de la carne.

Aquel día, disimuladamente indiqué a Paulino un extremo de la barra, justo debajo de uno de los focos rojos que iluminaba parcamente el garito. Allí, al menos, mi cámara podría captar algún plano. Nos encontrábamos en ese club en concreto porque ALECRIN había accedido a marcarme a una de las muchas prostitutas que su asociación había ayudado. Después de una atroz odisea, la muchacha a la que yo quería hablar se había quedado totalmente desvalida, abandonada a su suerte en Galicia, cuando la ONG acudió en su auxilio.

—La pobre trabajaba en la Casa de Campo en invierno. Imagínate el frío que tienen que pasar, casi desnudas, a las tres, cuatro y cinco de la mañana, en la calle, y cobrando a 3.000 pesetas la felación y a 5.000 el completo. Un día le hablaron de un club en Orense que buscaba negritas y llamó. Le dijeron que se viniese para Galicia, así que se quedó con el dinero de dos servicios, unas 7.000 pesetas, y se cogió un autobús. Pero como no tenía ni idea de dónde estaba Orense, se pasó la estación dormida y terminó en Vigo. En cuanto se bajó del autobús, con las 1.500 pesetas que le quedaban, la detuvo la Policía por no tener papeles, y la metieron en un calabozo todo un fin de semana. Como no había nadie de guardia, o el que estaba de servicio era un inepto, la encerraron hasta el lunes, y después la volvieron a dejar tirada, en la estación de autobuses, con sus 1.500 pesetas. Llamó al club de Orense, donde la esperaban tres días antes, y claro, le dijeron que se volviese a Madrid. Y allí, sentada en un banco, muerta de hambre, de frío y de miedo, nos la encontramos nosotras. Le dimos de comer y le pagamos el billete de vuelta a Madrid, y ahora dice que soy su «mamá española».

La imagen de aquella joven, indocumentada, asustada, que no conocía a nadie, ni siquiera el idioma del país en el que se encontraba, abandonada y desvalida en la estación de guaguas de Vigo, me conmovía. No tardaría en comprobar que, efectivamente, aquella muchacha estaba tremendamente agradecida a ALECRIN por haberla ayudado. Sin embargo, en la ONG me dejaron muy claro que su agradecimiento no garantizaba que me revelase a mí lo que todos los nigerianos consideran «secretos de negros».

Pregunté por ella al tipo de la barra y a una señal suya una joven se nos acercó. Lo primero que me impresionó fue la juventud de Loveth. Su rostro apenas parecía el de una niña, aunque sus formas eran las de una mujer más que desarrollada. Sin duda sus gruesos labios, sus poderosas caderas y sus grandes pechos, cuyos pezones se marcaban a través de la liviana tela de su vestido floreado, tan corto como escotado, eran la mejor herramienta de trabajo de una profesional del sexo como ella.

Intenté establecer una conversación con la joven, pero como sabía que la música que sonaba a todo volumen y el barullo reinante en el local no me permitirían grabar sus palabras con nitidez, le pregunté lo que costaba subir a una habitación con ella. Me dijo que 60 euros y entonces me pareció muy poco dinero por mancillar aquel cuerpo, aunque más tarde averiguaría que en la mayoría de prostíbulos españoles cobran todavía menos. Asentí con la cabeza y Loveth me cogió de la mano y me condujo fuera del bar. Recorrimos un pasillo tan pésimamente iluminado como la barra del garito, y subimos las escaleras hasta la planta superior. Mientras subimos, ella por delante de mí, puedo contemplar sus largas piernas y su imponente trasero. Su diminutivo vestido apenas cubre el inicio de sus nalgas, y desde mi posición, un par de escaleras por debajo de ella, podría adivinar el tanguita que cubre ínfimamente sus partes más íntimas. Las carnes se adivinan prietas y duras, pero me resulta imposible calcular la edad de aquella muchacha. Mientras recorremos aquel tramo, y como intentando establecer una mínima relación humana con el hombre con el que supuestamente va a hacer el amor unos minutos después, Loveth entabla conversación:

—Así que Toni, ¿eh?

—Sí.

—¿Es nombre de verdad? —intuyo que sabe que la he mentido.

—¿Y el tuyo? ¿Es de verdad?

Y rompe a reír. Los dos reímos. Ambos sabemos que nuestros nombres son falsos, pero es una de las reglas de este juego. No existe ninguna razón por la que una prostituta deba ser sincera con su cliente. Ninguna pretende que lo sean. Todos mienten, pero no les importa ni a unos ni a otras. Al fin y al cabo sólo van a acostarse juntos, y los cuerpos desnudos pueden ser mucho más elocuentes que las palabras. Sin embargo, y para mi sorpresa, de pronto la nigeriana se detiene, se gira y me dice: «Tú tener razón, mi nombre de verdad es... Pero si tú amigo de ALECRIN, también amigo mío...». Su reacción me ha cogido con las defensas bajas y aquel arrebato de sinceridad me hiere como un gancho directo a la mandíbula. Empiezo a sentir una incómoda sensación de culpabilidad por estar grabando a aquella joven sin su consentimiento y tengo la tentación de apagar la cámara en ese mismo momento. Pero no lo hago. Y ahora me alegro de haber continuado grabando. Era la primera vez que introducía mi cámara oculta en la trastienda de un burdel. Y era la primera vez que conseguía que una prostituta me contase, con detalle, su viaje hasta España a través de una traficante de mujeres. Además, de no haber grabado íntegramente aquella conversación, no podría transcribir literalmente las palabras de Loveth y con toda seguridad, algún imbécil, naturalmente varón, apostaría su vida a que habría aprovechado mi estancia con la joven en el dormitorio del lupanar para echar un polvo entre pregunta y pregunta.

—Oye, ¿y qué tal te tratan aquí? ¿Estás contenta?

—No. Yo querer marchar hoy y tu amiga decir que yo esperar aquí hoy para conocer a ti.

Al llegar al primer piso nos detenemos en una especie de mostrador donde una mujer de unos cincuenta años y aspecto desaliñado me pide el dinero. Pago. A cambio, la encargada le entrega a Loveth un preservativo, una toalla y una sábana limpia. Seguidamente entramos en uno de los dormitorios que existen en la parte superior del burdel y una vez solos, intento colocar la mochila con la cámara orientada de tal forma que Loveth entre en el plano lo más centrada posible. Ella se sienta en la cama mirándome como el cordero que aguarda la certera puñalada del matarife.

En la cama con «Amor»

Con un gesto de mis manos le indico que no quiero follar, sólo hablar.

—Pues... cuéntame un poquito, Loveth.

—Cuéntame tú, ¿qué quieres que te cuente?

—No sé, un poco, algo, no sé...

—¿Tienes calor? Yo tengo frío.

Me siento torpe. No es una situación a la que esté habituado todavía y aún no tengo claro cuál es el comportamiento de un cliente de prostíbulo, pero su indicación de que tiene frío me da una oportunidad de ser amable. Rápidamente me quito la chaqueta y se la coloco sobre los hombros. Ella me sonríe entre sorprendida y agradecida. Imagino que normalmente los clientes que pagan 60 euros para subir con Loveth a un dormitorio intentan quitarle la ropa y no ponerle más prendas. Su sonrisa, que parece iluminar sus grandes ojos negros, me envalentona para iniciar la entrevista. Lo que transcribo son las respuestas literales de Loveth tal y como están registradas en la cinta de vídeo. Su castellano es confuso pero inteligible.

—¿De dónde eres tú, de qué parte de Nigeria?

—De Benin.

—Hay muchas chicas que vienen de Benin, ¿no?

—Sí, muchas.

—¿De la ciudad o de algún pueblo?

—De Benin, Edo —Edo es el estado al que pertenece Benin City.

—¿Cuánto tiempo llevas aquí en España?

—Llegué hace dos años.

—¿Y hablas tan bien español?

—Yo poco, yo hablé italiano antes.

—Eres nigeriana, ¿no?

—Sí.

—O sea que fuiste de Nigeria a Italia...

—De Nigeria a Francia. En Francia poco tiempo, e Italia.

—¿De Nigeria a Francia, de Francia a Italia y de Italia a España?

—Sí.

—¿En avión?

—Sí.

Loveth tuvo mucha suerte. No tuvo que soportar el atroz viaje a pie, atravesando el desierto del Sahara, que han tenido que sufrir muchas de sus compatriotas. Ella tenía un *sponsor,* que sería además su *madame* o *mamy*, quien le pagaría el viaje en avión hasta Europa, eso sí, con la intención de amortizar lo antes posible su inversión.

—¿Y cómo llegaste aquí? ¿Te fueron a buscar al pueblo o cómo funciona eso?

—Mi jefa... Cuando yo estaba en mi país, una abuela católica, como mi madre, católica, hablar a mí. Mi familia no tener dinero, pero esta familiar sí tener dinero, mucho dinero. Y ella hablar con mi madre para llevar a mí a Italia. Decir que tiene *bambino*, hija allí, pero no tener chica para cuidar su hija.

—Y te fuiste a Italia...

—Ella no dijo que yo iba a trabajar de prostitución... sólo iba a coger a su hija...

—Para cuidar a su hija...

—Sí, que ella tenía que trabajar en fábrica. Pero cuando yo venir ella no tenía hija no tenía nada.

—¿Y tú no sabías que venías a dedicarte a la prostitución?

—No. Yo no sabe. Mi jefa me no dijo así, ha dicho que yo venía a ayudar a ella, a hija. Cuando yo venir, ella no tenía hija. Ella prostitución también.

Empiezo a sentir cómo me hierve la sangre a medida que Loveth profundiza en su relato. Sin embargo, la joven no ha hecho más que empezar a describirme su terrible aventura europea. Porque nada más aterrizar en Italia, su *madame* le enseñó lo que era un preservativo y la puso a trabajar esa misma noche.

—Luego ella coger condón, quita uno. Así, cuando tú quieras poner en la polla abres así y así... Y cuando era la noche me ha dicho, vamos a trabajar. ¿Vale yo que voy a trabajar? Me ha dicho, prostitución. Yo llora, llora. Y cuando yo llorar, ella pegarme. Coger, a la calle, a trabajar. Y no puedo hablar con Policía, porque ella me coge con vudú... Coge mi sangre, mucha sangre. Mata un pollo y coge dentro...

—¿Las entrañas?

—Sí, rajó y me da así...

—¿Lo tuviste que comer?

—Sí, comer, con whisky. Y luego beber con agua de vudú. Agua de mucho tiempo. Más de seis años o siete años, preparada allí...

Estoy confuso. No acabo de entender de qué me está hablando la muchacha. No comprendo qué demonios tiene que ver eso del vudú y comerse las entrañas de un animal con las mafias de la prostitución. A pesar de que Isabel Pisano ya me había adelantado algo, aún no comprendía que ése es uno de los grandes secretos de las redes nigerianas de trata de blancas.

—¿Me quieres decir que te hicieron vudú?

—Sí.

—¿En Italia?

—No, en mi país. Cuando yo decir que sí para ir a Italia mi jefa llevar a hacer *yuyu.*

—¿Cómo es eso del vudú?

—Vudú. Cogen mi sangre, cogen mi pelo, cogen pelo de mi coño... Mi sangre... y bragas... te cogen...

—A ver si lo entiendo. Antes de venir a España vais a que os hagan vudú. ¿Y eso para qué?

—Para que cuando yo vaya a Italia e no llamar Policía para mi jefa...

—¡Ah! Para que no llames a la Policía. ¿Y lo hizo ella o un brujo?

—Ella... Y huele mal, y puaj...

—¿Vomitaste?

—Sí, y ella hace comer otra vez...

Hablamos de su jefa y de cómo vino de Italia a España. Menciona que una de las chicas de su *madame* fue asesinada por las mafias en Italia. Cuando la Policía hacía los registros, echaban a las chicas fuera de casa, y sin papeles. Hablamos también de los papeles que les dan, y me da a entender que son falsos —«papeles no buenos»—. Y me explica que tenía miedo a la Policía también, por estar indocumentada, algo que me han repetido muchas fulanas. Empiezo a comprender que es el pánico el que hace que estas jóvenes estén completamente a merced de sus «propietarios».

—¿Cuando os hacen el ritual, tú no haces nada, no hablas con la Policía? ¿Por qué tienes miedo al vudú?

—Sí, por el vudú. Me matan a mí. Y cuando yo hable con la Policía pegar a mi madre…

—¿Fueron a pegar a tu madre?

—Sí. Todo, cosas en casa, comida y todo, tirar todo... Yo no quiero que peguen a mi madre. Pero yo ahora le dicho que yo no tengo dinero para pagar a ella...

—¿Por qué tú tienes que pagarle dinero a ella?

—Sí, 45.000 dólares.

—Eso es mucho dinero.

—Pero yo pagar, poco a poco. Cuando yo estar en Italia, cinco meses yo trabajar bien, y yo tener mucho dinero para pagar a ella. Yo trabajar por la noche, por el día, mucho.

Al hablar de su madre Loveth se emociona, y a pesar de la escasa luz veo cómo una lágrima se desliza por su mejilla, mientras se le quiebra la voz. Sé que suena ridículo, pero no pude evitar que a mí también se me humedeciesen los ojos. Desde luego, la estampa debía parecer de lo más patética: los dos sentados en la cama, llorando, mientras mi cámara nos grababa a hurtadillas. Lo que no soy capaz de precisar es si mis lágrimas se debían a la compasión que me inspiraba aquella joven o a la rabia y a la impotencia que sentía en aquel momento. Una sensación de rabia e impotencia que terminaría por alojarse en mi corazón, como un huésped no invitado, durante los meses que pasaría infiltrado en ese mundo, y que terminaría por afectarme psicológicamente, más de lo que había previsto.

—¿Hay mucha gente como tu jefa que se dedique a traer chicas?

—Oh, sí, mucha, mucha.

—¿Y todos utilizan el vudú?

—Vudú, sí.

—¿No se puede hacer algo para romper ese hechizo?

—No, no hay. Es vudú, vudú.

—Pero a lo mejor otro brujo que tenga más fuerza puede romper ese vudú.

—No hay.

—Y el ritual ¿cómo es? ¿Cómo se hace? ¿Lo hicieron en tu casa, en casa de ella...?

—No, no, en casa de ella no, en casa de vudú.

—¿En casa de vudú? ¿En un templo?

—Sí, grande.

—¿Ibas sola o iban más chicas?

—No, yo, mi madre, su madre...

—Cuando ibas allí, ¿no sabías que te iban a hacer vudú?

—No, ella coger a mí allí. Es que hay una cosa buena de vudú. Ella no dijo si no pagar matar a ti, ella dijo que era para coger el avión bien, traer suerte...

Con el tiempo yo me convertiría en un experto en brujería africana, asistiría a sus rituales y participaría en ceremonias de vudú absolutamente espeluznantes. Y sólo entonces, y nunca antes, podría comprender el pánico que infligen en las conciencias de las adolescentes traficadas por las mafias, aquellos ritos sangrientos, en los que hasta yo mismo tuve que beber sangre. Sin embargo, eso ocurriría mucho tiempo después. En aquella primera entrevista con Loveth, encerrados en aquel dormitorio de burdel, mi pragmática mente occidental no podría comprender que unas prácticas absurdas y supersticiosas pudiesen apresar de tal forma la voluntad de un ser humano. Cometí el mismo error que otros muchos analistas del crimen organizado, desprecié el inmenso poder de la fe y de la religión, que en este caso es hábilmente utilizado por las redes mafiosas del tráfico de mujeres.

—Pero, joder, Loveth, ¿de verdad te crees que te pueden hacer daño con esa mierda?

—Sí, vudú poderoso. Yo conocer chicas que volver locas por no obedecer vudú. Una hablar sola y tirar todo a la basura, y otra morir.

—Ya. ¿Y piensas seguir así por culpa del vudú?

—Pero ahora yo tengo problemas en mi país. Con mi jefa, mi familia...

—¿Pero tú no pagaste tu deuda ya?

—No, no todo. Falta. Yo pagar casi 20.000 dólares, faltan 25 más...

—25.000 dólares...

—Ahora yo no tengo para pagar...

—¿Por eso tienes que seguir trabajando en esto?

—Ahí. Yo no quiero trabajar para ella más. No quiero trabajar para ella más. Ése es el problema ahora. Su familia va mi casa, coge a mi familia, y vudú; tu hija no paga para mi hija, matar a tu hija. Matar a mí. Pero mi corazón con Jesús, yo no tengo miedo...

Como me habían explicado Isabel Pisano, Valérie Tasso y los funcionarios policiales a los que había consultado, las chicas vienen a Europa asumiendo una deuda que, como en el caso de Loveth, puede ascender a los 45.000 dólares —unos 8 o 10 millones de pesetas de las de antes—. Aterrorizadas por la amenaza del vudú, trabajarán día y noche para reunir el dinero con el que pagar su deuda. Y para ello serán enviadas a clubes de carretera, pisos particulares o simplemente a trabajar de putas callejeras, controladas a distancia por sus «dueños». Los mafiosos saben que mientras renueven el pánico que sienten las chicas, con nuevas ceremonias de vudú que ya se hacen en los países de destino, como España, éstas no dejarán de trabajar y en ningún momento acudirán a la Policía. En el fondo, esta técnica es mucho más eficiente que las pistolas o las navajas de las mafias rusas o colombianas, porque el mafioso no necesita estar cerca de la joven para amenazarla. El pánico a la brujería no entiende de distancias. Y el traficante puede encontrarse en Italia y tener a sus chicas trabajando en la Casa de Campo de Madrid, sabedor de que ninguna de ellas traicionará su confianza. Todas creen que un hechizo llega mucho más lejos que una bala.

—Supongo que has trabajado en muchos clubes como éste, ¿no?

—Sí, muchos. En Italia, Francia…

—Es más dura la calle, ¿no?

—Muy, muy, muy malo. Matan siempre chicas...

—¿Que matan chicas en la calle?

—Oh, sí, siempre. La mafia. La jefa manda mafia para matar...

—Si no pagas, te pueden matar...

—Sí, si no pagas, finito. Ella tiene mucho dinero en mi país, tiene grande casa, coches...

No sé por qué, pero de pronto siento curiosidad por conocer la edad de aquella joven, que instantáneamente ha perdido todo el atractivo sexual que exhibía en el bar del burdel, y ahora me parece más una niña desvalida que una profesional del sexo. Y descubro con horror que es una de las muchas menores importadas por las mafias siendo aún unas niñas, para nutrir los prostíbulos europeos y satisfacer la lujuria de los honrados ciudadanos varones de la unión.

—¿Cuántos años tenías cuando te viniste?

—Dieciséis.

—¡Dieciséis años!

—Sí. Ahora yo tengo dieciocho.

—¿Y hay muchas chicas tan jóvenes que se vengan a trabajar?

—Sííí. Dieciséis, dieciocho, veinte...

Siento vértigo, asco, impotencia, rabia, frustración. Por un momento, se me va la cabeza y le deseo a Loveth todas las enfermedades venéreas existentes para que al menos pueda contagiar a los hijos de puta capaces de acostarse con una niña de dieciséis años por 30 euros en la Casa de Campo y disfrutar así de una sutil forma de venganza. Aquélla fue mi primera tormenta mental. A partir de esa noche, y a medida que profundizaba en las mafias de la prostitución, toda mi personalidad y mi espíritu serían vapuleados una y otra vez, hasta pervertirse y convertirme en un individuo resentido y furioso. Estúpido de mí, en ese momento no podía ni imaginar que, menos de un año después, yo mismo sería capaz de negociar la compra de niñas indígenas de trece años para subastar su virginidad en mis supuestos prostíbulos españoles.

Durante un buen rato, Loveth me ilustró sobre aspectos del mundo de la prostitución totalmente desconocidos para mí. Me habló de la vida diaria en los burdeles; de trabajar de noche y dormir durante el resto del día; de las chicas que no aguantan la culpabilidad y terminan enganchadas a la cocaína o a la heroína; de cómo las *madames* o simplemente los empresarios propietarios de los clubes las estafan, vendiéndoles ropa, carmín o joyas de «todo a cien» al triple de su valor, aprovechándose de su desconocimiento del idioma, de los precios del país, o simplemente de que muchas ni siquiera saben en qué ciudad están y no pueden acceder a los comercios normales...

Charlamos sobre todo lo que ella quiso contarme. Yo todavía era demasiado profano en el tema como para poder hacerle preguntas inteligentes. A pesar de ello, aprendí más en aquella conversación que en todo lo que había leído en los informes técnicos de la Brigada de Extranjería, o de las organizaciones no gubernamentales expertas en inmigración. Quizá porque los ojos de Loveth y sus lágrimas me transmitían mucho más que sus palabras. Ojalá todos los «expertos», y sobre todo «expertas», analistas, eruditos y estudiosos que escriben los libros e informes sobre el mundo de la prostitución que yo me había leído estuviesen sentados en aquella cama con Loveth. Descubrirían otra perspectiva sobre el sexo de pago que no incluyen en sus académicos trabajos. Y lo peor es que aquella rabia salvaje que empezaba a sentir en mi corazón no había hecho más que empezar. Todavía no tenía la menor idea de lo que se esconde tras las mafias de seres humanos...

Justo antes de terminar nuestro tiempo —yo había alquilado a la joven, en teoría, para un servicio básico de media hora—, Loveth me dio una última pista a seguir. En realidad sus palabras eran una súplica. Creía que yo, como hombre blanco con papeles, tal vez pudiese ayudar a una amiga suya, una tal Susy.

—Y hay una chica también, en Murcia. También tiene problemas, como yo. Ella tiene hijo...

—¿Tiene un hijo?

—Sí, un niño. Ella tiene jefe. Ella trabaja en prostitución también. Ella pasó por Marruecos.

—Pero con un hijo es mucho peor, ¿no?

—Sí, un hijo, pequeño. Ella tiene jefe, hombre. Pero ella tiene problemas, ella ha dicho si yo ayudar a ella, pero yo no sé cómo...

Fue una estupidez. Imagino que me dejé llevar por el torrente de emociones que me había producido aquella conversación con Loveth, pero le prometí que ayudaría a su amiga. No tenía ni idea de dónde encontrarla, no sabía sus apellidos, ni conocía cuál era su aspecto, pero le di mi palabra de que la auxiliaría. Y lo peor es que Loveth me creyó. Su sonrisa, cuando nos despedimos, me ató a un compromiso para con ella, más sólido que los rituales de vudú que a ella la ataban a sus traficantes. Nos separamos en el vestíbulo y me indicó que yo debía regresar al bar por una puerta y ella por otra. Es la costumbre cuando se ha terminado un servicio con un cliente y se busca inmediatamente a otro.

Según el minutado de la cinta de vídeo, permanecí con Loveth en el dormitorio del prostíbulo 32 minutos y medio. Un tiempo no muy largo, que sin embargo marcaría el rumbo de los próximos meses de mi vida. A pesar de lo que ya llevaba visto, la conversación con aquella niña me había abierto los ojos a un mundo completamente despiadado del que no tenía plena conciencia hasta ese instante. Cuando salí del burdel, involuntariamente, me acordé de Mara, la skingirl que había conocido durante mi investigación anterior. Seguro que si hubiese podido escuchar a Loveth se habría reafirmado en sus postulados racistas. Y yo tendría que darle la razón. Ser blanca es una bendición. Ninguna chica española, como Mara, ha tenido que sufrir las atroces experiencias que viven miles de adolescentes nigerianas. No saben la suerte que tienen.

Capítulo 4

Buscando a Susy desesperadamente

El que, directa o indirectamente, promueva, favorezca o facilite el tráfico ilegal o la inmigración clandestina de personas desde, en tránsito o con destino a España será castigado con la pena de cuatro a ocho años de prisión.

Código Penal, art. 318 bis, 1.
(Modificado según Ley Orgánica 11/2003, de 29 de septiembre)

Era un disparate. Cruzar el país de punta a punta, en busca de una joven a la que jamás había visto, y de la que no tenía ninguna referencia. Sin embargo, mientras conducía de camino a Murcia junto a mi compañero Alberto, algo en mi interior me decía que estaba haciendo lo correcto. De Susana tan sólo sabía su edad, unos veinte años, su origen nigeriano y que tenía un hijo de dos años en poder de su proxeneta. No era mucho, pero al menos era más que nada. Según Loveth, Susy hacía la calle, así que lo primero que tenía que localizar era la zona de las prostitutas callejeras en Murcia.

No fue difícil. Tras establecer la «base de operaciones» en un céntrico hotel, alojamiento que repetiría a lo largo de mis sucesivos viajes a Murcia durante los siguientes cuatro meses, consultamos al recepcionista. Como es un personal acostumbrado a este tipo de preguntas, rápidamente supo orientarnos sobre la zona en la que podría encontrar a las chicas de la calle: los alrededores del centro comercial Eroski. Sobre un plano, el recepcionista del hotel me indicó la ruta más corta para llegar a «la calle de las putas». Debíamos subir por la calle de la Gran Vía hasta llegar al puente viejo, después girar a la izquierda en la avenida del Teniente Floresta y pasar tres puentes bordeando el río, para luego girar a la derecha. Al cruzar al otro lado del río, nos toparíamos de frente con el centro comercial y a su alrededor encontraríamos por fin a los grupos de busconas haciendo la calle. Y hacia allí partimos con la intención de realizar una prospección sobre el terreno, para familiarizarnos con la zona y buscar un buen punto de grabación antes de que anocheciese.

Según mi costumbre de estudiar el lugar donde va a desarrollarse una parte importante de la investigación buscando, realizamos varias pasadas, arriba y abajo por las calles que rodean el centro comercial para reconocer y evaluar, entre otras cosas, los riesgos que encerraban. Y puesto que siempre contábamos con el peligro que corríamos si las prostitutas, sus chulos o los clientes descubrían a un periodista grabando con una cámara de vídeo, convenía tener muy claras las rutas de escape posible para cuando las cosas se complicaran.

El Eroski es una gran superficie comercial. Durante el día transitan miles de personas, a veces familias enteras, con intención de hacer sus compras o de disfrutar de un rato de ocio. Pero al caer la noche, las calles son tomadas por docenas de jóvenes nórdicas, sudamericanas o africanas, que ofrecen sus cuerpos, a veces casi adolescentes, a precios de saldo, para aplacar la lujuria de los varones murcianos. Calles como ésta, desafortunadamente, existen en todas las ciudades del mundo. Desde la Via Veneto de Roma a la Casa de Campo de Madrid, pasando por el Bois de Boulogne de París, cientos de miles de mujeres soportan los calores del verano y los fríos del invierno, mostrando su mercancía carnal a los ojos lujuriosos de los hombres. Empresarios, albañiles, profesores, sacerdotes, médicos, políticos, periodistas, jueces, taxistas, abogados, fontaneros, ebanistas, policías, arquitectos... cualquier estrato social y cualquier nivel cultural acceden por igual a los placeres de las fulanas, aunque varias de ellas señalan a los abogados, médicos y jueces como los clientes más pervertidos.

Evidentemente, las chicas jóvenes y hermosas lo tienen más fácil que las mujeres más maduras y menos agraciadas. A éstas sólo les queda la posibilidad de ofrecer servicios más denigrantes y vejatorios que los «normales» que conceden sus compañeras más guapas, tales como felaciones sin preservativo, sexo anal, sadomasoquismo, humillación, cuadros lésbicos, etc. Lugares como la Casa de Campo madrileña o los alrededores del Eroski murciano acogen a hombres de toda condición, que peregrinan a esas mecas sexuales con el solo objetivo: eyacular. Y no puedo evitar relatar una anécdota muy gráfica a este respecto.

Antes de que anocheciese, exploramos toda la zona, buscando un lugar desde el que, ya de madrugada, pudiésemos disponer de un buen tiro de cámara para obtener algunos planos de las prostitutas, y sobre todo, de los proxenetas que presuntamente las vigilarían. Queríamos grabar las matrículas de sus coches, lo que nos daría la posibilidad de averiguar sus nombres y avanzar en la investigación. Finalmente llegamos a la conclusión de que tan sólo existía un punto, un descampado en la parte alta de la calle, desde el que se podrían grabar buenas imágenes. Encontramos un camino de tierra que bordea el río y que nos permitiría llegar por la noche hasta aquel descampado, sin ser vistos por las fulanas ni por sus chulos, y así lo hicimos.

Al caer la noche, rodeamos todo el polígono del Infante Don Juan Manuel para entrar por la parte de atrás del Eroski. Una vez en el camino de tierra, apagamos los faros del coche y seguimos circulando, a oscuras, con toda prudencia hasta el descampado. Allí aparcamos el automóvil y nos arrastramos entre los arbustos hasta encontrar un lugar desde el que poder grabar, sin ser vistos, el trabajo que las prostitutas efectúan cada noche. Y allí las pudimos ver: docenas de *pretty women* buscando un Richard Gere que las rescate de las calles.

Filmamos sin problemas cómo las chicas se acercaban a los vehículos que circulaban lentamente por la zona y ofrecían sus encantos a los conductores que devoraban con los ojos a todas aquellas mujeres, sin terminar de decidirse por una u otra. Y ¡bingo!, entre el grupo de las jóvenes de color se paseaba un negrazo enorme, que conducía un Ford Sierra, matrícula MU-4221... Yo aún no lo sabía, pero aquel coche pertenecía a un tal Superior N., con NIE —Número de Identificación de Extranjería equivalente al DNI español—: X02999... hijo de la hermana mayor del traficante de mujeres «propietario» de Susy.

Teníamos activada la función de infrarrojos en las cámaras, lo que nos permitía ganar mucha luminosidad en la filmación, sin tener que utilizar ningún foco de luz que, obviamente, delataría nuestra presencia entre los arbustos. Esa función convierte la cámara de vídeo en una especie de visor nocturno, que nos permite percibir, a través del objetivo de la cámara, lo que nos resulta invisible a simple vista, gracias al emisor de infrarrojos. Y de pronto, mientras me giraba arrastrándome por el suelo para obtener otro tiro, pude ver en la pantalla un plano cercano del suelo. Me detuve para apreciar con más detalle lo que me parecía haber visto de reojo al girar la cámara. Enfoqué al suelo y... ¿condones? ¿Aquello eran condones? Pues sí.

Estábamos rodeados por centenares, quizás miles de preservativos usados. No hacía falta ser un lince para deducir que precisamente aquel descampado era uno de los lugares donde las mesalinas seleccionadas consumaban el servicio sexual en el coche del cliente y se deshacían después de la «prueba del delito» arrojándola por la ventanilla. Y por si aún nos quedaba alguna duda, de pronto nos cegaron los faros de un coche. Un vehículo entraba en ese momento en el descampado y nos vimos obligados a arrojarnos al suelo y a quedarnos completamente petrificados temiendo que fuésemos descubiertos. El automóvil se detuvo al fin a pocos metros de nosotros, mientras mi compañero y yo conteníamos la respiración. Desde nuestro escondrijo pudimos ver cómo el cliente entregaba el dinero a una joven africana, para después reclinar el asiento y dejarse hacer por la profesional. No quiero ni pensar qué habría ocurrido si la joven nos hubiese descubierto y se hubiera puesto a gritar pidiendo ayuda a los chulos y proxenetas que patrullan la zona. Sabíamos que era muy fácil cerrarnos el paso y darnos caza en aquel descampado, por lo que optamos por quedarnos completamente paralizados mientras aquel tipo consumía sus diez minutos de gloria. ¿He dicho diez minutos? A nosotros se nos hizo interminable, pero dudo que aquel individuo aguantase tanto.

Y como afortunadamente el polvo no duró mucho, en cuanto el cliente llegó al clímax, un nuevo preservativo salió disparado por la ventanilla y cayó a pocos centímetros de mis narices. Aunque el tipo aquel salió del coche para volver a subirse los pantalones y los calzoncillos, no nos descubrió. Por cierto, su aspecto era de lo más ridículo.

De todas formas, el susto había sido suficiente como para que decidiésemos volver hasta nuestro automóvil, arrastrándonos como serpientes por entre los arbustos del descampado, en cuanto el cliente desapareció. Una vez en nuestro vehículo, ya más calmados, volvimos a rodear el polígono para reaparecer en el Eroski como uno más de los coches que visitan cada noche la zona para contratar los servicios de alguna profesional. Sin embargo, nuestra intención era diferente. Intentábamos encontrar una aguja en un pajar, una meretriz entre miles. Además, las dos prostitutas a las que preguntamos desde el coche si conocían a una chica nigeriana llamada Susy nos dieron la misma respuesta: «¿Sois polis? ¡Que os den por culo!».

Dicen que a la tercera va la vencida y aunque no pudo orientarnos sobre el paradero exacto de Susy, otra chica de color supuso que Alberto o yo éramos clientes suyos, y nosotros se lo confirmamos. «Ella y su prima hoy venir aquí, estar trabajando en un club o en un piso, pero no sé en cuál.»

Al menos ya teníamos un dato. En un arrebato de locura, iniciamos una trepidante peregrinación por los burdeles de toda la provincia, en busca de una chica negra a la que no había visto nunca y cuyo aspecto desconocía totalmente. Desde el club Cocktail, en Puente Tocinos, hasta el Máximo de Orihuela, pasando por santuarios del sexo murciano como el Star´s, El Pozo, Pasarela Murcia, Ulises o el conocido Pipos, que sus camareros promocionan como el prostíbulo más grande de España —claro, que hay media docena de burdeles que dicen exactamente lo mismo—, todos fueron recorridos por Alberto y por mí en un frenesí que nos hacía sentirnos como los personajes de la película *Airbag*, saltando de prostíbulo en prostíbulo, en busca de una mesalina concreta. Estaba claro que las posibilidades de éxito eran prácticamente nulas. Sin embargo, el recorrido no fue en vano.

En los burdeles murcianos hice algunos contactos interesantes que orientarían mi investigación ocho meses después. Ya había aprendido a moverme con cierta soltura en aquellos ambientes, e incluso me atrevía a hacerme pasar por el propietario de varios prostíbulos en Marbella o Bilbao, en los que supuestamente había mucho trabajo, para despertar el interés de las meretrices. Evidentemente, me prestaban más atención cuando creían que yo era un empresario que les podía ofrecer trabajo, con lo que también, frecuentemente, se les soltaba un poco la lengua.

Aunque en la mayoría de los locales de alterne las copas se cobran cuando te marchas, yo me habitué a pagarlas siempre por adelantado, tal y como me había enseñado Juan. «Acostúmbrate a pagar en cuanto te sirvan —decía—, por si estás siguiendo a un tío que se va de repente, o simplemente, por si tienes que salir de pronto del local y no puedes entretenerte esperando que vengan a cobrarte.»

Aprendí también a utilizar otra estrategia de ese profesional de la información, que a él le daba buenos resultados. Cuando una fulana se me acercaba para pedirme que la invitase a una copa, le proponía darle directamente el dinero de la consumición, en lugar de pagarle el trago. Eso hacía que ella se quedase con todo el importe, en lugar de con un porcentaje. Evidentemente, la inmensa mayoría aceptaban el trato, lo que me permitía poder sentarme con ellas y charlar durante más tiempo, ya que sólo les entregaba el dinero cuando consideraba que el interrogatorio había concluido. Para las chicas resultaba más gratificante económicamente, y yo hacía una gamberrada a los propietarios del local al burlarles la comisión, lo que, dicho sea de paso, me satisfacía personalmente.

De esta forma empecé a recopilar anécdotas sorprendentes sobre los clientes famosos que acudían a los burdeles, y no sólo del ámbito murciano. Dentro del mundo de la prostitución existe un concepto tradicional de «plazas» que todavía sigue en vigencia en muchos burdeles españoles. Valérie Tasso me lo había explicado con elocuentes ejemplos:

—En las agencias de alto standing, las prostitutas trabajan aunque tengan la menstruación. Cuando nos bajaba la regla, y para que el cliente no se diese cuenta, nos metíamos un trozo de esponjita marina dentro de la vagina, para que absorbiese la sangre. Así el cliente, que va a lo suyo, no se daba cuenta. Sin embargo, tradicionalmente los ciclos de trabajo de las chicas, en los locales de alterne, eran de 21 días. A eso se le llamaba «hacer plaza». O sea, estaban 21 días trabajando en un prostíbulo y transcurrido ese tiempo, cuando les venía la regla, aprovechaban los días de la menstruación para cambiarlas de local. Y así, iban viajando por todo el mundo, haciendo turnos de 21 en 21 días, de burdel en burdel y de ciudad en ciudad. La clave de un negocio de prostitución es la variedad, o sea, renovar a las chicas el mayor número de veces posible. A los hombres les gusta, por encima de todo, la variedad, por eso las «plazas» funcionaban muy bien, ya que cada tres semanas había chicas nuevas.

Y Valérie tenía razón. Todavía hoy, en las secciones de anuncios de muchos periódicos, se encuentran avisos de «Hotel-Plaza que busca chicas». También ANELA ha recuperado esta tradición. Desde luego, tienen muy clara la importancia que tiene la renovación de chicas en los burdeles. Evidentemente lo que buscan, por encima de todo, personajes como Paulino o Jesús es caras y cuerpos nuevos. Por esa razón, cualquiera de las prostitutas que conocí en Murcia antes había estado trabajando en diferentes ciudades españolas, o francesas, o italianas, o alemanas... Las rameras son consumadas viajeras, aunque sus rutas turísticas se limiten al cuerpo de sus clientes y a las cuatro paredes del burdel. De hecho, resulta fascinante escucharlas opinar sobre cómo fornican los italianos en comparación con los ingleses, los franceses, los nigerianos, los rumanos, o los españoles. Parece que cada nacionalidad, o más bien cada tipo de putero, lo hace de una forma diferente. Y, paradójicamente, las prostitutas rumanas opinan que los rumanos son los mejores amantes del mundo, mientras que las rameras cubanas opinan que son los cubanos los que mejor fornican, aunque las colombianas dicen eso mismo de los colombianos, las rusas de los rusos y las brasileñas de los brasileños. Tras haber dialogado con decenas de ellas, llegué a la conclusión de que las furcias de un país creen que los mejores amantes son sus paisanos, porque antes de ejercer la prostitución sin duda tuvieron relaciones sexuales con alguno de ellos, pero sin una transacción económica por el medio. Es decir, hicieron el amor voluntariamente, que no es lo mismo que dejar que entren en ti por dinero. Y sin duda, lo primero resulta más gratificante y deja mejor recuerdo... Aunque esto no significa necesariamente que los españoles no seamos tan torpes, egoístas y groseros en la cama como el resto de los varones.

Aquellas chicas no supieron indicarme dónde encontrar a la tal Susy, pero sí me confiaron historias sorprendentes sobre famosos del cine, la política o la televisión, que pedían todo tipo de «servicios extraños». De todas las anécdotas que recogí en mil burdeles españoles, las que se referían a los jugadores de fútbol de primera división resultaban las más extraordinarias. Algunos nombres de astros del fútbol profesional se repetían en mis conversaciones con fulanas que conocí en Madrid, Valencia, Marbella, Murcia o Barcelona, lo que me hacía concluir que si chicas distintas, sin relación entre ellas, me contaban las mismas cosas sobre los mismos personajes, es que algo de cierto debía de haber.

Sin embargo, entre aquellas primeras confidencias, recogidas mientras buscaba a Susy desesperadamente, hubo otras que me sorprendieron especialmente. Me refiero a las que hablaban de los propietarios de los prostíbulos. Y es que no sólo la familia del Le Pen español está metida en el negocio de la prostitución. En el Pipos, una de las chicas a las que estaba interrogando de pronto hizo un comentario que me dejó perplejo. «¿Que si vienen famosos por estos sitios? Claro y hasta son los propietarios. Imagínate que una amiga mía trabajaba en un club que era de uno de los de *Gran Hermano*, o algo así...»

Reconozco que di un brinco. Aunque mi objetivo en esta investigación eran los traficantes de mujeres, no hace falta ser un lince para darse cuenta de que aquella afirmación tenía un gran morbo periodístico. Por aquellos días, el concurso *Gran Hermano* arrasaba con sus índices de audiencia, y además en la misma cadena, Tele 5, para la que yo trabajaba. Si uno de los concursantes o algún familiar cercano, era propietario de burdeles, tal vez a través de él pudiese acercarme a los mafiosos. Y si no era así, no dejaba de ser un tema interesante, aun a pesar de que tirase piedras contra mi propio tejado, ya que evidentemente a mis jefes no les iba a hacer mucha gracia que pudiese involucrar a algún concursante de su programa estrella con las mafias de la prostitución.

Pese a ello, a mí me parecía que aquél era un gran ejemplo para ilustrar la inmensa y vergonzosa hipocresía de la sociedad española para con las rameras. Hipocresía que no se limita a los ultraderechistas que se manifiestan contra la inmigración ilegal y luego se lucran con las inmigrantes que ejercen la prostitución. Quería averiguar si realmente los sonrientes, alegres y simpáticos muchachos de *Gran Hermano*, tan queridos por la audiencia, podían estar también implicados en el negocio del sexo. Pero a pesar de mi insistencia poco más pude averiguar de aquella dominicana: «Yo no sé más, habla con mi amiga. Ella ahora está en el Riviera de Barcelona y se llama Ruth. Yo estaba con ella un día viendo *Gran Hermano* y me señaló a un hombre que salía en la tele y me dijo que era su jefe, no sé nada más».

En aquel momento ignoraba que el Pipos de Murcia, los Lovely y Flower´s Park de Madrid y el Riviera de Barcelona estaban empresarialmente hermanados. Anoté el nombre en mi lista de tareas pendientes —«Ruth en el Riviera»—, y me marché del local después de dejarle a la chica los 30 euros de la copa y todo mi agradecimiento. Sin embargo, continuaba sin tener ni rastro de Susy.

Al día siguiente, lo intenté en varios pisos de Murcia, donde se ejerce la prostitución. Los pisos clandestinos son la gran competencia de los clubes de carretera. En ellos es posible encontrar a prostitutas españolas que han sido desplazadas de los burdeles por la ingente afluencia de inmigrantes. Las extranjeras trabajan más y por menos dinero y además, la mayoría de españolas que ejercen la prostitución temen ser reconocidas en un burdel, donde están a la vista de todos los clientes, por algún vecino, amigo o familiar que descubra su vida secreta. Aunque no sé quién debería estar más avergonzado de sí mismo, si la mujer que vende su cuerpo en un serrallo, o el cliente que paga por utilizar ese cuerpo.

En los pisos ellas pueden ver al cliente antes de que él las vea a ellas. En muchos de ellos, hay cámaras y micrófonos ocultos, o mirillas por las que evaluar si se abre o no la puerta al desconocido, dependiendo del aspecto que tenga. Incluso, tal y como me había confesado Valérie Tasso, en algunos de ellos se graba a los clientes durante los servicios. Me consta que existen archivos con multitud de cintas que recogen los encuentros sexuales de los españolitos que acuden a los burdeles, lo que, por otro lado, me parece fenomenal. Sus tristes actuaciones, con sus calvas relucientes y sin sacarse los calcetines, resultan francamente patéticas, pero podrían obtener un buen índice de audiencia si se emitiesen en algún programa nocturno de hora punta. Al fin y al cabo, a diario podemos ver basuras similares en televisión.

Me sorprendió encontrar una cantidad increíble de anuncios en la prensa murciana donde se ofertaban todo tipo de servicios sexuales. Solamente en la sección *Relax* incluida en las páginas 52 y 53 del periódico *La Verdad* de Murcia me encontré ¡241 anuncios! Más de doscientas ofertas de servicios sexuales, sólo en uno de los periódicos de una ciudad, no especialmente grande, como es Murcia. En ese instante, empecé a ser consciente, aunque mínimamente aún, de las colosales dimensiones del mundo en el que me estaba metiendo. ¡241 anuncios que ofrecían en algunos casos hasta ocho o diez chicas diferentes!

Taché todos los anuncios que ubicaban los servicios fuera de Murcia capital, ya que en *La Verdad* se incluyen avisos de prostíbulos de Cartagena, San Javier, Lorca, etc. Después eliminé todos los anuncios de travestis y de gigolós, y también los que escondían teléfonos eróticos. Finalmente, desestimé los anuncios que ofertaban chicas que no encajaban con las características de Susy, y me quedé sólo con los que ofertaban pisos y burdeles con varias jóvenes disponibles, sin especificar si incluían prostitutas africanas. Aun así me quedaban 32 anuncios que podían encajar con el perfil de Susana.

Pedí al servicio de habitaciones que subiesen un café y un bocadillo, me acomodé en el escritorio de la habitación y empecé a telefonear a todos ellos. En un primer momento, sentí vértigo. Iba a resultar muy difícil localizar a Susana, pero aun así, hice las llamadas telefónicas desde el hotel. En todos los casos una voz femenina, extremadamente sensual, descolgaba el auricular con gran amabilidad. Para mi sorpresa en la mayoría de los casos, me aseguraban que tenían chicas negritas, pero no podían darme su nombre. «Tú pásate por aquí, nos ves sin compromiso y si encuentras lo que buscas, te quedas...» De nuevo, Valérie Tasso ya me había advertido sobre este tipo de comportamiento. Nunca le agradeceré bastante sus consejos.

—No te fíes, Toni, en este mundo se miente por encima de todo y a todo el mundo. A mí, en cuanto entré en la agencia, me dijeron que mintiese sobre mi nombre y sobre mi edad, siempre quitándome años. A los hombres les gustan muy jovencitas. Y a todos los clientes que llamaban preguntando si teníamos un tipo de chica o un servicio en concreto se les decía que viniesen a vernos porque esa información no podía darse por teléfono. La encargada decía que lo importante era conseguir que los tíos viniesen.

—¿Y cuando llegaban a la agencia y veían que no teníais a la chica que le habíais descrito?

—Una vez en el piso, después de ver a las chicas, siempre elegían una aunque no les gustase del todo; les daba más vergüenza irse sin estar con ninguna, y a la casa, al fin y al cabo, lo único que le importaba era que se dejasen el dinero. La mayoría de los hombres no son tan selectivos y lo que quieren es estar con una mujer. Se les decía que esa chica que se les había descrito estaba con otro cliente, o que había salido a hacer un servicio a un hotel y ya está.

Tuve que confiar en mi intuición y finalmente escogí tres de las agencias murcianas que se anunciaban y que telefónicamente me habían garantizado que tenían chicas africanas, que se llamarían Susy o como a mí me apeteciese. Sus anuncios en *La Verdad* no podían ser más elocuentes:

«ABANDERADAS. Somos las ocho chicas más sexys de Murcia, realizamos todos los servicios, francés completo, lésbicos, cubanas, griego, strip-tease, para despedidas de soltero. También hacemos salidas hotel/domicilio. Estamos a tu disposición las 24 horas del día. Chalet de máxima discreción, disponemos de jacuzzi con hidromasaje, barra para tomar copas. 968 64 58...»

«CHICAS SUSAN 2. Te ofrece lo que siempre has buscado. Belleza, elegancia, clase, discreción e higiene. Ocho señoritas hermosísimas, jóvenes y complacientes. Ven a visitarnos, escoge la o las que más te gusten y pide el servicio que más te apetezca, serás complacido. Esto no es una casa de citas vulgar y corriente. Es privado, discreto y elegante. Consulta nuestros precios y mira la calidad que te ofrecemos, quedarás sorprendido. Visa. 968 90 96...»

«CHICAS LOREN'S. Apartamento céntrico privado, lujoso y climatizado. Siete señoritas para todos los gustos y deseos, diosas del amor y el sexo. Belleza, clase y estilo. 24 horas. Lencería fina y erótica. Nos gusta chupar, nos da morbo el griego. Hacemos tríos y siempre estamos calientes. Ven y relájate, sin prisas y a tu rollo. Hotel-domicilio. Somos la mejor compañía. Telf. 968 21 03...»

La agencia Loren resultó estar en pleno centro, muy cerca de mi hotel; la agencia Susan, en el Jardín Floridablanca, y la agencia Abanderadas, en la urbanización Los Vientos, concretamente en la calle de la Rosa. En todas ellas, el ritual era muy similar. Una señora o señorita, la encargada, me abría la puerta invitándome a pasar, con tono amable y cordial. A continuación, me invitaba a sentarme en un salón o en una de las habitaciones y poco a poco, iban desfilando ante mi cámara oculta las chicas disponibles, como los animales en una feria de ganado, para que yo pudiese escoger el ejemplar que más me complaciese. Pude ver a cuatro chicas de color, dos de ellas sudamericanas y dos africanas, pero ni rastro de Susy. Me disculpé en todas las agencias, diciendo que no encontraba nada que me convenciese y que volvería otro día, y me sorprendió ver que las reacciones en las tres agencias eran similares: estaban perplejas. Tal vez era la primera ocasión en que un cliente despreciaba a todas las señoritas y se marchaba sin acostarse con ninguna. Valérie y Juan me confirmaron que lo normal es que los clientes se queden con cualquiera de las fulanas una vez están en el piso y que mi comportamiento podía haber parecido sospechoso. Pero yo no era un cliente.

Pese a todos nuestros intentos, mi primer contacto con la prostitución murciana resultó un total fracaso. No fui capaz de encontrar a Susy, así que tendría que buscar nuevas pistas para localizarla. No obstante, no podía detener toda la investigación en Murcia por mi incompetencia para llegar a la amiga de Loveth, así que volví a Madrid para abrir otras vías de trabajo.

Las creencias al servicio de las mafias

La calle de la Montera, entre la Gran Vía madrileña y la Puerta del Sol, es un expositor callejero de prostitutas. Todos los días infinidad de chicas dominicanas, colombianas, brasileñas o africanas patrullan cada esquina o cada farola intentando que sus cuerpos puedan despertar el deseo de los transeúntes. Si hay suerte y alguno pica, lo acompañará a cualquiera de los hostales de mala muerte cercanos para disfrutar de un rato de placer forzado, por poco más de 5.000 pesetas. Y subrayo lo de forzado porque, diga lo que diga ANELA, ninguna de las chicas que ejerce la prostitución, en ninguna parte del mundo, al menos de las que yo he conocido, permite que un cerdo seboso, sudoroso y baboso se introduzca en su cuerpo y profane su alma, a 30 euros el polvo, por vocación. Haya o no haya mafias de por medio.

El plan para entablar conversación con una de las prostitutas africanas de la calle de la Montera no podía ser más sencillo, aunque no exento de riesgos. Bastaría con que me acomodase en una de las terracitas situada al lado del sex shop Mundo Fantástico, como la cafetería Lucky en el número 24, para tomar un café y mirar fijamente a cualquiera de ellas. El único problema es que el sex shop, que terminaría frecuentando posteriormente en busca de las fotos originales de las falsas lumis de Internet, y que pertenece a la cadena donde Valentín Cucoara colocaba a Nadia y sus compañeras previamente secuestradas en Moldavia, está situado en el número 30 de la calle de la Montera. En el número 32, o sea, a pocos metros de la terraza en la que me encontraba, se esconde la sede del Círculo de Estudios Indoeuropeos, la organización neonazi más importante de España y heredera de CEDADE. De nuevo había que considerar que, en el supuesto de que pudiesen reconocerme, el hecho de que Tiger88 estuviese tomándose un café tranquilamente a escasos metros de la sede del CEI podía ser interpretado como una provocación por parte de los neonazis.

Pero aunque eso no resultaba tranquilizador, afortunadamente, gracias a que muchos nazis piensan lo contrario, mi identidad está a salvo, lo que me ha permitido hacer temeridades como las que se narran en estas páginas, o como la de regresar al Bernabéu para grabar unas imágenes destinadas a un reportaje elaborado por Tele 5 sobre *Diario de un skin* y volver de nuevo para realizar otras fotografías de promoción al aparcamiento de la Castellana donde comienza dicho libro. Estaban demasiado convencidos de haber identificado a Tiger88 y confieso que yo alenté esa convicción para poder seguir haciendo mi trabajo.

De este modo podía atreverme a interrogar a prostitutas en una terraza situada junto al local de la primera organización neonazi legalizada en España como asociación cultural. En una ocasión, incluso, pasaron a mi lado dos miembros del CEI, con uno de los cuales había coincidido en manifestaciones de Democracia Nacional en Alcalá de Henares, durante mi infiltración entre los skins. Supongo que si hubiera descubierto mi verdadera identidad, habría sido imposible hacer este tipo de cosas.

Aquella tarde escogí una mesa que me permitiese sentarme con la espalda pegada a la pared. Con el tiempo, y a fuerza de acumular tensiones, me resulta muy incómodo sentarme en un local y no controlar lo que ocurre tras de mí. Necesito ver lo que pasa y saber que no puedo llevarme una sorpresa por la espalda. Así, mientras removía el azúcar en el café, escogí una mesalina de ébano al azar, y la miré fijamente. No tardó ni un minuto en acercarse a mi mesa. Por un instante, pensé que lo único que enfurecería más a los nazis que encontrarse a Antonio Salas apostado a pocos metros de su local sería encontrarlo en compañía de una inmigrante ilegal que era, encima, negra.

—Hola, guapo. ¿Tú querer follar?

—Depende. ¿Quieres beber algo?

Hacía calor y aquel bochorno jugaba a mi favor. La joven se sentó a mi lado y pidió una coca-cola.

—¿Un cigarrillo?

—No, gracias. ¿Tienes chicle?

—Sí. Toma. ¿De dónde eres?

—Sierra Leona.

Sabía que mentía. La inmensa mayoría de las prostitutas africanas que ejercen en España son de origen nigeriano, pero sus proxenetas las han instruido sobre lo que deben decir a los blancos curiosos que preguntan por su nacionalidad. Prácticamente ninguna reconoce su verdadero origen y todas dicen ser de lugares en conflicto como Sierra Leona o Liberia, donde no podrían ser extraditadas en caso de ser detenidas, debido a la situación de guerra de dichos países africanos. Sonreí con escepticismo.

—Sierra Leona… ya. Oye, ¿quieres comer algo?

—Sí, *thank you*. Una hamburguesa.

Tal vez fuese una apreciación subjetiva, pero me pareció que aquella muchacha realmente tenía hambre, y no pude evitar el recuerdo del testimonio de Loveth, que tanto me impresionó. Devoró la hamburguesa en un santiamén, sin darme apenas tiempo a desarrollar mi plan. Sabía que mientras estuviese sentada a mi mesa podría charlar con ella, pero se bebió el refresco y se comió la hamburguesa antes de que pudiese profundizar demasiado en la conversación. Apenas llegamos a charlar diez minutos sobre cuestiones intrascendentes: el intenso frío que hace en Madrid en invierno y el calor del verano; lo tacaños que son los españoles a la hora de pagar y lo malos que somos en la cama; la cantidad de competencia que hay en la calle de la Montera, y lo mucho que protestan los propietarios de los comercios de esa zona… En realidad, todo eran rodeos para llegar a un objetivo. Había estado revisando la entrevista que había mantenido con Isabel Pisano y sus comentarios sobre los ritos de vudú a que son sometidas las chicas nigerianas por parte de los traficantes que las traen a Europa. Como ya dije, cuando me entrevisté con la autora de *Yo puta* acababa de regresar de Nigeria y todavía tenía muy frescas las cosas que había vivido en África.

—El ritual de vudú es horrible —me explicaba Isabel—. Les quitan pelos de pubis a toda la familia. Entonces los entierran, con un muñequito y qué sé yo... Esto es un pacto para toda la vida. Para alguien que cree, no sé, es como una factura, como una brujería. El vudú es una cosa que te convierte en zombi; el vudú tiene una fuerza enorme...

Sin embargo yo no acababa de estar satisfecho con aquellas explicaciones. Tenía que haber algo más. Intuía que ese tema era la clave criminológica de ese tipo de mafias, ya que los colombianos, los rusos o los chinos tienen que estar cerca de sus fulanas para controlar que trabajan y que no les denuncian y esto no ocurre en las mafias nigerianas, en las que, como en el caso de Loveth, los proxenetas podían estar a muchos kilómetros de distancia y no por ello sus chicas dejaban de trabajar. Luego supe que esa situación se mantenía por unos extraños rituales. Pero ¿en qué consistían? ¿Cómo podían ejercer un control tan extraordinario sobre las voluntades de aquellas muchachas?

Por fin me armé de valor y mientras estaba pagando la cuenta, solté a bocajarro la pregunta: «¿Dónde puedo aprender algo de vudú?». La reacción de la negrita de la hamburguesa fue espectacular y totalmente desproporcionada. Sus ojos se abrieron como platos y se levantó de golpe tirando la silla de plástico al suelo. Negaba con la cabeza y temblaba de arriba abajo. Me costó verdaderos esfuerzos tranquilizarla. «Vudú no, *yu-yú* no...» Fueron casi las únicas palabras que conseguía pronunciar. Pero justo antes de marcharse, calle arriba, se giró, levantó la mano derecha y señaló en una dirección. Sólo dijo: «Allí». Después, desapareció para siempre de mi vida.

Dicen que no hay ciego más estúpido que el que no quiere ver. Y yo me sentí verdaderamente idiota cuando descubrí hacia dónde había señalado la joven africana. A pocos metros del lugar en el que me encontraba había un cartel enorme que no podía resultar más elocuente: Santería La Milagrosa. Me sentí como un necio. Era como si estuviese en medio de la Casa de Campo preguntando dónde podría encontrar una prostituta, o como si en pleno Vaticano interrogase a alguien buscando un sacerdote. Así que, sin más demora, crucé hasta la esquina de la calle de la Montera con la de San Alberto y entré en la tienda de brujería que se encuentra en el número 1. Así conocí a Rafael Valdés.

Rafael Valdés nació en La Habana en 1973. Sin embargo, ha vivido buena parte de su vida en África, donde se convirtió en un verdadero experto en las religiones animistas. Sus estudios sobre las prácticas religiosas tradicionales en Tanzania, Congo, Kenya, Sudáfrica y Nigeria lo convertían en la mejor fuente a la que acudir para comprender mejor la relación entre el vudú y las mafias del tráfico de mujeres. Además de su trabajo en las tiendas de la Santería La Milagrosa, sobre el que prefiero no pronunciarme, preside desde 1997 la Asociación de Cultura Tradicional Bantú. Por eso fui a él, porque en ese momento, lo que yo necesitaba era información.

Creo que entre nosotros hubo una empatía natural. En cuanto le expliqué lo que estaba haciendo, Rafael se puso a mi disposición, facilitándome varios libros, vídeos y revistas sobre la cultura tradicional africana y su complejo entramado de creencias. En pocas semanas me convertiría en un auténtico experto en la brujería y el vudú. Pero además, Rafael sabía exactamente de lo que le estaba hablando porque, para mi sorpresa, muchas de las prostitutas que ejercen en Madrid acuden precisamente a sus tiendas para buscar remedios mágicos, amuletos y protecciones esotéricas con las que defenderse de los supuestos hechizos a los que creen estar sometidas por los mafiosos. Podría parecer ridículo si no fuese tan dramático.

Valdés respondió pacientemente a todas mis preguntas, ofreciéndome una información que me resultaría fundamental posteriormente, al tomar contacto con algunos mafiosos nigerianos y con las chicas de su propiedad. De hecho, es posible que alguna de esas chicas hoy esté viva y libre gracias a aquella conversación.

—En África se vive inmerso en la magia, no es algo exterior, aditivo a la persona. Todo pasa por la magia. Nada hay, nada, más importante que la magia y el dictamen de un brujo o de un adivino. Todo lo importante, el momento de casarse, la primera menstruación de la mujer, todo pasa por la magia. Yo no voy a la magia, yo vivo en la magia. Desde que me levanto hasta que me acuesto, incluso durmiendo, vivo inmerso en la magia. De ahí la importancia que dan a ese rito vudú. Porque saben de su efectividad y creen en su efectividad cien por cien, porque han vivido desde que nacieron en estos rituales.

—¿Y ellas se prestan voluntarias?

—No es que se presten voluntarias, es que ellas lo que quieren es salir a Europa a prostituirse por problemas sociales y tal. Y la garantía que ponen los traficantes es el rito vudú. No es que ellas digan: yo te voy a pagar, hazme un rito vudú. No. Es el traficante el que dice: yo te voy a hacer un rito vudú porque es mi garantía de que tú me vas a pagar. No te puedo hacer firmar un papel, o llevar a un banco, pero sabe de la importancia, y también cree en esa importancia. Pero es un delincuente y no creo que lo haga por un problema de fe. Lo hace porque conoce el entramado social y sabe que es una garantía de pago. Y él seguramente no crea en nada de eso, o sí. Pero lo usan únicamente como un mero mecanismo de presión. Exclusivamente, no porque crean en eso, porque si lo supiesen, sabrían que en la sociedad bantú el rito no está concebido para eso, sino para protegerte. La magia africana está concebida para protegerte, no para atacar.

Esas afirmaciones me llamaron poderosamente la atención. Según el experto, los traficantes probablemente no creyesen en el poder mágico del vudú, pero sí conocían el poder de sugestión que tenía sobre las chicas que habían crecido en una sociedad bantú, empapadas en las creencias mágicas durante toda su vida. Que el lector tenga presente este dato.

—Es como la gente que va a misa —continúa explicándome Rafael—, pero el brujo tiene más poder que el cura. Porque el cura tiene poder sobre los feligreses pero no sobre la Iglesia, sobre el Papa. Pues en África cada cura es un Papa. Y cada brujo es un cura. Por tanto, lo que diga un brujo va a misa, es como lo que dice el Papa. Si el brujo dice esto es así, es como si el Papa lo dijera a los católicos. No uses preservativo, no se usa; no hay aborto, no hay aborto. Es lo que dice el Papa. Pues exactamente así es lo que dice el brujo. Si yo te digo que tienes un daño y que te vas a morir, es que te mueres, porque lo crees tan fielmente que te mueres. Y si te digo que poniéndote las manos te vas a curar, por el efecto placebo, te curas.

—¿Vienen por aquí chicas nigerianas?

—Sí, en efecto, la mayoría de las chicas que vienen, por problemas de vudú, y por la deuda, son africanas. Vienen muchas nigerianas, y de toda África, pero nigerianas bastantes. Y son las que más. Por el sistema africano y más concretamente nigeriano, que fue cuna de una civilización que fue la civilización yoruba, se encuentra más, digamos, unido a la tradición africana que otros países que son más musulmanes o catolizados. Y las chicas nigerianas que vienen, vienen desesperadas. Porque están en un agobio minuto a minuto, porque no saben en qué minuto va a hacerse efectivo ese vudú que dejaron hecho. Más que a morir, temen que el vudú pueda dejarlas ciegas, paralizarlas, y estropearles la vida a ella y a sus familias. Y con una desesperación de película, de llanto. Algunas vienen muy mal, muy mal. Y no tienen otra opción: o rompen ese hechizo y se liberan o seguirán pagando años y años.

Aquella conversación con Rafael Valdés fue fundamental. Por fin comprendía el mecanismo de aquellos rituales, o eso creía. En África, cuando los mafiosos decidían traer a Europa un grupo de chicas, con frecuencia menores, éstas aceptaban una deuda económica millonaria que tendrían que abonar al traficante con su trabajo como prostitutas. Para garantizar el pago de esa deuda y el control psicológico sobre las muchachas, el traficante las hacía ir a un brujo, el cual las sometía a espeluznantes rituales mágicos, utilizando para ello vello púbico, sangre menstrual, uñas, piel, etc., de las muchachas. Con esos elementos, confeccionaba una especie de fetiche mágico que entregaba al traficante, a través del cual, según la creencia bantú, podía controlar a distancia a sus rameras.

También entonces descubrí que si quería conocer por dentro el mundo de las mafias nigerianas, debería aprender seis conceptos imprescindibles para todo traficante de mujeres:

> *Body:* nombre técnico del fetiche elaborado con prendas íntimas, pelos, sangre, etc., de las mujeres traficadas por las mafias, y que debe obrar en poder del mafioso.
>
> *Yu-yú:* ceremonia ritual a que son sometidas las mujeres traficadas y durante cuya celebración se sella el pacto de obediencia para con los mafiosos.
>
> *Sponsor:* la persona encargada de gestionar el

viaje de las mujeres traficadas desde el país de origen al de destino.

Master: el hombre poseedor de las mujeres traficadas, que las obliga a trabajar en el país de destino.

Madame o *Mamy:* es el femenino del *master*. En muchas ocasiones, se trata de ex prostitutas que han pagado su deuda o han comprado su libertad, y se convierten a su vez en traficantes.

Connection-man: personaje secundario en el entramado de las mafias que se ocupa de pequeños trabajos como la obtención de visados, sobornos, documentos falsos, etc.

Pero, como ocurre en todas las infiltraciones, la formación teórica no es suficiente, así que pedí a Rafael su colaboración para poder asistir a alguno de aquellos rituales, y contactar así con alguna de las prostitutas nigerianas que acuden a sus tiendas en busca de protección. Afortunadamente, aceptó. De esta forma, pocos días después me encontraba en una de las tiendas de la Santería La Milagrosa, disfrazado como un dependiente más. Resultó toda una experiencia. Ignoraba que muchos de nuestros famosos fuesen tan supersticiosos. Digo esto ya que, mientras hacía mi papel en La Milagrosa pude ser testigo de cómo algunos conocidos actores y presentadores de televisión acudían a aquellos brujos en busca de ayudas mágicas para sus carreras profesionales o para sus problemas personales. En una ocasión, incluso, estuve a punto de tener que ser yo quien atendiese a la presentadora Silvia Fuminaya, y habría sido muy embarazoso tener que inventarme las respuestas a sus preguntas, mientras le echaba los *buzios*, las cartas del tarot o el *okuele*. La hermosa modelo y presentadora no sabe lo cerca que estuvo de ser grabada accidentalmente por mi cámara oculta.

Y por fin llegó el día esperado. Vestido con el «uniforme» de la tienda y con media docena de collares de santero al cuello, debería hacerme pasar por uno de los brujos de La Milagrosa. De esta forma, tendría la posibilidad de grabar a dos chicas nigerianas que habían pedido cita para una de las ceremonias de protección.

Antes de iniciarse el ritual, y naturalmente con el permiso del santero, había acomodado mi cámara oculta en la sala de ceremonias. Después sólo me quedó esperar, paseándome por la tienda como si realmente estuviese ordenando estantes, colocando libros, etc. Dos horas después, Rafa Valdés me avisó para que entrase en la sala y esperase. Aproveché para activar, además de mi cámara, otra que era propiedad de La Milagrosa, con la que Rafael me había pedido que grabase el ritual para sus archivos.

Dos jóvenes extremadamente bellas entraron en la habitación. El miedo que transmitían sus ojos quedó inmortalizado en la cinta de vídeo, con una elocuencia irrefutable. Valdés, totalmente vestido de blanco, llevó adelante la ceremonia, mientras yo me esforzaba por no perder detalle de la misma. Sus letanías en yoruba, sus pases mágicos y los efectos con fuego y pólvora que aderezan la ceremonia resultaban de lo más efectista. Y el temor de las jóvenes, que prácticamente no hablaban español, no dejaba lugar a dudas. A pesar de que el ritual de Rafael supuestamente era de protección, la sola pronunciación de la palabra *vudú*, o *yu-yú*, las hacía estremecer.

Cuando terminó el ritual, pude conocer a su proxeneta. Había venido a recogerlas para llevarlas de nuevo a Alcalá de Henares, donde las tenía trabajando, así que el destino terminaría por hacerme volver, en varias ocasiones, a la meca del movimiento skin en España.

La verdad es que yo no sabía si aquel hombre era uno de esos mafiosos o probablemente tan sólo un *connectionman*. Creía que las chicas habían acudido a hacerse una consulta de futuro y cuando terminó el ritual, pude acercarme a él con mi cámara oculta. Era un tipo alto y de complexión atlética, con una pequeña perilla y bigote. Negro como el carbón, vestía una camisa floreada y pantalones claros, y como a muchos de los africanos que conocería posteriormente, le gustaba lucir anillos y cadenas de oro. Respondía al nombre de Johnny y su teléfono era el 696 674… Me dejó muy claro, cuando me interesé por una de las jóvenes, que si quería estar con ella, tendría que tratar directamente con él. Según nos explicó, las chicas llevaban muy poco tiempo en España. Una de ellas, la más hermosa, apenas un par de semanas. Según averigüé, sólo una estaba colocada en un burdel; la recién llegada hacía servicios sexuales a hotel y domicilio.

No sé qué me ocurrió, pero de repente me embargó una incontenible sensación de odio hacia aquel negro. Como si de pronto volviese a meterme en la piel de Tiger88. Por un instante volví a sentirme como un skinhead. O tal vez era tal la indignación que me producía aquel traficante, al hablar de aquellas dos muchachas como mera mercancía, que por un momento estuve a punto de perder el control de la situación. Rafa se dio cuenta y rápidamente se interpuso entre Johnny y yo, cambiando de tema. Se había percatado de que mis ojos se inyectaban en sangre y de que estaba apretando los puños hasta que mis nudillos empezaron a enrojecer. Creo que si no hubiese intervenido, es posible que no hubiese podido contener mi ira. Estaba claro que todavía me quedaba mucho que aprender para poder entrevistarme con los traficantes de mujeres sin delatarme, y el rapapolvo de Rafael fue completamente merecido: «¡Tú estás loco, chico! ¿Quieres que te peguen un tiro y a mí me quemen el local? ¿Qué pensabas hacer, liarte a hostias con el negro dentro de la tienda?».

La verdad es que el santero tenía toda la razón del mundo. Tendría que aprender a contener mis accesos de rabia, viese lo que viese. Al final aprendería a tragarme la ira, pero las continuas indigestiones de odio terminaron por producirme un cáncer de alma.

Después de mi experiencia en la tienda, los libros que me facilitó el cubano me fueron de una enorme utilidad. Sin embargo, había algo más que había aprendido en mis conversaciones con Rafael Valdés: muchos traficantes ni siquiera creen en el vudú. Incluso utilizan trucos de ilusionismo para convencer a las muchachas de sus supuestos poderes mágicos. Así que en cuanto salí de La Milagrosa, me encaminé hacia la escuela de magia y prestidigitación de Juan Tamariz, llamada Magia Potagia, que está situada en la calle de Jorge Juan, nº 65. También fui a la escuela Magia Estudio, de Luis Ballesteros, en la calle de San Mateo, nº 17. Empezaba a intuir una posible vía de acceso para acercarme a las mafias nigerianas. Quería convertirme en un poderoso brujo vudú y las escuelas de ilusionismo de los famosos magos españoles iban a conferirme los poderes mágicos que necesitaba para hacer creíble mi papel...

En unas pocas semanas, no sólo me sabía de memoria todos los dioses del panteón yoruba, llegando a considerar a Ogún, Changó, Eleguá y Obatalá personajes familiares para mí, sino que me convertí en un pequeño Harry Potter, con los suficientes conocimientos en magia y prestidigitación como para convencer a cualquier profano, en este caso profana, de mis poderes «sobrenaturales»... Por absurda que pueda parecer esta estrategia, los resultados que me dio fueron desproporcionados. Una de las mayores beneficiarias de mis «poderes» resultaría ser Susy, la nigeriana de la que me había hablado Loveth, cuya búsqueda retomé en Murcia poco tiempo después...

Susana: madre, prostituta y mujer traficada

Harry es un negro delgado y pequeño. Eso me tranquilizaba. Su hermana era una de las prostitutas del Eroski, que resultó ser una vieja amiga de Loveth, con la que había coincidido en la Casa de Campo de Madrid al poco de llegar a España a través de las mafias. Le dije que me había hablado de él la amiga de su hermana y que podíamos ayudarnos mutuamente. Le expliqué que yo tenía dos clubes de carretera en Marbella y Bilbao y que iba a abrir otro próximamente en Murcia, razón por la cual estaba buscando chicas para la inauguración, por lo que en seguida se ofreció a ayudarme.

—Loveth me ha dicho que tú te mueves bien por aquí y que conoces a muchas chicas. Me gustan las negritas, así que quiero dos o tres para empezar. En mi club van a cobrar más que en la calle y tú puedes llevarte una comisión por polvo. ¿Qué te parece?

Los ojos de Harry empequeñecieron hasta convertirse en una línea fina, mientras sus dientes blancos asomaban enmarcados por unos enormes labios carnosos. Aquella sonrisa significaba una respuesta afirmativa.

—Tú ve buscándome dos o tres negritas, pero una tiene que ser Susy. ¿La conoces?

—¿Por qué Susy? ¿Tú conocer? —respondió el negro con evidente tono de desconfianza.

—Tranquilo. Loveth me habló de ella y sé que es amiga suya y que lo está pasando mal, así que quiero ayudarla. Además, Loveth me enseñó una foto y está muy buena, por eso quiero tenerla a mano.

Evidentemente yo no había visto ninguna fotografía de Susy, pero que tuviese ganas de acostarme con ella es la mejor razón que entienden los proxenetas para que un hombre busque a una mujer. Y Harry tragó el anzuelo, el sedal y la caña.

—Sí, yo conozco. Pero yo no puedo presentar a ella. Ella tener ya su hombre, y a Sunny no gusta blancos. Si tú querer trabajar Susy para ti, tú tener que hablar con Sunny. Ella antes en club, pero ahora trabajar en la calle de Sunny.

Ésa fue la primera vez que escuché el nombre de Sunny y en aquel momento, yo no podía suponer que aquel personaje se convertiría para mí en un eje fundamental de esta investigación durante los meses que siguieron. Un objetivo que llegaría a obsesionarme a medida que fuera conociendo su papel en la prostitución murciana y en el tráfico de mujeres hasta obnubilar completamente mi mente, haciéndome llegar a fantasear con la idea del asesinato, como una alternativa para acabar con los proxenetas.

—¿Sunny? ¿Y quién coño es Sunny?

—Bufff, Sunny es hombre importante. Él, boxeador en Nigeria. Muy fuerte. Él, jefe de asociación Edo en Murcia. Tú mejor no problemas con él. Él muy peligroso.

En aquella primera ocasión no conseguí obtener más información útil sobre el tal Sunny, salvo que había sido boxeador en Nigeria, que lideraba una especie de asociación de delincuentes africanos y que, según Harry, era el jefe de muchas de las chicas que ejercían la prostitución en las calles murcianas. Puestas así las cosas, decidí concentrarme en localizar a Susy y, tras soltar un incentivo económico por adelantado, acordé con Harry que él me marcaría a la nigeriana citándola en la cafetería de la gasolinera situada a pocos metros del Eroski.

Mi plan era el siguiente: Harry debería indicarme cuál de todas las nigerianas que hacen la calle en el Eroski era Susy. Una vez identificada, yo debería convencerla para que me acompañase al hotel, alegando que no me gustaban los servicios en el coche. Si todo iba según lo planeado, en cuanto llegásemos al aparcamiento del hotel, yo utilizaría el botón de rellamada de mi móvil para advertir a mi compañero Alberto, que aguardaba escondido en mi dormitorio con dos cámaras ocultas listas para grabar mi conversación con la nigeriana. Una vez allí, debería arreglármelas para que ella no sospechase de mí por no querer tener relaciones sexuales y contratar sus servicios sólo para hablar. Si el plan funcionaba, esa misma noche podríamos tener una primera entrevista con Susy y quizá avanzaríamos un paso hacia su traficante, el tal Sunny.

Al filo de la medianoche, hora pactada con el negro para que se encontrase con Susana, yo ya había aparcado mi coche frente a la gasolinera, al otro lado de la avenida del Infante Don Juan Manuel. En realidad había acudido una hora antes para buscar el mejor punto de observación. Afortunadamente fui con tiempo, porque tardé más de lo previsto en localizar un lugar desde el que pudiese vigilar las dos entradas de la cafetería ubicada en dicha gasolinera. Esa cafetería permanece abierta toda la noche, y con frecuencia, algunas de las prostitutas que hacen la calle a pocos metros acuden allí para aliviar el frío de la madrugada con un café caliente. Así que Susy no tenía por qué sospechar nada cuando Harry la invitó a reunirse allí con él, para tratar un asunto familiar.

No sé lo que le contó el negro, ni me importa, pero cumplió su palabra. Poco después de las doce y cuarto de la noche, y utilizando el zoom de la cámara de vídeo como teleobjetivo, reconocí su rostro. Había entrado acompañado de una hermosa joven alta y delgada, que no podía ser otra que Susy. Eran las primeras imágenes que grababa de aquella muchacha, cuya vida ha sido castigada por mil desgracias y sinsabores, un tormento constante desde que salió de su Nigeria natal. Aquella noche vestía un top naranja y unos pantalones piratas. No sería difícil identificarla después, en la zona donde se reúnen las prostitutas nigerianas. Como ocurre en la Casa de Campo de Madrid, las nigerianas, nórdicas, sudamericanas, travestis, etc., tienen sus respectivas zonas y nunca se mezclan entre ellas.

Según lo pactado, tras el café Harry salió con Susy del local y allí mismo se separaron. Con las luces apagadas, y circulando muy despacio a una prudente distancia, seguí a Susana hasta la parte alta del Eroski, donde se reunió con otra decena de chicas de color, ofreciéndose a todos los conductores que recorren aquella calle en busca de carne fresca para saciar sus fantasías eróticas.

Detuve el coche y decidí tomarme un minuto para tranquilizar el corazón que empezaba a desbocarse dentro de mi pecho. Nunca había pasado por una experiencia similar. No sabía qué es lo que dicen los clientes de una prostituta callejera, ni tenía la menor idea de cómo convencerla para que viniese a mi hotel. Sabía, porque Harry me lo había contado, que las fulanas del Eroski realizan sus servicios en el coche del cliente, o todo lo más, en un hostal situado apenas a cien metros del centro comercial. Por eso, que me acompañase a un hotel en el centro de Murcia parecía más que improbable. Además, yo no era un cliente conocido.

Aproveché esos momentos para telefonear a Alberto e informarle de que, por el momento, el plan evolucionaba según lo previsto. «Alberto, soy Toni, ya la tengo localizada, voy a ver si consigo convencerla para que se venga al hotel. Si me manda a la mierda te llamo para decírtelo, pero si no te llamo en cinco minutos es que ha aceptado y vamos hacia ahí. Ten preparados los equipos y si recibes una llamada perdida desde este número ponlos a grabar y escóndete...»

Seguidamente encendí la cámara oculta que habíamos montado en el coche y me dirigí hacia el grupo de africanas. En cuanto vieron que mi automóvil circulaba a poca velocidad en dirección a ellas, entendieron que buscaba compañía y una joven negra de enormes pechos se acercó a la ventanilla. Con toda la cortesía posible, pero enérgicamente, desatendí sus elocuentes ofertas sexuales. Le dije que me gustaba la chica del top naranja e inmediatamente Susy se acercó a mi coche. Las primeras palabras que escuché de sus labios resultaron tan directas como las de su paisana.

—Treinta euros follar y chupar.

—¿Pero podemos ir a mi hotel? —mientras decía esto, le tendí la tarjeta del hotel en el que me encontraba, para que comprobase que no intentaba nada extraño.

Susy dudó un momento. Me observó de arriba abajo en silencio, mientras yo exhibía mi mejor sonrisa. Y por fin, ella también sonrió. Pactamos 110 euros por sus servicios, e inmediatamente, abrí la puerta del coche invitándola a entrar. Después, arranqué en dirección al hotel. La cámara oculta del coche grabó nuestra primera conversación.

—Estoy muy nervioso.

—¿Por qué nervioso?

—Porque sí, porque es la primera vez que he venido aquí.

—¿Tu nombre? El mío, Julieta...

Como esperaba, Susy me estaba mintiendo. Julieta no era su verdadero nombre, pero no podía esperar que me dijese la verdad nada más conocernos. No obstante, me conmovió que hubiese escogido precisamente ese nombre para ejercer la prostitución. Susy era una Julieta con mil Romeos de pago.

Todos los expertos a los que había consultado mi plan me habían advertido que Susy no debía saber, en ningún momento, que yo era un periodista. En primer lugar, porque, de saberlo, evidentemente no hablaría conmigo bajo ningún concepto. Y en segundo lugar, porque si los mafiosos que la habían traído a España sospechaban por un instante que había colaborado conscientemente con nosotros, tomarían severas represalias contra ella. Por eso, y aun a costa del sentimiento de culpabilidad que sentiría una y otra vez, y que en algunas ocasiones casi me ahogaba, ninguna de las prostitutas a las que acudí supo nunca que yo era un periodista infiltrado, por lo que ninguna colaboró conscientemente en esta investigación, y por lo tanto debo insistir una vez más en que ninguna es responsable de que yo consiguiese llegar a contactar con los traficantes.

Durante el trayecto entre el Eroski y nuestro hotel, charlamos de cosas sin importancia: el clima, la gastronomía, etc. Al entrar en el parking, con todo disimulo, pulsé el botón de rellamada en mi móvil. Si todo iba bien, Alberto debía poner en marcha los equipos de grabación mientras yo cogía la llave en la recepción, ante la sonrisa de complicidad del recepcionista, que recorrió con mirada libidinosa toda la anatomía de mi acompañante.

A medida que nos acercábamos a mi habitación, crecía mi nerviosismo. Si Alberto no había tenido tiempo para ocultarse, o no había puesto los equipos en marcha, todo sería inútil. Abrí la puerta del cuarto y franqueé el paso a Susy, que se sentó sobre la cama. Le ofrecí una copa, que rechazó, y me senté frente a ella. Hizo un amago de desnudarse, pero le pedí con un gesto que se detuviese. Tenía una historia preparada para que mi intención de no acostarme con ella resultase convincente.

—No, no quiero follar, sólo hablar. Acabo de separarme y de venirme a Murcia para trabajar y no conozco a nadie. Llevo todo el día encerrado en el hotel y sólo me apetece hablar con alguien.

Creo que sonrió aliviada. Probablemente era la primera vez que un cliente le pagaba casi el cuádruple de lo que suele cobrar por un servicio para no hacer nada con ella. Aproveché el agradecimiento que rebosaba su sonrisa para entablar la conversación que transcribo directamente de las cintas, respetando todo su contenido, aun a pesar del torpe castellano de la africana.

—¿Tú siempre estás en la calle o vas a clubes?

—No, yo no en club. Yo no quiero —Susy volvía a mentirme, pero ya me lo esperaba.

—¿Por qué? ¿No es mejor?

—Sí, cuando tú en club... Cuando yo no trabajo, me voy a casa y durmiendo...

—Y en el club tienes que estar allí todo el tiempo, ¿no?

—Sí, todo el tiempo allí. Y pagando, cuando no trabajas, pagando...

—¿Aunque no trabajes tienes que pagar?

—Sí. Cuando tú en club... por ejemplo, trabajas hoy, y esperando, ninguno cliente, y mañana pagando. Y ahí a la calle voy igual a casa, sin dinero, y comiendo bien...

Otras prostitutas me habían explicado anteriormente que en la mayoría de los clubes, como en las «plazas», las chicas deben pagar una suma diaria, que puede oscilar en torno a los cuarenta o sesenta euros, consigan o no consigan clientes. A eso se refería Susy, en su pésimo español, que a veces me costaba entender.

—¿Cuesta lo mismo en un club que en la calle?

—Igual. En club, por ejemplo, media hora sesenta euros, y en la calle, también sesenta —de nuevo mentía.

—Y si alguien te dice en la calle que quiere ir a un hotel, ¿tenéis alguno?

—Sí, muy cerca donde yo trabajo hay y pagamos treinta euros.

—En invierno pasas frío, ¿no?

—Cuando frío, pongo éste para frío y no pasa nada —dice señalando mi chaqueta.

—¿No os piden cosas muy raras, la gente, los tíos?

—Mira, cuando yo voy con gente como tú, mucha gente es normal. Y cuando hablamos, tranquilamente, bien. Pero cuando chico malo, tú también mala y eso no bueno. Y cuando tú malo, y yo estar bien, pensar cosas buenas. No que quiere golpear, robar... tú no pensar eso. Muchos chicos venir, decir, loca, y tú también loco... insultar.

—¿Siempre lo hacéis en el coche, allí en la calle?

—Sí, en coche. Pero tú venir ahora y yo decir, «coche treinta», y tú ha dicho, «no por favor, yo querer cama, mi casa». Yo pensar y mirar, dudar, y mi corazón ha dicho tú bueno, yo contigo. Cuando mi corazón ha dicho no... tú dame un millón y si mi corazón dice «no puedo yo contigo» no puedo yo contigo.

—¿Te fías de tu corazón?

—Sí. Me gustas a mí y mi corazón... Hablamos, y voy con éste, y no problema, no pasa nada. Si tu cara muy fea, muy feo, mi corazón dicho «ve con él», y no pasa nada. Siempre así. Y cuando mi corazón ha dicho «no tú con él», mirar dinero, yo querer este dinero, y muy mal...

Confieso que sus palabras me conmovieron. Susy se dejaba llevar por el corazón a la hora de decidir si aceptaba o no a un cliente nuevo. Y al parecer, su intuición le había dicho que podía fiarse de mí y acompañarme al hotel. En ese momento, me sentí como un Judas. Al fin y al cabo, y a pesar de mi promesa a Loveth, en el fondo yo estaba utilizando a Susy para poder llegar hasta su traficante y eso me hacía sentirme culpable. Pero no existía otra manera de acceder al tal Sunny. Tenía que ganarme la confianza de Susy, aunque fuese ocultándole mi verdadera identidad.

—¿Cuánto tiempo llevas trabajando en esto?

—Cinco meses.

—Llevas poquito.

—Sí, poquito. Yo quiero sólo ganar dinero para mi país y salir, ahora otras cosas...

Nueva mentira. Yo sabía que Susy llevaba al menos dos años en España, ejerciendo la prostitución al servicio de su proxeneta, como otras muchas nigerianas del Eroski, pero era lógico que me engañase. Todas las rameras saben que legalmente no pueden pasar más de seis meses en España, con un visado de turista —en realidad tres meses prorrogables a seis—, así que cuando algún cliente les pregunta cuánto tiempo llevan en nuestro país, suelen decir que menos de medio año.

—¿Tienes familia en África?

—Sí.

—¿A quién tienes allí?

—Mi padre, mi madre, allí, mi hermano…

—¿Qué hacen, trabajan?

—No.

—¿Y dónde están?

—Sierra Leona.

—¿Y cómo te viniste para aquí?

—Hummm.

—No te quiero molestar, ¿eh?

—Hummm.

Susy de nuevo me engañaba. Como todas las nigerianas, decía ser de Sierra Leona o Liberia, países a los que no podrían ser extraditadas por encontrarse en situación de guerra. Pero cuando mis preguntas empezaban a hacerse incómodas, se revolvía y tan sólo gruñía negándose a contestar. Tenía que tener mucho tacto para que no se enfureciese con mis preguntas y saliese de la habitación dando un portazo. Pero el tiempo pasaba y en aquellas circunstancias, lógicamente, Alberto no podía salir de su escondite para cambiar las cintas ni la batería de las cámaras, así que decidí intentar otra estrategia.

En los meses anteriores ya había aprendido que podía aprovechar mis viajes para iniciar el acercamiento a las prostitutas extranjeras. Durante años, mi trabajo como reportero me ha hecho dar la vuelta al mundo y conozco bastante bien algunos de los países de origen de las prostitutas que ejercen en España tales como Rumanía, República Dominicana, Cuba, Rusia o, por supuesto, el África subsahariana. Mis conocimientos sobre esos países, adquiridos sobre el terreno, siempre me resultaron una excelente forma de romper el hielo, al entablar conversación con una prostituta extranjera, que en general no conoce a muchos clientes que hayan recorrido su país. Y con Susy funcionó también extraordinariamente. Aproveché su pregunta sobre a qué me dedicaba para decirle que viajaba mucho y que precisamente acababa de regresar de África, así que le enseñé varias fotografías que había tomado durante otros reportajes que había realizado en diferentes países centroafricanos anteriormente. En una de ellas, aparecía rodeado de niños negros y creo que aquella imagen la conmovió. Era una oportunidad excelente para intentar conseguir que me hablase de su hijo, supuestamente utilizado por su traficante como elemento de presión. Para ello, le expliqué que yo acababa de separarme de mi esposa, que era también de color, y que tenía un niño pequeño, de unos dos años, al que no podía ver. Se lo dejé en bandeja y no pudo evitar seguirme la corriente.

—Yo también.

—¿Tú también tienes un hijo? —dije poniendo cara de sorpresa, pero entusiasmado porque mi truco hubiese funcionado, permitiéndome sacar el tema de su hijo, supuestamente secuestrado por el proxeneta.

—Sí, igual que tú, de dos años.

—Pero si tú eres muy joven. ¿Cuántos años tienes?

—¿Yo? 23.

—¿Qué signo eres? ¿Cuál es tu día y mes de nacimiento?

—¿Yo? En marzo, el 29.

—¿Cómo se llama tu hijo?

—Albert.

Por fin empezaba a obtener datos concretos sobre Susy, que me serían muy útiles posteriormente, a la hora de reconstruir su biografía. Era el momento de experimentar si mi aprendizaje como brujo y como ilusionista resultaban convincentes.

—En tu país hay mucho vudú, ¿no?

—Oh, sí, vudú. No bueno.

—Pues, ¿me crees si te digo que yo soy babalao y que tengo a Changó?

Susy se quedó petrificada. No sabía si reír o echarse a gritar. Pero mis fotos en África demostraban que al menos había viajado por su continente. Lo que ocurrió a continuación me da cierto pudor. Realicé varios trucos de magia que pretendían demostrar mis poderes psíquicos, algo que siempre he denunciado, pero que en ese momento se me antojaba como la única forma de conseguir la confianza de Susy. Lo que no podía imaginar es que aquellos trucos de magia terminarían siendo el pasaporte a la libertad de aquella joven.

En Magia Potagia, la tienda y escuela de Juan Tamariz, regentada por su hija, había aprendido a «leer el pensamiento», a «mover objetos con la mente», a «invocar a los espíritus» y todo tipo de maravillas «sobrenaturales», y desplegué todos mis conocimientos mágicos para conseguir fascinar a la joven. La estrategia no había podido funcionar mejor.

—¿Dónde tú aprender esto? ¿En qué parte de África? —me pregunta fascinada.

—¿Conoces el Sahara?

—Sí, yo sabe Marruecos.

—¿Estuviste en Marruecos?

—Yo pasar Marruecos, mucho tiempo, ocho meses.

—Muy brutos los marroquíes, ¿no?

—Ufff, mucho, muy malos.

—¿Qué hacías tú en Marruecos? ¿Fue al venir para España?

—Sí.

—Fue muy duro el viaje, ¿no? ¿Cuánto tiempo duró?

—Un año.

—¡Un año!

—Sí.

—O sea, que entraste en patera…

—Sí, muy malo.

—¿Y pasaste miedo?

—Ufff, mucho miedo, y yo embarazada.

—O sea, que te embarazaste en Marruecos...

—Sí.

Mis supuestos poderes mágicos habían conseguido soltar la lengua de Susy de una forma inesperada. Ya sabía que había llegado a España en patera, después de recorrer la ruta terrestre desde Nigeria, en un atroz viaje de un año. Me la imaginé hacinada en los campos de refugiados de Ceuta, violada o prostituyéndose por un plato de comida, hasta quedarse embarazada.

—Oye, ¿y ahora tienes que volver al Eroski o te llevo a tu casa? ¿Dónde vives?

—En Rincón de Seca, pero ahora vuelvo a trabajar.

—¿Hasta qué hora?

—Las seis o las siete.

—¿Y estáis toda la noche? Joder, es que es un mogollón de horas, desde las once de la noche hasta las siete de la mañana...

—Sí.

—Y a esas horas, a las siete de la mañana, ¿va algún hombre?

—Sí, mira, viernes y sábado yo voy a mi casa y chico venir a las nueve.

—¡A las nueve de la mañana!

—Sí.

Durante una hora conseguí que Susy, sin saberlo, me facilitase muchísima información que encauzaría de nuevo la investigación hasta poder contactar personalmente con Sunny. Sin embargo, aquello no había hecho más que empezar, y en aquel primer encuentro había conseguido mucho más de lo que me podía esperar. Así que, en cuanto terminó el tiempo, acompañé a Susy hasta el Eroski —me parecía mal pedirle un taxi—, y la dejé exactamente en el mismo lugar en el que la había recogido. Antes de despedirnos, le pedí su número de teléfono, por si quería volver a llamarla otro día. Pero se negó a dármelo. Me dijo que no podía llamar a su casa porque su primo —en realidad se refería a Sunny— podía enfadarse. Así que me dio el teléfono de Gloria, otra nigeriana compañera de Susy en la calle del Eroski. El contacto estaba hecho y una de mis líneas de investigación hacia las mafias estaba abierta.

Alberto pudo salir de su escondite en cuanto nos fuimos y comprobar con entusiasmo que las cámaras habían grabado perfectamente toda la conversación... y mi lamentable demostración de ilusionismo vudú... Soporté durante semanas el cachondeo que se traían en Tele 5 a costa de mis poderes paranormales cada vez que alguien veía aquella cinta. Gajes del oficio.

Capítulo 5

El precio de la dignidad

La dignidad de la persona, los derechos inviolables que le son inherentes, el libre desarrollo de la personalidad, el respeto a la ley y a los derechos de los demás son fundamento del orden político y de la paz social.

Constitución Española, art. 10, 1.

Regresé a Vigo con la intención de volver a encontrarme con Loveth. Necesitaba más información sobre Susy para saber cómo afrontar el caso y averiguar la mejor manera de llegar a Sunny, pero llegué tarde. Lo de que me había estado esperando la noche que nos conocimos, por indicación de ALECRIN, era cierto. Según me explicaron, al día siguiente dejó el club, donde no conseguía el dinero suficiente para abonar su deuda y se fue a probar fortuna en un prostíbulo francés. Maldije mi suerte. Sin embargo, podía intentarlo con otras nigerianas que abundan tanto en los prostíbulos gallegos, como en el resto de los burdeles del país. Esa misma noche me ocurrirían cosas sorprendentes y conocería una de las historias más duras y terribles con que me he encontrado en mi descenso a los infiernos de la prostitución.

Fue un encuentro total, completa y absolutamente casual. Conducía de Vigo hacia Santiago, donde debería reunirme con Juan a la mañana siguiente. Recuerdo que era viernes noche. Entré en Pontevedra por el sur y me perdí. No conseguía encontrar la carretera de Santiago, así que di varias vueltas por las calles pontevedresas en busca de la salida norte y, de pronto, en plena madrugada, me encontré con una joven que me hacía señas desde la acera. Pensé que podía preguntarle la dirección hacia Santiago, ya que a esas horas no hay mucha gente a quien pedir una indicación por las calles de Pontevedra, así que acerqué el coche y bajé la ventanilla. Se trataba de una joven que aparentaba veintitantos años. Vestía una minifalda muy mini y unos zapatos de tacón que estilizaban sus piernas largas y bien torneadas. A cierta distancia parecía una joven muy atractiva, y seguramente lo fue algún día, pero al acercarse a la ventanilla del coche pude ver su rostro completamente demacrado. Tenía la cara llena de manchas y pequeñas cicatrices, y recuerdo que lo primero que pensé es que debía de tener sida. Y posiblemente así era.

—Hola, perdona, ¿puedes indicarme cómo salir hacia Santiago?

—Claro, yo te digo por dónde ir, pero ¿tú puedes acercarme a mí a la estación de autobuses?

—Trato hecho.

Doy mi palabra de que en aquel momento no tenía ni idea de con quién estaba. Pensé que se trataba de alguna chica que había salido de la discoteca y se dirigía a su domicilio. Ni siquiera se me pasó por la cabeza la idea de que una mujer, tan profundamente deteriorada, pudiese ser una profesional del sexo. Por eso, cuando apoyó su mano en mi rodilla y me dijo si ya sabía a qué se dedicaba, reaccioné como un estúpido.

—Pues… no sé… ¿Estudias?

Aquella joven se echó a reír. Fue la primera y penúltima vez que pude disfrutar de su sonrisa y por todo lo que supe después, creo que hacía un montón de tiempo que no sonreía. No me dio muchas opciones para adivinar su oficio, porque rápidamente me soltó a quemarropa: «Soy una puta». Es curioso cómo las cosas vienen a ti cuando estás en sintonía con ellas.

Terminamos tomando un café en una cervecería del centro de Pontevedra, charlando sobre todo tipo de temas. Ella había sido cantante y había actuado en muchas ocasiones en la Televisión de Galicia. De hecho, había trabajado con Juan Pardo y, aunque a una escala muy humilde, en realidad sería la primera «famosa» dedicada a la prostitución que iba a conocer en mi investigación. Tenía una hija, que vivía con sus abuelos en Vigo, y era profundamente desgraciada.

Dijo llamarse Mª Carmen R. C., y me contó una historia terrible. Su madre acababa de morir, víctima de una sobredosis, y ella decía desear la muerte. La menor de tres hermanas, aseguraba que todas ellas habían sido violadas desde niñas, desembocando en la prostitución. Ignoro si mentía.

—¿Tú no te acuerdas del chico que murió en Orense hace unos años, aplastado por una roca mientras se follaba a una gallina?

La verdad es que aquello del hombre sepultado por una roca mientras practicaba la zoofilia me sonaba familiar, pero la historia resultaba demasiado rocambolesca para ser cierta. Asentí con la cabeza.

—Pues ése era mi hermano, Herminio.

Sólo días después, al consultar en Internet y en la hemeroteca de Madrid, descubriría varias noticias de prensa —como *El Caso* del 11 de octubre de 1990— en las que se relataba con todo detalle el kafkiano episodio del hombre que murió aplastado en Orense. La joven no mentía y de esta forma, Mª Carmen me confió su historia personal, repleta de maltratos, violaciones y drogodependencias. Ella era la única de las tres hermanas que había conseguido salir de ese mundo, aunque sólo durante un periodo limitado de tiempo. Un matrimonio roto la hizo caer de nuevo en la drogadicción y de ahí pasó a la prostitución.

Charlamos durante un par de horas y cada episodio de la vida de aquella joven parecía más dramático que el anterior. Ningún hombre podría evitar que aflorase un paternal instinto protector con aquella chica, que inspiraba una profunda compasión. Me ofrecí a llevarla a su casa. Ya es tarde —le dije— y hoy no creo que puedas hacer ningún servicio, vámonos a dormir.

Me indicó el camino y no tardamos en llegar a un lugar sacado de la imaginación delirante de algún guionista de cine B. No se trataba de una casa, sino de un trastero en un bloque de edificios situado en la parte posterior de la Estación de Autobuses de Pontevedra. Allí ejercían su oficio y vivían varias prostitutas callejeras de la ciudad. Bajamos las escaleras en silencio para no despertar a sus «vecinas». Al abrir su trastero, me invadió un repugnante olor a orines y a humedad.

El lugar era siniestro y cuesta imaginar que algún hombre pueda hacer el amor en un sitio así, por muy excitado que esté. Aquel habitáculo apenas medía unos seis metros cuadrados. Un colchón tirado en el suelo y una caja de madera que hacía las veces de mesa de noche eran todo el mobiliario, exceptuando un viejo armario destartalado, con una de sus puertas colgando de una única bisagra.

Donde en otro tiempo se encontraron los cajones de aquel armario, ahora existía un espacio vacío que había sido habilitado como improvisada cuna de un gato moribundo, que Mª Carmen cuidaba con una devoción indescriptible. En cuanto entramos, tomó una jeringuilla con un poco de leche y la acercó a la boca del animal, que presentaba un aspecto verdaderamente lamentable. Una cicatriz le cruzaba la cara en diagonal y le faltaba un ojo. La cuenca vacía me miraba con la misma expectación con que yo contemplaba tan surrealista escena. No podía dar crédito a lo que me estaba sucediendo. Me sentía como el personaje de una pesadilla. Aquella situación almodovariana era completamente onírica, pero lo peor aún estaba por llegar.

Mientras alimentaba a aquella mascota, Mª Carmen me contó que se la había encontrado tirada en la cuneta, un par de noches antes. Llegaba a ese picadero con un cliente que, según ella, le había pedido un servicio especial que iba a pagarle muy bien —intuí que se trataba de una sesión de sadismo, dadas las cicatrices de su cuerpo—, pero en cuanto vio al animal se conmovió y lo recogió del asfalto. Al parecer, el cliente se enfadó, porque prestaba más atención al minino moribundo que a sus demandas sexuales, pero a ella no le importó. Ojalá mi dominio del castellano fuese suficiente para transmitir al lector los sentimientos que me inspiraba aquella chica y su relato. Pero no soy tan buen escritor como para poder describir aquellos olores, aquel bochorno sofocante, aquella opresión en el corazón al participar de un episodio tan siniestro como esperpéntico.

De pronto me percaté de que, pegado a la pared, lucía un póster publicitario de una orquesta. Uno de esos grupos populares que tanto abundan en los pueblos españoles. Mª Carmen se dio cuenta de que aquella imagen había llamado mi atención y se levantó para señalar a la cantante del grupo, que posaba en la parte central de la fotografía. «Mira, ésta era yo antes de acabar así... Actuamos con Juan Pardo muchas veces... Si me viese Juan ahora...»

El cambio físico era brutal, aunque podía reconocer fácilmente que la chica que estaba ante mí y la rolliza cantante de la orquesta eran la misma persona. Y aunque apenas habían transcurrido dos años entre la foto y el momento actual, la ex cantante parecía haber envejecido dos décadas al menos. Probablemente por los efectos de las drogas y las enfermedades. Fue entonces cuando se puso a llorar. Yo no sabía cómo reaccionar, ni qué hacer o decir, ni cómo consolarla. Volvió a recordarme que su madre había muerto de sobredosis y que ella deseaba morir también. En ese preciso momento decidió que necesitaba fumar una dosis de droga.

Tomó un bote que tenía sobre la improvisada mesilla y un mechero, y empezó a manipular un trozo de papel de plata. Confieso que soy un completo ignorante en el mundo de las drogas, así que le pregunté qué estaba haciendo. «Un chino —me dijo—. Para ver si reviento de una puta vez.»

Estúpido de mí. Hasta ese día jamás había escuchado la expresión «chino», así que pensé que quería decir «china». Y aunque mi conocimiento de las drogas es nulo, durante mi infiltración con grupos de extrema izquierda había fumado cientos de «chinas» de hachís y deduje que era a eso a lo que se refería. Mi ignorancia era superlativa. Por eso, en un arrebato de necio paternalismo, le propuse que nos la fumásemos a medias. Como si pudiese evitar, consumiendo la mitad del hachís, que se hiciese más daño del que se hacía a diario. Como si por compartir una toma pudiese evitar el riesgo de sobredosis que se cernía sobre ella cada noche. Como si, por aquel arrebato de egoísta caballerosidad, pudiese aliviar la enorme tristeza que me inspiraba aquella mujer. Fue una reacción absurda, pero no pude evitarlo. Supongo que de esa forma me sentía un poco menos culpable.

Yo observaba en silencio cómo manipulaba aquella sustancia, cómo la colocaba sobre el papel albal y la calentaba desde abajo con un mechero hasta evaporarla, y cómo la aspiraba con un billete enrollado a manera de tubo. Desde luego, aquello no era un porro y hasta un ignorante como yo se daba cuenta. Pero pensé que tal vez era una forma diferente de consumir las «chinas», así que no hice preguntas, y después de un par de caladas, le pedí que me lo pasase. En cuanto aspiré, recibí un golpe en el estómago. Aquel hachís era mucho más fuerte que todo el «chocolate» que yo había fumado en las casas okupas o en los locales anarquistas. Sin embargo, no protesté y seguí inhalando aquella «china» hasta que las arcadas y el mareo se empezaron a hacer insoportables.

—Joder con la «china», eh, qué costo más fuerte...

—¿Costo? ¿Cómo que costo? ¿Qué «china»? Esto es un «chino» de heroína —dijo la joven, que rompió en una maravillosa carcajada. Fue la última vez que la vi reír.

Me quedé boquiabierto. Aquella sustancia que estaba ingiriendo era heroína fumada. Un «chino». La ignorancia es muy osada, y yo soy muy osado. Le pedí a Mª Carmen que se acostase y me quedé con ella hasta que se durmió. Agradecida, me propuso hacerme un «francesito rápido y gratis» para que me fuese relajado. Naturalmente, rechacé su generoso ofrecimiento y cuando se quedó dormida, la arropé y me marché. Me costó verdaderos esfuerzos conseguir vomitar, y más aún, llegar hasta Santiago para reunirme con Juan por la mañana. Creo que estuvo riéndose de mí unos cuarenta minutos. La historia de aquella ex cantante, hermana de un violador de gallinas aplastado en pleno polvo animal, adicta a la heroína y rescatadora de gatos moribundos, le parecía desternillante. Aunque sin duda, lo que más gracia le produjo fue mi estupidez completa al confundir una «china» de hachís con un «chino» de heroína. Pero creo que mis ojeras y mi dolor de estómago mostraban a las claras que todo lo que le había contado, por increíble que pareciese, era rigurosamente cierto. Por eso se reía tanto de mí.

Esa noche Juan me acompañaría a varios prostíbulos gallegos. En uno de ellos, cómo no, nos encontraríamos con Paulino realizando su ruta habitual, pero el mercenario de la información no quería ser presentado, así que esa noche me escurrí del putero más veterano de Galicia.

Juan había prometido que, si lo que buscaba eran historias dramáticas, él podía presentarme a un millón de furcias con dramas humanos iguales o mayores que los de Mª Carmen. Y no exageraba. Resultaba mucho más sencillo acceder a las fulanas a través de Juan o Paulino, a quienes, por razones bien distintas, consideraban personas de confianza. Sería demasiado extenso transcribir todas las terribles historias que conocí de labios de las prostitutas. Cada una de ellas podría ocupar un capítulo o un libro entero, porque todas las profesionales del sexo tienen un pasado atroz y terrible. Todas, o al menos la mayor parte, han sufrido en sus carnes episodios de tortura, humillación, violaciones, vejaciones, etc., digan lo que digan los honrados empresarios de ANELA. Algunas, desgraciadamente, no han sobrevivido para poder contarlo.

—¿Te apetece ver una redada en un puticlub? —me espetó de golpe Juan.

—Coño, claro.

—Mañana, a las 20:15 horas, la poli va a entrar en uno que no está demasiado lejos de aquí, el Lido. Si quieres, vamos, pero nada de cámaras.

—OK.

Así es como tuve la oportunidad de presenciar, en directo, una redada en un prostíbulo. Y precisamente en ese burdel, el Lido —que forma parte de la llamada «ruta del placer» junto a otros prostíbulos como el Casablanca o Los Cedros—, conocería la terrible historia de Helen, una historia dura y brutal como pocas, pero que a mí me serviría para conocer un poco mejor los métodos de las mafias africanas, a las que ya había iniciado un acercamiento. Helen está muerta. Fue asesinada. A mí me contó su historia Mery, una buena amiga de Juan, ex compañera en la Casa de Campo de la desafortunada, y que llegaría a convertirse también en una buena amiga y cómplice mía.

Según Mery, todo ocurrió en febrero de 1998, en el barrio de Vicálvaro de Madrid. Helen Igbinoba había nacido el día 17 de julio del año 1960 en Nigeria, pero llevaba ya varios años trabajando como prostituta en España. Sin embargo, poco antes de su triste final, fue vendida por su *madame* a otro *master*.

Helen ya había conseguido pagar, según sus cuentas, cuatro millones de pesetas de la deuda asumida para venir a Europa, pero para el nuevo *master* no era bastante. Friday E. O., que así se llamaba su nuevo dueño, era un nigeriano dispuesto a amortizar al máximo su inversión en una nueva esclava sexual. Nacido en Benin City el día 20 de febrero de 1955, hijo de Zanko y Alice, titular del número de identificación de extranjero X-1331..., Friday tenía una amante habitual que hacía las veces de *madame* de sus fulanas. Se llamaba Esosa E., alias *Otiti,* había nacido en Benin City el día 12 de diciembre de 1972 y era hija de Azz. Según amigas de la víctima, *Otiti* pudo haber sido la inductora del triste desenlace.

Helen era sólo una de las muchas fulanas que Friday mantenía en su piso de la calle del General Ricardos de Madrid, pero fue la única que un día intentó rebelarse. Dijo que ya bastaba, que quería dejar de vender su cuerpo, pero su *master* no estaba dispuesto a permitírselo. Presuntamente contrató dos matones que la recogieron en la Casa de Campo, como si fuesen dos clientes más, y la violaron y golpearon repetidas veces. La noticia pasó desapercibida en la prensa, porque la violación de una ramera parece menos violación que la de cualquier otra mujer. Helen entendió la advertencia, y durante algunos meses volvió a convertirse en una esclava dócil y sumisa. Pero el asco acumulado, a fuerza de soportar las babas de los españoles que contrataban sus servicios, volvió a hacerse insoportable. Los españoles no somos ni más ni menos cerdos que cualquier otro tipo de cliente para las prostitutas. No es nada personal.

El día 24 de febrero de 1998, Helen dijo que ya no soportaba más aquella humillación y aquel sufrimiento. Había tenido que vivir un viaje atroz desde Nigeria para llegar a Europa en busca de una vida mejor, y sólo se había encontrado convertida en un títere sexual de los civilizados hombres blancos. Pero de nuevo, su propietario, que la había comprado para que le diese dinero, no estaba dispuesto a perder su inversión. Ante la negativa de Helen de volver a la Casa de Campo, según me narraba su amiga, presuntamente la arrastró hasta un descampado en la carretera de Vicálvaro a Mejorada del Campo cerca del kilómetro 1,500, donde la golpeó salvajemente con una piedra para después semiocultar el cuerpo, al menos el rostro de su víctima, con grandes rocas. Ni siquiera en su muerte la pobre nigeriana dejaría de sufrir. La torpeza del traficante asesino, que no remató la faena, según relataban todas sus compañeras, hizo que Helen aún estuviese viva en el momento de ser abandonada. Murió sola, e imagino que desangrada, aterrorizada y desesperada.

Friday fue absuelto finalmente por falta de pruebas y simplemente extraditado a Nigeria. Helen se convirtió en un número más en las frías estadísticas policiales. Otra fulana muerta, enterrada en una fosa común sin nombre. Recordé lo que me había dicho Isabel Pisano: «... Un cuerpo desmembrado en la morgue. No tiene nombre, ni cabeza, ni huellas digitales, ni nada. Es alguien que se va sin una oración, sin una flor, de la peor de las maneras…».

Desde el londinense Jack el Destripador, hasta el valenciano Joaquín Ferrandis, las prostitutas han sido las víctimas perfectas para los mayores asesinos en serie de la historia. E incluso para los más torpes aprendices de criminal. Las putas mueren mejor que nadie, porque a nadie le importa su muerte. Y Helen fue el enésimo ejemplo de esa cruel desidia homicida. Tendría gracia si no fuese tan dramático: Helen huyó de Nigeria, donde las mujeres adúlteras son lapidadas, para morir del mismo modo en una capital europea. A veces parece imposible huir del destino…

Mery apenas había terminado de relatarme la atroz historia de Helen, cuando Juan me dio una patada por debajo de la barra, reclamando mi atención hacia la entrada del local. En ese instante, un grupo de hombres, vestidos de paisano, entraba en el Lido. Eran exactamente las ocho y cuarto de la tarde. La Policía había sido puntual.

Los agentes exhibieron sus placas y pidieron a todas las chicas que se apiñasen al fondo del local para ser identificadas. Todas obedecieron, menos una colombiana que se agazapó a mis pies, entre el taburete en el que yo estaba sentado y el de Juan. Él no podía dejar de reír. Imagino que mi cara de pánfilo era muy elocuente. Una vez más, en esta investigación, no supe cómo reaccionar. Supongo que mi deber era advertir a los agentes de que se les había escapado una de las fulanas, pero no lo hice.

Entonces me di cuenta de que, por increíble que parezca, aquella colombiana agachada a mis pies estaba rezando… ¡a Lucifer! Por si todavía no tenía claro que en el mundo de la prostitución pueden encontrarse los episodios más insólitos y pintorescos, aquél era un nuevo ejemplo. Esta chica estaba suplicándole a Lucifer que la protegiese de la Policía. «Lucifer mío, Lucifer mío, ayúdame y te ayudaré»... ¡Y la ayudó!

Permanecimos en el local, acabándonos nuestras copas, como si la redada no fuese con nosotros, y poco a poco, mientras iban siendo identificadas una por una, las jóvenes volvían gradualmente al bar. Cuando había ya unas ocho o diez en la sala, la colombiana «satánica» salió de su escondite y se unió a las demás. Mientras, Juan —sospecho que el verdadero responsable de aquella redada— me ponía en antecedentes sobre lo que estaba ocurriendo.

—Ahora van a proceder al registro y van a trincar al encargado, Joachim Schmitt, alias *Joaquín el Alemán*. A éste te habría gustado conocerlo. Varias chicas colombianas lo han denunciado por traerlas ilegalmente, amenazarlas y coaccionarlas para ejercer la prostitución. Después, detendrán a Miguel Ángel Díaz Gómez, porque según las chicas era el que les daba «el paseíllo».

—¿«El paseíllo»?

—Buff, lo que te queda por aprender... ¡El «paseíllo»! O sea, que las cogía, les daba dos hostias y las llevaba a un descampado donde les enseñaba una pistola y unas esposas y las acojonaba un poco para que se portasen bien. Hace seis meses ya le habíamos pillado por importar colombianas y revenderlas en España a los dueños de los puticlubs de esta zona.

—Pero, tú estás de coña. ¡Cómo van a vender mujeres en España en pleno siglo XXI! La esclavitud se abolió hace siglo y medio.

—Pero qué ingenuo eres —dijo Juan entre carcajadas—. ¿Y tú te vas a infiltrar en las mafias? Te van a dejar el culo como un bebedero de patos como seas tan pringado. ¡Claro que se compran y se venden mujeres en España! Lo que pasa es que a nadie le importa y nadie hace nada.

—¿Tú crees que sería posible demostrarlo? ¿Podría yo comprar una mujer en España?

—Lo dudo. Mucho te lo vas a tener que currar para poder pasar por un traficante y conseguir que hablen contigo los mafiosos. Pero si lo consigues, sin que te peguen un tiro, te pago yo una cena y un polvo.

Acepté el reto, más por orgullo que por interés en el premio, y antes de abandonar el local, pedí a la colombiana que invocaba a Lucifer su número de teléfono. Sabía que me debía un favor por no haberla delatado y me lo dio. Al día siguiente volvería a verla, pero esta vez fuera del local. Cuando salimos, pedí permiso a Juan para tomar unas imágenes de los coches de Policía aparcados frente al Lido durante la detención de *El Alemán*, y me lo concedió a cambio de que borrase las matrículas de los coches de policía si publicaba la foto. Nuestro pacto es que sólo grabaría cuando él me lo autorizase, y siempre respeté ese trato. Después, continuamos nuestra ruta de burdel en burdel.

A la mañana siguiente, telefoneé a la chica del Lido para invitarla a comer. Se presentó con una compañera nigeriana llamada Cinthya, que terminaría siendo una de mis mejores amigas en ese mundo, y gracias a ellas conocí muchos más detalles de las trastiendas de la prostitución. Hasta el extremo de que, en una ocasión, llegó a confiarme un sobre con más de 600 euros para que yo lo ingresase en una sucursal de Caja Madrid, en la cuenta 2038-19-2829-3000334... a nombre de Janet James, su *madame*...

De todas las informaciones que me facilitaron, hay una que destaca por encima de las demás. Se trata de un documento escalofriante. Es el contrato que muchos *master* y *madames* obligan a firmar a sus zorras, y utilizo esta expresión para ilustrar la naturaleza animal que los proxenetas confieren a sus rameras, negándoles su condición humana y despersonalizándolas totalmente.

Sólo por el hecho de haber conseguido uno de estos documentos, todos los esfuerzos habían valido la pena. No añadiré nada más. Me limito a reproducir el texto de estos escalofriantes contratos, redactados en inglés y castellano, por los que las prostitutas otorgan a sus chulos el derecho a acabar con su vida, o con la de sus familiares, si son desobedientes, si acuden a la Policía o si se niegan a pagar la deuda que asumen para poder venir a Europa:

> *Un acuerdo:*
>
> *Yo.................... con fecha .... prometo pagar la suma de $40.000 dólares (cuarenta mil dólares) la suma que tengo que pagar a mi tía Iveve Osarenkhoe es de $43.ooo dólares (cuarenta y tres mil dólares)*
>
> *Yo.................... declaro que no voy a fallar las normas y no voy a contar nada a la Policía, hasta que la cantidad completa es pagada. Si yo fallo las normas, tía Iveve Osarenkhoe tiene el derecho de matarme a mí y a mi familia en Nigeria. Mi vida es equivalente a la suma que debo a mi madam Iveve Osarenkhoe: (mi señora)*
>
> *Yo.................. declaro que este acuerdo me es explicado en mi dialecto y que lo comprendo completamente. Que va a ser destruido después de que pague la suma total.*
>
> *Firma del contratante*   *Firma del contratado*

Espeluznante, pero profundamente revelador. Estos contratos prueban que el miedo y el pánico son la principal herramienta de trabajo para las mafias del tráfico de mujeres. Lo terrorífico es que las jóvenes llegasen a firmar esos contratos para poder venir a Europa, en unas condiciones infrahumanas. ¿Cómo es posible que acepten estoicamente todo este sufrimiento, esta vida sumida en el terror, tan sólo para venir al primer mundo a seguir sufriendo? Aún tardaría en comprender que, para muchas de ellas, los proxenetas y las mafias de la prostitución son considerados como la única salvación posible, ante la perspectiva de una vida de miseria, enfermedades y pobreza, a la que sin duda estarían condenadas en sus países de origen. Por eso están dispuestas a soportar lo que sea con tal de huir al primer mundo.

En el ambiente de miedo y terror en que viven, no es de extrañar que se vuelvan profundamente supersticiosas y acudan a brujos, videntes y adivinos, en busca de una protección mágica contra el pánico en el que se desarrolla su terrible existencia. Y aquella adicción a videntes, que en muchos casos llega a convertirse en una auténtica dependencia, hace que muchos farsantes sin escrúpulos se aprovechen de las prostitutas para sacarles el dinero.

Además de ese documento, de incalculable valor periodístico, ese mediodía conseguí otro elemento interesante. Una de aquellas chicas, obsesionada por el «mal de ojo», había caído en las garras de una «meiga», que le había estafado ya más de 400.000 pesetas. Para protegerla de los supuestos hechizos y de la mala suerte, le vendía una especie de «amuletos mágicos», dos de los cuales me facilitó. Al abrirlos, descubrimos que en aquel saquito de tela tan sólo había unas fotocopias de un libro de magia, una página de la Biblia y unas semillas. Pero la bruja le había cobrado a la joven, quien por cierto en Colombia había ganado un premio de Miss Turismo y había realizado varios *spots* televisivos, la friolera de 20.000 pesetas por cada uno, además de cobrar aparte los rituales y las ceremonias mágicas. Aún no tenía ni idea de que, muy cerca de allí, en Vigo, existía una vidente que había llegado a crear una especie de secta compuesta únicamente por prostitutas, a las que llegaba a estafar sumas millonarias...

La esclava de Cambre

De todos modos, mi recopilación de horrores en aquel viaje todavía no había concluido, el mayor espanto estaba por llegar. Aproveché mi estancia en la ciudad para entrevistarme con David Vidal, presidente de la organización no gubernamental llamada INMIGRA.COM. Su nombre había salido a colación en varias ocasiones durante mis conversaciones con prostitutas o con especialistas en el fenómeno de la prostitución.

David Vidal lleva años trabajando a favor de los inmigrantes y por su asociación han pasado los casos más terribles y dramáticos. Hemos charlado juntos durante muchas horas a lo largo de los diferentes viajes a Galicia y por él conocí todo tipo de anécdotas, como, por ejemplo, aquella ocasión en que incluyó una encuesta en su página web en torno a las soluciones que se podría dar al problema de la inmigración ilegal.

—Recibí miles de e-mails de grupos neonazis amenazándome con todo tipo de cosas. Y el contador de la página se volvió loco con la cantidad de visitas que tenía esos días para votar en la encuesta. Naturalmente, todos votaban que habría que expulsar a todos los inmigrantes de España, de forma inmediata. La verdad es que les debo a los neonazis la mayoría de visitas a mi página.

Evidentemente, David no sabía que estaba hablando con uno de los neonazis que había participado en aquella campaña, porque durante mi infiltración en los skinheads había recibido, de grupos como CEI o Nuevo Orden, la indicación de entrar en aquella página web todas las veces posibles, para votar a favor de la expulsión de los inmigrantes. Incluso había aprovechado su foro para dejar algún mensaje que reforzase la identidad de Tiger 88 de cara a los camaradas que sabía visitaban la página frecuentemente. Lo que nunca pude imaginar es que llegase a conocer al propietario de aquel portal de Internet, aunque por razones bien distintas.

De entre todos los casos terribles que David me relató sobre el mundo de la prostitución, uno de ellos destaca merecidamente. Se trata de la historia de la esclava de Cambre.

La esclavitud fue oficialmente abolida en España el 13 de febrero de 1880. Pero sólo oficialmente. Históricamente, hasta ese día, España había sido, junto con Portugal y Holanda, uno de los principales responsables de la trata de esclavos que poblaron de africanos las plantaciones de azúcar y algodón de las colonias americanas. Durante siglos, los barcos negreros exportaban mano de obra y muñecas sexuales para los civilizados y educados hombres blancos, católicos y pudientes, del Nuevo Mundo. Lo que no aparece en los libros de texto que educan a nuestros niños es que en la España del siglo XXI la esclavitud sigue existiendo. La terrible historia de Grace M. A. es una prueba fehaciente de ello.

—Grace nació en Benin City —me explica David Vidal mientras compartimos una taza de café en su domicilio coruñés—, como la mayoría de nigerianas que terminan ejerciendo la prostitución en España. Vino siendo ya un poco mayor. Normalmente las mafias las traen más jóvenes, incluso siendo menores, pero ella tenía treinta y un años cuando llegó a España. Aunque nunca quiso tocar el tema, como ocurre con la mayoría de las supersticiosas nigerianas, seguramente tuvo que pasar por los trámites habituales, es decir, someterse a una terrorífica sesión de vudú donde le arrancaron vello púbico, uñas, sangre y todo lo que utilizan para fabricar el *body*, con el que después su *sponsor* y más tarde su *madame* o su *master* la tendrían controlada. El caso es que aceptó el compromiso de tener que pagar a la mafia que la trajo una deuda de 30.000 dólares, unos cinco millones y medio de pesetas. Las pobres se creen que en Europa el dinero cae de los árboles y que en un par de meses trabajando como prostitutas podrán pagar la deuda y ser libres. Pero todas están engañadas.

—¿Entró en patera?

—No, en esto tuvo más suerte que muchas compatriotas. Ella hizo el viaje en avión, en 1996. Su *connection-man* se ocupó de conseguirle un pasaporte falso, un visado y un billete de avión. Una vez en España, la pusieron a trabajar, como a todas, de prostíbulo en prostíbulo, y así la conoció Carlos López.

Carlos López Touzón, según averiguaciones posteriores, era un putero tan veterano como Paulino o Jesús. Nacido en Monforte de Lemos, provincia de Lugo, a sus cincuenta y tantos años conocía perfectamente cómo funcionaba el mundo de la prostitución, y era un personaje apreciado por los propietarios de los burdeles gallegos. Se dejaba mucho dinero en rameras e incluso había trabajado como relaciones públicas en algunos de los clubes de la zona Teixeiro-Santiago. Ya había tenido roces con la justicia, lo que siempre inspira confianza a los traficantes, y al menos en dos ocasiones, había sido detenido por apropiación indebida. Así que cuando, en 1998, conoció a Grace, que utilizaba el nombre de Mery en los ambientes de alterne, sabía perfectamente lo que tenía que hacer para conseguir su esclava personal.

Según mis averiguaciones, se conocieron en un prostíbulo de Lugo en 1998. Para entonces, ella ya había pagado unos 16.800 dólares de su deuda. Carlos López se encaprichó de Mery y convenció al proxeneta para que se la vendiese. Como era un conocido del club de hacía muchos años, no tuvo ningún problema. Una vez que compras a una nigeriana, eres su dueño para hacer con ella lo que quieras... y eso mismo hizo él. Parece que consiguió engatusarla haciéndola creer que iba a darle su libertad, porque ella llegó a solicitar una partida de nacimiento en la embajada de Nigeria en Madrid, con la intención de contraer matrimonio. Pero era todo mentira. Cuando se aburrió de Mery, la puso a trabajar en un burdel de Arteixo, el Barón, pero como Carlos era un tipo muy conflictivo, un chulo de los de la vieja escuela, acabó teniendo problemas con el dueño del garito que terminó echándolos.

—En el año 2000 —prosigue David— Carlos alquiló un bar en Cambre llamado La Orensana. En realidad, anteriormente ya había alquilado otro llamado Monforte, al lado de la estación de trenes de A Coruña, pero siempre estaba lleno de puteros y de gente problemática y el dueño terminó echando a Carlos a la calle; aunque antes de aquello, Mery hizo amistad con una chica keniata que fue, junto a su novio, quien denunció su situación. En definitiva, Carlos alquiló La Orensana y allí tenía a su esclava encerrada en la cocina, como un animal. Cuando le apetecía echar un polvo, lo hacía, aunque ella al final ya estaba muy débil y apenas podía soportarlo. Alguna vez algún vecino de Cambre la veía de reojo en la trastienda del bar, ya que apenas la dejaba atender en la barra.

—¿Y cómo descubristeis el asunto?

—En realidad, una pura casualidad. Conocimos a una pareja de amigos de la víctima, en la calle, los cuales, tomando un café, manifestaron el temor de que ésta estuviese en peligro.

La amiga keniata que fue a visitarla la encontró un día medio muerta. Al parecer, Carlos le quitaba con frecuencia el pasaporte y amenazaba con matarla si se escapaba, pero desde el mes de abril, la chica se encontraba fatal, estaba muy enferma y apenas comía. Cuando la amiga de Mery y su novio avisaron a INMIGRA.COM, David se puso en contacto con la Guardia Civil de Oleiros, y una vez que sus amigos hubieron prestado declaración, fueron a liberarla.

Podía sentir, a medida que David profundizaba en su relato, cómo mi corazón latía cada vez más y más deprisa. Cómo se aceleraba mi respiración al tiempo que crecía mi indignación y mi rabia. Por desgracia, todavía existen muchos Carlos López en España.

—Cuando llegamos allí con la Guardia Civil, yo fui el primero en entrar. La encontramos tirada en la cocina del bar, un cuartucho sin ventanas, sucio y de no más de seis metros cuadrados. Dormía en unas planchas de poliespán colocadas sobre tres sillas en fila, que le servían de cama. Se cubría con una manta mugrienta, sin sábanas. Y cuando entramos, apenas podía hablar ni tampoco caminar sola. A mí me recordó al zulo donde tenía ETA a Ortega Lara. Daba miedo. Se la llevaron en ambulancia rápidamente al servicio de urgencias del Hospital Juan Canalejo. Días más tarde, el médico que la atendía me dijo personalmente que si hubiésemos tardado unos días más, probablemente habría muerto.

—¿Y en qué quedó la historia?

—Te puedes imaginar el escándalo que se montó aquí. Salimos en todos los periódicos y televisiones del país, a pesar de intentar escondernos. Pero Carlos salió mucho mejor parado de lo que pensábamos. El juez le puso 500.000 pesetas de fianza, las pagó y salió a la calle. Y mientras Mery estaba todavía ingresada, según ella nos dijo, mandó a un amigo de confianza para que la visitase en el hospital, haciéndose pasar por un conocido de la chica. No sabemos lo que le dijo, quizá la asustó, o la amenazó, no lo sé. Pero al salir del hospital, volvió con él.

—¿Qué?

—Que volvió con él. Tiene cierta lógica. Piensa que estas chicas vienen a Europa solas, sin conocer el idioma, la cultura ni las costumbres. No tienen amigos ni dinero. Son carne de cañón. La inmensa mayoría están condenadas a la desgracia en cuanto pisan Europa. ¿A qué otro lugar podía ir? Se demostró que los servicios asistenciales de la Xunta no estaban preparados para una contingencia así. Y Carlos, con todo, parecía ser un alma gemela en cierto sentido fatalista. Una esclava pero, eso sí, por paradójico que parezca, un tipo de esclava de las que parecen necesitar a un amo. Aunque nunca llegué a entenderlo, recuerda al binomio macarra-prostituta de la vieja escuela, formando una simbiosis de la ayuda entre marginales o desesperados.

Para cuando dejé Galicia, camino de Barcelona, no podía sacar de mi mente la terrible historia de Grace M. A., alias *Mery*. Más tarde supe que Carlos López había muerto de sida poco tiempo después, pero nadie pudo decirme qué fue de su esclava una vez fallecido su dueño. Tal vez continúe ejerciendo la prostitución en algún tugurio de carretera. Quizá haya conseguido emparejarse con algún español que la trate un poco mejor que su amo y la deje dormir en una cama, y no en una plancha de poliespán en la cocina. O tal vez haya muerto, en silencio, como vivió. Sin hacer ruido para no llamar la atención. Atorada por el miedo. Como decía la Pisano: «... Sin una oración, sin una flor, de la peor de las maneras...».

Lo peor de todo es que España está repleta de Graces y yo iba a conocer a muchas de ellas. Maldije al género masculino, y sentí vergüenza de ser hombre. Todavía la siento.

Capítulo 6

Barcelona, capital del sexo

Será castigado con la pena de prisión de uno a tres años: a) El que utilizare a menores de edad o a incapaces con fines o en espectáculos exhibicionistas o pornográficos, tanto públicos como privados, o para elaborar cualquier clase de material pornográfico, o financiare cualquiera de estas actividades.

Código Penal, art. 189, 1.

El Riviera es uno de los burdeles con más solera de la Ciudad Condal. Perteneciente a los mismos responsables de otros famosos clubes como el Pipos de Murcia o el Lovely y el Flower´s Park de Madrid, su eslogan publicitario anuncia «Doscientas razones» para visitarlo. La verdad es que no tuve tiempo para contar a todas las fulanas que trabajan en este club, pero si no había dos centenares, poco faltaba.

Situado en la carretera de Castelldefels, a unos ocho minutos desde la Plaza de España, probablemente es un lugar único en nuestro país. Cuando llegué, dos cosas me llamaron la atención, incluso antes de entrar en el local. Por un lado, la taquilla en la que se expiden las entradas al lupanar, en la que tuve que aguardar cola dada la enorme afluencia de puteros en dicho garito, que más parece un cine de estreno que una ramería. Por otro, el tamaño de los vigilantes, que aun sin saber si eran o no skinheads de ANELA, recordaban mucho a mis camaradas más voluminosos de Ultrassur. Como en todos los momentos de esta investigación, exceptuando un par de viajes a Murcia, yo estaba completamente solo y sin ningún tipo de ayuda, y me parecía, antes de cruzar el umbral, que aquella enorme masa humana podía ponerme las cosas difíciles para que nadie tropezase conmigo y descubriese la cámara oculta que llevaba bajo la chaqueta.

El Riviera, como el New Aribau o el *showgirls* de Bailén 22, que utiliza como reclamo publicitario la imagen de la excepcional stripper Chiqui Marti, son locales históricos en las noches de lujuria catalanas. Y en buena medida han contribuido a convertir Barcelona en la capital internacional del sexo profesional. Al menos, eso es lo que opinan muchos expertos en prostitución, pornografía y sexo de pago.

En 1994, por ejemplo, el semanario londinense *Time Out*, una auténtica «biblia» del ocio y el esparcimiento para los lectores británicos, publicaba una estadística sobre el mundo de la prostitución en la que señalaba a Barcelona como la ciudad del mundo con mayor número de meretrices en proporción a la población, por encima de New York, Tokio, Amsterdam o Londres. Según *Time Out*, Barcelona aventajaba en su porcentaje de prostitutas con respecto a la población total, incluso a Bombay, uno de los mercados sexuales más activos de Asia, con una población de unas 100.000 furcias. Con tal número de rameras por metro cuadrado, no debería extrañarnos que empresas como Private, la multinacional pornográfica más importante del planeta, haya establecido su sede internacional en Barcelona. Tampoco debería sorprendernos que uno de los festivales de cine erótico —en realidad, pornográfico— más importantes de Europa se celebre en la Ciudad Condal. E incluso, no tendríamos que asombrarnos del hecho de que, desde 1999 —año en que se regularizó la prostitución en Holanda, endureciéndose las leyes y expulsando del país a miles de meretrices ilegales—, los empresarios de los burdeles y locales de alterne holandeses viajen aquí en busca de mesalinas para sus famosos escaparates. Muchos de ellos viajaron por todo el mundo en busca de mujeres dispuestas a emigrar a los burdeles más famosos de Europa, ofreciendo unas condiciones laborales reguladas, pero Barcelona fue la ciudad escogida para iniciar ese viaje, por su fama internacional en el mundo del sexo profesional.

Nada más franquear la entrada del Riviera entendí la razón. El local estaba completamente atestado. Iba a resultar difícil desplazarse por entre aquella masa humana sin que nadie notase el bulto de mi cámara oculta, que me empeñaba en mantener escondida bajo la chaqueta. Y para colmo, nada más entrar, una negraza enorme me abrazó por la espalda, intentando convencerme para que subiese con ella. Ni siquiera había tenido tiempo de llegar a la barra para canjear el ticket de la entrada por una copa, y aquella chica ya había estado a punto de encontrar mi grabadora. Le dije que yo era cliente habitual de Ruth, la chica de la que me habían hablado en Murcia y que afirmaba haber trabajado en un burdel propiedad de alguien de *Gran Hermano*, y la negra se apartó de mí rápidamente. Está muy mal visto que una meretriz se haga con el cliente fijo de una compañera. Señaló hacia el fondo del local y desapareció entre la masa de cortesanas y clientes.

Aproveché el momento de pedir mi copa para preguntar al camarero por Ruth. «Un amigo mío me ha dicho que es la que mejor la chupa aquí» —le dije para sortear su desconfianza. Sonrió con complicidad y me la señaló. Las raíces de su cabellera rizada mostraban que su rubio era de bote. Pequeña, pero especialmente agraciada, soportaba con una estoicidad franciscana el magreo que le estaba propinando un señor de edad avanzada y aspecto de adinerado empresario: reloj de oro a juego con los gemelos de su camisa, llavero de BMW y abultada billetera. No hacía falta ser un gran psicólogo para darse cuenta de que la sonrisa que lucía Ruth era completamente forzada. Se dejaba manosear por el potentado, permitiéndole creer que estaba seduciéndola. Los hombres resultamos babosos ridículos cuando intentamos justificar nuestra lujuria, actuando en un burdel como si estuviésemos en una discoteca. Mil veces observé el mismo denigrante espectáculo, sintiendo vergüenza de mi sexo. En lugar de cerrar el trato y dejar a la profesional que ejerza su labor sin más pérdida de tiempo, el macho —las más de las veces bien cargado de alcohol— se contonea ante la ramera como si intentase excitarla con su predisposición a las danzas eróticas; le ofrece fuego frunciendo el entrecejo y arqueando una ceja intentando adoptar una mirada seductora o la invita a una copa mientras le susurra al oído las maravillas que puede hacerle en la cama. Y mientras, ella, con la resignación del santo Job, aguanta todas sus estupideces con una paciente sonrisa, riéndole sus chistes groseros y dejándose querer... Deseando en el fondo que el pringado se decida de una vez a subir, pague el servicio y se corra lo antes posible.

He observado este ritual, consumido por la vergüenza ajena, un millón de veces en mil burdeles distintos. Y he sido testigo también de cómo en infinidad de ocasiones, tras el encuentro sexual, el pringado baja de la habitación para reunirse con sus amigotes, describiéndoles con todo detalle el pedazo de polvo que le había echado a la zorra, que gritaba como una perra en celo. Si es que los machos somos muy machos.

Observando aquellas patéticas, ridículas y vergonzosas actitudes de los puteros, en muchas ocasiones deseé tener el poder milagroso de Cristo en las bodas de Caná. Me habría encantado poder convertir el whisky de los cubalibres en bromuro. De esa forma, los clientes de aquellas Marías Magdalenas sentirían el mismo deseo, abonarían el servicio por adelantado, pero serían incapaces de obtener la erección para llevar adelante sus humillantes coitos de pago. Fantaseé con aquella idea en muchas ocasiones, llegando a considerar seriamente un postulado en pro de la inmediata beatificación del «santo Bromuro», como protector y valedor de las cortesanas de todo el mundo. Pero el milagro de Caná nunca se produjo en aquellas Gomorras y Sodomas contemporáneas. Y todas las Magdalenas tenían que dejarse profanar, una y otra vez, por los arietes ardientes de aquellos lamentables aprendices de Tenorio.

Ruth no fue una excepción. Al cabo de unos minutos de resignada negociación, la colombiana se llevó al potentado entre la masa. Los seguí hasta que entraron en una habitación situada a la derecha de la menor de las barras. Allí pude ver, sorprendido, que es tal la afluencia de servicios en el Riviera que se llegan a formar auténticas colas, de ramera y cliente, que deberán aguardar pacientemente a que las habitaciones vayan quedando libres para completar el servicio. Así que me armé de paciencia y esperé.

Afortunadamente, el tipo con pinta de millonario era un rácano, como la mayoría, y sólo había pagado un completo básico. Veinte minutos después, Ruth volvía a sumergirse en la avalancha humana, en busca de un nuevo cliente. Y allí la esperaba yo.

Fue mucho más fácil de lo que esperaba. No necesité inventar ninguna historia rocambolesca para conseguir su testimonio, que por otro lado tampoco resultaba concluyente. Me bastó con presentarme como un amigo de su ex compañera murciana, la chica del Pipos, y con transmitirle un cariñoso saludo de su parte. Aceptó una copa —en realidad, el importe de la misma— y mis preguntas con la misma paciencia con la que había soportado los manoseos obscenos del viejo del BMW y me acercó un poco más a mi objetivo.

—No, yo no sé si alguien de *Gran Hermano* tiene puticlubs. Yo trabajé en uno de Galicia que se llama La Paloma, pero no recuerdo cómo se llama el pueblo donde está, que era de un señor que salía en *Gran Hermano*, pero no era concursante, era el padre de una concursante.

—¿Pero cómo sabes eso?

—Pues porque un día, viendo la tele con esta chica de Murcia, vimos que salía él hablando de que su hija era muy buena, y no sé qué. Y ese tío es el dueño de La Paloma. Nosotros le conocíamos por *el suizo*, pero no sé cómo se llamaba. Creo que Humberto, o Alberto, o algo así...

Y nada más. Ruth no pudo ofrecerme ninguna otra información, pero al menos era ya una pista que podía seguir. Debería volver a Galicia una vez más, para seguir la pista del tal *suizo* en el burdel La Paloma. Pero eso debería esperar, porque tenía mucho que hacer en Barcelona todavía. Y Ruth me ayudó a elegir la dirección más apropiada para continuar mi viaje.

El dinero del sexo en España

Muy cerca del Riviera, en la misma carretera C-31 —antigua C-246— de Castelldefels, se erige otro gran macrocentro del sexo: el Saratoga. Este local ha sido objeto de polémica y controversia en numerosas ocasiones. A finales del año 2001, por ejemplo, fue implicado en una trama internacional de trata de blancas, que concluyó con la detención de 66 personas. El Saratoga de Castelldefels fue señalado por la Policía, junto con el Queens de Bilbao, el Mississippi de San Agustín de Guadalix en Madrid y el

Yuma de Oviedo, como los puntos de destino de las chicas traficadas por una mafia de la prostitución, captadas anteriormente en Colombia, Brasil y Hungría; países estos en los que, según fuentes policiales, la citada red poseía una sólida infraestructura.

El mecanismo de esta mafia era el habitual. No aburriré al lector repitiendo el proceso de captación, transporte y coacción habituales en el tráfico de mujeres. Sin embargo, la investigación sobre la trastienda económica de estos burdeles arroja datos muy interesantes que nos ilustrarán sobre la incalculable implicación social, económica y hasta política del negocio del sexo.

Para hacernos una composición de lugar me gustaría aclarar al lector que, después del tráfico de armas y el narcotráfico, las mafias de la prostitución son el aspecto más lucrativo del crimen organizado. Un negocio ilegal que mueve miles de millones de euros al día en todo el planeta. Según los cálculos aportados por Álvaro Colomer, autor de *Se alquila una mujer*, para la Comisión Especial del Senado sobre la Prostitución, cada día se solicitan en España un millón de servicios sexuales en alguno de los 2.000 locales de alterne que existen en nuestro país —aunque yo opino que hay muchos más—, y anualmente en España se mueven unos 18.000 millones de euros —3 billones de pesetas—, en el negocio del sexo profesional. El doble de lo que se gasta el Estado en la cobertura del desempleo... todo un dato para reflexionar. Como muestra, un botón.

En el mes de octubre del año 2003, el Cuerpo Nacional de Policía desarrolló una redada en el conocido Hotel Flower´s Park, situado en la A-VI, a pocos kilómetros de Madrid, que cuenta entre su clientela con algunos de los famosos «yupis», empresarios, deportistas y políticos más conocidos de Madrid. Además de las 37 prostitutas extranjeras detenidas por carecer de documentación, la Policía se llevó a los tres responsables del local: Antonio Herrera, Engracia Corcobado y José Vera, acusados de cuatro delitos: prostitución, inmigración ilegal, asociación ilícita y actuaciones contra los derechos de los trabajadores, quedándose José Antonio Pérez como encargado eventual.

Según las fuentes consultadas por José Luis Álvarez, un compañero periodista, la facturación mensual del Flower´s Park no bajaba de los 300.000 euros, lo que supone 12 millones de euros desde su inauguración hace tres años. Eso, sin contar otros ingresos como el alquiler de las sábanas a las rameras, los porcentajes en el pago de los servicios sexuales con Visa, etc. A los ingresos del Flower´s Park hay que añadir una cantidad similar o mayor de los otros macrocentros del placer que poseen los mismos propietarios del conocido «hotel»: el Pipos, el Lovely o el Riviera, a los que ya me he referido anteriormente. El número de millones de euros de beneficios calculados entre esos cuatro burdeles produce vértigo.

Esos imperios de serrallos, clubes y prostíbulos de lujo, pertenecientes a los mismos propietarios, pero parapetados en complejos entramados de asociaciones mercantiles, son muy habituales. Y con frecuencia, sirven para ocultar negocios mucho más crueles y turbios, como la red interceptada en el Saratoga, prostíbulo vecino al Riviera, que es uno de los mejores ejemplos.

La banda estaba dirigida, según divulgó la prensa, por los españoles Raúl Pascual Salceda y Juan Carlos Haza Pérez, quienes disponían de cuatro colaboradoras en Brasil, dos en Colombia y un delegado en Hungría, cuya misión era conseguir a las chicas, jóvenes y guapas, que después satisfarían los antojos sexuales de los honrados ciudadanos catalanes. Según las estimaciones policiales, la red ingresaba no menos de 500 millones de pesetas anuales, a costa de sus esclavas sexuales, y todo en dinero negro. Para evadir los impuestos, la mafia había tejido un complejo entramado de empresas destinadas a diluir las responsabilidades fiscales. Por ejemplo, la compañía Pérez & Señas, creada el día 2 de febrero de 1995 por los citados Pascual Salceda y Haza Pérez, para gestionar los citados clubes. Sólo declaraba unas ventas anuales de 50.694.343 pesetas. Pascual figuraba como gerente, mientras que Juan Carlos Haza era el encargado de mantener las relaciones internacionales.

Como ocurre en el 99 por ciento de los burdeles españoles, las licencias municipales se habían obtenido bajo epígrafes que nada tienen que ver con la prostitución: hoteles, cafeterías, sala de espectáculos, gimnasios, etc. En este caso, el objeto social de Pérez & Señas era, supuestamente, la promoción y explotación de negocios y empresas industriales de la rama de hostelería. Pero lo interesante es seguir el rastro del dinero que salía de los encuentros sexuales que se adquirían en el Saratoga y los demás clubes mencionados. Eso hizo el periodista Antonio Fernández, y para su sorpresa, Raúl Pascual resultó ser el controlador de diferentes sociedades ubicadas en Vizcaya, dedicadas a todo tipo de negocios, especialmente los relacionados con el sector inmobiliario. Poco tardaría yo en averiguar que ése suele ser uno de los cauces más habituales para blanquear el dinero del sexo. Prueba de ello es que durante la feria inmobiliaria de Barcelona, resulta muy difícil encontrar una sola prostituta en la Ciudad Condal. Todas están ocupadas.

Además de Pérez & Señas, Pascual controlaba otras sociedades como Andarika, Perezmendi, Benazmendi, Plantas y Vida o Pacusa2000. Tanto Andarika como Perezmendi, esta última fundada el día 14 de febrero de 1997, comparten su sede en la calle de Pedro Martínez, nº 10 bis, con Benazmendi, fundada tres días después, y dedicada a la compraventa de terrenos rústicos y urbanos. Pascual, además, administraba Plantas y Vida, empresa dedicada a la compraventa de artículos relacionados con la medicina natural, con sede en la calle de Hurtas de la Villa, nº 10, donde imagino que se amortizaban los «polvos curativos» de sus fulanas.

Esta sociedad dedicada a una actividad tan encomiable como la medicina natural fue creada en el mes de marzo de 1998, y figuraban como apoderados, según publicó la revista *Tiempo*, Jesús Gil —que no tiene nada que ver con el ex alcalde marbellí— y José Antonio Basteguieta, alcalde por el PNV de Kortezubi, en Vizcaya, que además era presidente de una sociedad municipal dedicada a la construcción y rehabilitación. Tengo razones de peso para suponer que no se trata del único alcalde español relacionado con este tipo de negocios.

Estos entramados comerciales de empresas, sociedades y asociaciones tapadera son habituales en el negocio de la prostitución, en el que se mueven cifras astronómicas, y la mayoría de las veces en negro. Por ejemplo, Concepción Puente y Lázaro Moreno Pérez, propietarios de la empresa Scutari, que figura como responsable de los conocidos burdeles madrileños D´Angelos, son también los propietarios de la promotora inmobiliaria Lacar, que declaró sólo en el año 2001 108.422,58 euros. Además, poseen el 25 por ciento de Promociones Treviso, que ingresó cerca de 2 millones de euros en el año 2000.

Por su parte, Pablo Mayo, quien hace las veces de presidente de ANELA y propietario del lujoso complejo sexual El Romaní, en Valencia, donde también es parte interesada el ultra José Luis Roberto, es dueño a la vez de la promotora inmobiliaria Hasuocha, ubicada en el pueblo valenciano de Cullera. Hasuocha tuvo unas pérdidas declaradas de 45.000 euros, sin embargo, cuenta con unos fondos propios que superan los 2 millones de euros. Además, el presidente en funciones de ANELA posee también Paylo Valdeobras, una empresa de fontanería y materiales de construcción en el pueblo O Barco de Orense.

El Pinar Pigmalion, por citar otro ejemplo, es uno de los burdeles más famosos de Madrid. Sus propietarios son Teodoro Pastor y Mariano Moreno Iniesta. Este último participa además de la promotora inmobiliaria Balclan, que facturó 3.142.752, 39 euros en 2001, y que tiene proyectos en Torrelodones y en Madrid centro.

La investigación del burdel La Paloma y su supuesta vinculación con alguien relacionado con *Gran Hermano* me haría comprobar por mí mismo esos entramados comerciales. Pero eso ocurriría meses después, en el registro mercantil gallego. Barcelona todavía tenía que enseñarme mucho sobre sus oscuros negocios.

En el año 2002, la Generalitat de Catalunya planteó un decreto, del que me había hablado José Luis Roberto, fundador de ANELA, para regular los burdeles catalanes que, según los cálculos de la Generalitat, llegaban a ser medio millar de locales que podían mover anualmente unos 180 millones de euros —30.000 millones de pesetas—. Uno de los principales problemas planteados para la elaboración del censo de locales incluidos en la regularización era precisamente la pluralidad de epígrafes utilizados a la hora de obtener las licencias municipales. Mientras el Bailén 22, antes aludido, abrió sus puertas con dos licencias de café-teatro para la planta superior y gimnasio para el sótano —un juez ironizó a la hora de cerrar el sótano, diciendo que la gimnasia que se practicaba en el local no era exactamente deportiva—, el célebre local de Aribau, nº 226 obtuvo su licencia de apertura como pensión, y tanto el Riviera como el Saratoga, como hoteles. Por cierto, quizá sea oportuno comentar que uno de los colaboradores en la elaboración de ese proyecto de regulación fue el coordinador de ANELA en Cataluña, Manuel Nieto, abogado, de cincuenta y tres años, e inspector del Cuerpo Nacional de Policía.

Según el decreto de la Generalitat, que tanto entusiasmó a asociaciones empresariales como ANELA, los serrallos, harenes y ramerías deberían encontrarse ubicados lejos de centros docentes y zonas frecuentadas por menores. Su horario de apertura al público quedaría establecido entre las 17:00 y las 04:00 horas, exceptuando fines de semana y festivos que podrían cerrar una hora más tarde. Todos los locales deberían tener al menos un vigilante de seguridad propio, y otro por cada cincuenta usuarios, así como un seguro que cubra el riesgo de responsabilidad civil.

Respecto a las condiciones higiénico-sanitarias, los reservados donde se ejecutaran los encuentros sexuales tendrían que contar con baño, ducha, bidé, ventilación, aislamiento acústico y mobiliario. Además, el titular debería garantizar el control sanitario del establecimiento y de sus trabajadoras y contar con preservativos homologados. Teniendo en cuenta que un burdel de tipo medio consume unos 10.000 preservativos al mes, hasta los fabricantes de condones celebraron este proyecto gestor de la Generalitat. Sin embargo, tal y como pude comprobar personalmente, la mayoría de los clubes de pequeño y medio nivel se sintieron agredidos por esta normativa que tan sólo beneficiaba a los grandes macrocentros capaces de sostener la inversión económica que implicarían estas reformas.

Gracias a Jesús, el putero catalán que ya he nombrado y que me ayudaría tanto en Barcelona como Paulino en Galicia, pude burlar las reservas de algunos empresarios como Pepe, propietario del club Capricho, situado muy cerca del cruce entre Enric Granados con Provenza desde hace veintisiete años. Éste es uno de los pequeños empresarios perjudicados por la regulación de la Generalitat. Jesús colabora con Pepe como algo más que un cliente, aunque no pude averiguar a tiempo su grado de implicación en el negocio.

Pepe lleva casi treinta años en el negocio del alterne. Su local es uno de los más veteranos. Sin embargo, se trata de una pequeña whiskería de unos treinta metros cuadrados, además de los reservados y el almacén, en la que no conté más de ocho o diez rameras, todas de aspecto latinoamericano. Sus recursos económicos no le permiten habilitar el burdel de acuerdo a las exigentes condiciones planteadas por la Generalitat, y su enfado era evidente. Aunque todavía hoy no sé si el carácter profundamente arisco y extremadamente desconfiado que me manifestó era fruto de un cabreo momentáneo o es su estado natural. Sea como fuere intenté ser muy prudente para que ni él ni Jesús pudiesen detectar la cámara oculta con la que les estaba grabando.

—Eso no es una nueva ley, eso es una mala ley que quieren sacar. Pero nosotros somos una agrupación, una asociación, para arremeter contra esa ley. Eso es algún chalado del Ayuntamiento que fue a un sitio de éstos, le dieron un carajo, le cobraron caro, y al otro día se levantó mosqueado y montó esto. Un chalado, un subnormal... ¡Si en Barcelona solamente hay 4.000 puestos de trabajo con todo esto! ¿Qué hacemos? ¿Lo cerramos todo y los mandamos a la calle a robar? Lo que yo te digo, un subnormal que salió un día, se tomó dos copas y como no sabe salir, le cogieron la tarjeta Visa y se la destrozaron...

Intuyo que Pepe intenta llevar su negocio dentro de la legalidad, aunque no por ello deja de caerme antipático. Sin embargo, fue el primer propietario de burdel que me reconoció los negocios paralelos que, sin ser su caso, se desarrollan en la trastienda de los lupanares españoles.

—Mira, esto es un mundo muy complejo. Aquí hay granujas que se dedican a pasar tarjetas robadas, a vender cocaína, a esto y lo otro... Es un mundo muy complejo.

Poco tiempo después, yo mismo me relacionaría con narcotraficantes internacionales y con expertos en el robo y falsificación de tarjetas de crédito que además son traficantes de mujeres. Incluso, yo debería pasar por uno de ellos.

En un momento determinado de la conversación, y ante la sugerencia de que una amiga mía pudiese entrar a trabajar en su club, Pepe no dudó en confesar ante la cámara que primero tendría que acostarse con él, para pasar la prueba. El empresario presumía de «catar» la mercancía que se ofrecía en su local. Y, sinceramente, viendo la soltura y familiaridad con que Jesús se movía en el Capricho, entrando en la barra libremente o recorriendo el local como si fuese su propia casa, llegué a pensar que él también tenía «carta blanca» en el burdel.

En definitiva, la normativa de la Generalitat, por mucho que incomode a los pequeños y medianos empresarios, como Pepe, sólo afecta a un tipo de prostitución, la de los locales de alterne. Sin embargo, las furcias callejeras y las escorts y agencias de lujo, es decir, el extremo más bajo y el más alto del negocio, permanecen ajenos a esta normativa.

Los extremos se tocan

Valérie Tasso, a la que ya me he referido anteriormente, nació en Francia, aunque ha viajado por todo el mundo, y ha vivido en media docena de países antes de establecer su residencia en Barcelona. Quizá por su afán viajero habla cinco idiomas y posee una exquisita cultura. Licenciada en dirección de empresa y lenguas extranjeras aplicadas, doctorando en interculturalidad y autora de *Diario de una ninfómana*, es una mujer cuando menos inusual. Ejerció durante cinco meses la prostitución en una agencia de lujo barcelonesa, cuyo nombre me ha pedido que no divulgue —aunque puedo dar fe de que se trata de una de las agencias de escorts más importante del país—, y conoce mejor que nadie la trastienda económica de la prostitución de alto standing. Como otras muchas mujeres, Valérie llegó a convertirse en una cortesana después de un traumático desengaño sentimental. En realidad, de dos. Su pareja la estafó, económica y emocionalmente, y perdió el hijo que esperaba un triste día de San Valentín. Consideró la posibilidad de suicidarse, pero finalmente optó por una forma más cruel de acabar con su vida hasta esa fecha. Mataría a la Valérie ejecutiva para dar paso a la Valérie mesalina.

Como otras muchas mujeres, Valérie especuló durante semanas con la idea de hacerse meretriz antes de decidirse a responder a uno de los muchos anuncios que cada día, desde los periódicos más importantes del país, reclaman nuevas señoritas para sus clubes de alterne. Por fin se decidió, pero no por un anuncio cualquiera. Eligió un anuncio de gran tamaño que destacaba entre todos los demás, no sólo por su volumen, sino por su clase y estilo. Empezó a trabajar en el burdel de lujo aquella misma tarde.

Como otras muchas mujeres, desde que ingresó en aquella ramería de lujo, aprendió a convivir con la humillación, las drogas y también con el dinero. Un dinero negro, libre de impuestos, que llegaba a su cuenta bancaria como nunca en toda su vida profesional. Y es que una escort de lujo puede cobrar diez o cien veces más que una ramera callejera, por hacer básicamente el mismo trabajo. En su primer mes de empleo, la francesa había ganado ya casi dos millones de pesetas. Naturalmente, la agencia había obtenido la misma cantidad con Valérie, o más, porque aunque la francesa lo ignorase, muchas de esas agencias estafan a sus chicas.

Resulta imposible calcular el número de agencias de escorts que existen en Barcelona, ni en ninguna otra ciudad del mundo. De hecho, tampoco es posible precisar cuántos pisos clandestinos, dedicados a la prostitución, están funcionando en estos momentos en el país. En muchas ocasiones, son apartamentos alquilados, utilizados durante una temporada, antes de pasar a otro piso o incluso a otra ciudad. Los cálculos de asociaciones como ANELA, o los decretos gubernamentales como los de la Generalitat, no afectan a esta forma de prostitución, equiparable o mayor a la existente en los clubes de carretera, o en las saunas-relax reconocidas como burdeles con puerta a la calle.

Womans International, Prestige Internacional o Madame Cristina son reconocidas agencias de lujo, implantadas en Barcelona, Madrid, Valencia, etc., que disponen de página web en Internet, catálogos con las fotos de sus sofisticadas escorts, y grandes inversiones en publicidad. Sus clientes son adinerados políticos, empresarios, actores o deportistas de elite, dispuestos a invertir más de mil euros en un encuentro sexual, exigiendo tanta calidad y clase en las meretrices que desean, como en la discreción de la agencia que las lleva. Quizá por eso, empresas como Womans Internacional, propiedad de Mireya Scarpetta y Francisco Martínez Marqués, figura en el registro de la propiedad como agencia de publicidad, a nombre de Scarpetta Decoraciones. Evidentemente, resulta mucho menos embarazoso que las esposas de esos ejecutivos o políticos se encuentren accidentalmente con una tarjeta de Scarpetta Decoraciones, que con una en la que se anuncie un servicio de rameras de lujo. Me consta que todos los burdeles y agencias de alto nivel utilizan en sus tarjetas de visita las tapaderas de inmobiliarias, publicistas, anticuarios, etc. Lo sé porque ahora tengo una buena cantidad de ellas en mi archivo.

Habitualmente el trabajo de estas agencias de alto nivel se desarrolla en las grandes ciudades como Barcelona, Madrid o Valencia. Las chicas, escogidas por los clientes a través de atractivos books de fotos que, en el fondo, sólo son catálogos de «ganado sexual de lujo», se desplazan en avión, con billetes de primera clase, de una ciudad a otra. En verano, Ibiza, Marbella o Mallorca entran también en el circuito de las escorts. El entorno en el que se mueven estas mujeres difiere totalmente del que sufren las chicas de un club de carretera y no tiene comparación con las desgraciadas meretrices de la Casa de Campo.

Cristina Fernández es el verdadero nombre de *Madame Cristina*, directora de la agencia de escorts homónima, que funciona en Barcelona desde hace ocho años, y que ha sido recomendada por la revista *Penthouse*. Ninguna escort de Madame Cristina, como ocurre con las de President Palace o Jet-Set-Angels, regentada esta última por la francesa Julie Atenda, cobra menos de 600 euros por servicio. Lo mismo puede decirse de Barcelona Escorts, Escortbcn.Com, o Sevilla Scorts, regentadas por Albertina Albiana, Victoria Khouditch y Marta López Flores, respectivamente.

Las señoritas que pertenecen a estas agencias, como algunas otras que ejercen su trabajo de forma independiente, o se ofrecen a través de páginas web como Desire-Vips.Com, realizada por Fernando Arán, forman parte de las 10.000 escorts o prostitutas de lujo que se calculan en

Europa. Sus ingresos triplican, en el peor de los casos, los de cualquiera de las inmigrantes que trabajan en los locales de alterne o en las calles de cualquier ciudad de España, haciendo el triple de servicios y en condiciones de higiene y salubridad tres veces peor.

Sin embargo, es justo reconocer que algunos locales muy específicos acogen también a algunas de las escorts que paralelamente ofrecen sus servicios de forma independiente. Se trata de burdeles de alto nivel como el complejo valenciano Romaní, que, como ya dije, está dirigido por el presidente en funciones de ANELA Pablo Mayo; o el madrileño que recibe el nombre de Pigmalión, regentado por Mariano Moreno Iniesta y Teodoro Pastor Bricio. Este último declaró, sólo en el año 2001, 610.658 euros. Esta suma fue superada por los conocidos burdeles D'Angelos, que figuran en el Registro de la Propiedad a nombre de la empresa Scutari, regentada por Lázaro Moreno Pérez y Concepción Puente Sánchez, que declaró ese mismo año más de 800.000 euros. Personalmente, pondría la mano en el fuego porque los ingresos de ambos clubes son muchos más.

Para las escorts que ingresan miles de euros a la semana, la regularización de la prostitución es un chiste de mal gusto. Es tal la cantidad de dinero que genera este negocio, que algunos burdeles de lujo, como The Daily Planet Lid., en Melbourne, ya cotizan en bolsa. Lo mismo ocurre con los prostíbulos de Heidi Fleiss, más conocida como *la madame de Hollywood*. Fleiss alcanzó fama internacional cuando trascendió a la opinión pública que ella dirigía la mayor red de prostitución de la meca del cine, y que contaba entre sus clientes con personajes como Jack Nicholson o Charlie Sheen, entre otros actores famosos.

No. Las meretrices de lujo no se sienten afectadas por la regularización de la prostitución en Cataluña. En el otro extremo, las rameras del Barrio Chino de Barcelona, o las que cada noche se dan cita en los alrededores del Nou Camp, tampoco. En estos enclaves de la prostitución callejera más siniestra y miserable, como ocurre en la Casa de Campo madrileña o El Grao valenciano, al cliente se le llama «calcuta», y nadie más que la furcia y su chulo controla cuántos «calcutas» tiene que sufrir cada ramera diariamente. Además, la afluencia de la inmigración ilegal ha hecho que mientras las mafias nutren de pelandruscas extranjeras a los clubes de alterne, hasta el extremo de que actualmente el 95 por ciento de las chicas que se prostituyen en puticlubs son inmigrantes, las cortesanas españolas se concentran en pisos clandestinos o en la prostitución callejera. Y si las extranjeras se sienten incómodas con la idea de reconocer públicamente —o de cara al fisco— que ejercen el «oficio» más antiguo del mundo, mucho peor lo llevan las españolas, que bajo ningún concepto desean que sus familias o vecinos descubran su doble vida.

Ellas, las chicas de la calle, las «samaritanas del amor», se llevan la peor parte en este negocio. Son las grandes perdedoras en el mundo de la prostitución. Drogodependientes, violadas, humilladas... para ellas, la idea de la regulación de su trabajo simplemente suena como un cuento de hadas. Y las redes de crimen organizado, que controlan con ferocidad la mayoría de esas calles, se ocupan de que ese cuento de hadas continúe siendo sólo una hermosa ficción. A medida que profundizaba en mi investigación, iría conociendo más y mejor la trastienda de la prostitución callejera. Murcia sería testigo de ello.

Mientras yo realizaba mis investigaciones en Madrid, Cataluña, Zaragoza, Galicia o Andalucía, no dejaba de recordar a Susy, la chica nigeriana prostituida en las calles murcianas. De vez en cuando, y siempre a partir de las once de la noche, telefoneaba al número de su amiga, para poder hablar con ella. Tenía que mantener fresco nuestro contacto para que no se olvidase de mí antes de volver a verla. Pero Susy recordaba perfectamente mi demostración de «poderes mágicos», y siempre me dio la impresión de que su alegría al escuchar mi voz era sincera. Y eso aún me hacía sentir más culpable. Sobre todo cuando empezó a ser ella la que me telefoneaba a mí cuando se sentía triste. Le dejé mi número y le pedí que me llamase siempre que necesitase hablar con alguien. Lo malo es que Susy, por causa de su trabajo nocturno, sólo podía telefonearme entre las once de la noche y las seis de la mañana. Y lo habitual es que me llamase hacia última hora de su turno «laboral». Lo que solía incomodar a mis compañeros de piso.

Volví a Murcia apenas diez días después de nuestro primer encuentro, y seguía donde la dejé. Ofreciéndose semidesnuda a los hombres que merodean por los alrededores del Eroski, en busca de carne joven para saciar su apetito sexual. De nuevo, repetí la operación ideada para poder llevarla a mi hotel y grabar con más tranquilidad una nueva entrevista con ella. En nuestro segundo encuentro, y por segunda vez, volví a recurrir al ilusionismo para convencerla de mis poderes mágicos, que le prometía eran muy superiores a los de cualquier brujo africano que hubiese intentado apresar su alma con un rito vudú. Pero en esta ocasión, incluí un nuevo elemento en mi mascarada. Había leído en varios libros sobre el tema que en las religiones sincréticas afroamericanas se confiere un gran valor a los fetiches, amuletos y talismanes. Rafael Valdés me confirmó este punto. Así que le regalé un collar al que le tenía gran aprecio y que representaba una de las enigmáticas imágenes de las figuras de Nazca, en Perú. Aquel dibujo en mi collar fascinaba a Susy, con lo que aproveché para asegurarle que aquel colgante tenía un gran poder mágico, capaz de proteger a su portador de cualquier maleficio. Y para demostrárselo, realicé varios trucos de ilusionismo —también inmortalizados para mi vergüenza por la cámara oculta— utilizando el collar como si fuese una especie de péndulo radiestésico. Intuía que el proxeneta propietario de Susy, el boxeador nigeriano llamado Sunny, repetiría en España, periódicamente, los rituales de vudú a que fue sometida en Nigeria. Según me habían explicado los expertos, los mafiosos nigerianos reproducen en los países de destino aquellos sangrientos rituales, con objeto de renovar en las chicas el terror a aquellos supuestos maleficios que apresan su alma y su voluntad. Lo que no sabía en aquel instante es que Sunny no sólo era un experto en brujería que estaba aliado con un santero alicantino, sino que en su propio domicilio conservaba los terroríficos altares vudú y los fetiches empapados en sangre con que sugestionaba a sus chicas.

Yo intuía que era bueno convencer a Susy de que mi collar la protegía de aquellos supuestos maleficios, y que eso podía ayudarla, pero nadie podría haberse imaginado hasta qué punto aquella sugestión terminaría siendo la clave que liberaría a la nigeriana del terror a su proxeneta.

En nuestro nuevo encuentro, conseguí avanzar muchísimo en mi relación con Susy, que por primera vez me confesó su verdadero nombre y su país de origen. Esto suponía un gran paso adelante, ya que significaba que empezaba a verme como un amigo y no como un excéntrico cliente impotente. Averigüé en esta ocasión que vivía con otras dos chicas y con Sunny, que acudía al trabajo tomando el autobús en Rincón de Seca, una localidad situada a pocos kilómetros de Murcia, hacia las diez de la noche. Y también, que el presunto proxeneta viajaría pocos días después a Nigeria, supongo que para traer nuevas incautas a las que prostituir en Europa.

En aquella ocasión detecté, por primera vez, algo que después terminaría por hacérseme muy familiar en mis conversaciones íntimas con rameras llegadas a España desde todos los rincones del planeta: una baja autoestima, una permanente depresión y una contagiosa tristeza.

—Oye, no me quiero meter, pero ¿tú nunca pensaste en hacer otra cosa? ¿En trabajar de modelo o de otra cosa?

—¿Yo? Yo gorda para modelo...

—No. ¿Tú crees? —Susy es cualquier cosa menos obesa.

—No lo sé...

—Pero has intentado... Cuando viniste a España, ¿qué hiciste?

—Uhmm... Nada...

—No te enfades, ¿eh?

—No...

—¿Pero siempre estuviste trabajando así, en la calle?

—No, nunca. Sólo aquí, salir y follar muchos chicos. Yo follar muchos chicos pero no, nunca yo pensar esto. Yo no me gusta.

Se refería a que en Nigeria nunca había tenido relaciones sexuales con chicos y sólo en España había ejercido la prostitución.

—¿No te gusta este trabajo?

—No.

—Y si no te gusta el trabajo, ¿por qué lo haces?

—Tú no sabes, muchas cosas.

—¿Que no me puedes contar?

—Hummm...

Eso era todo lo que conseguía sacar de la nigeriana cuando tocaba algún tema sobre el que ella sentía que no podía hablar. Simplemente bajaba la cabeza y esquivaba mi mirada. Estoy seguro de que estaba deseando explicarme cómo vivía aterrorizada, siempre temiendo que Sunny se enfadase y le propinase una paliza similar a las que propinaba en el ring; cómo le daba de beber cerveza a su hijo cuando lloraba o incordiaba demasiado, para atontarlo y que dejase de molestar; cómo sentía pánico cada vez que renovaban el hechizo vudú que había robado su alma y le extraían pelo, uñas o sangre para alimentar el *body* que Sunny conservaba en su propia casa, regado con la sangre de los sacrificios. Pero no decía nada. El miedo es el mejor aliado de los mafiosos.

Un ejemplo elocuente se produjo cuando la invité a venirse conmigo a la playa, al cine o a bailar. Susy me había dicho que le encantaba el cine y la música, pero cuando le proponía que fuésemos juntos, su reacción era confusa. Y su confusión quedaba inmortalizada en mi cámara oculta.

—¿Te apetece o no?

—Sí, yo quiero, y... Sí, yo quiero, pero...

—¿Pero? ¿No puedes?

—No.

—¿Por qué no?

—Eh... hummm...

—¿Qué pasa?

—No puedo hablar de esto... Y yo explicar, hoy no puedo explicar...

—¿Por qué no? Es que no lo entiendo, Susy.

—Hummm.

—Bueno, tranquila... ¿No te deja tu prima? —Susy

decía que otra de las prostitutas callejeras que vivía con ella en Rincón de Seca era su prima.

—Hummm. No es eso.

—¿No es tu prima?

—No.

—¿Quién es?

—Sí, yo quiero hablar contigo, no... hummm... vale... nada...

Estaba claro que todavía no contaba con la plena confianza de Susy. Su temor a las represalias mágicas o físicas de Sunny era mucho mayor que la simpatía que yo pudiese inspirarle. Rafael Valdés ya me lo había advertido: «Las cosas de negros se tratan con negros, y no se hablan con los blancos». A pesar de todo, yo esperaba que, con el tiempo, Susy confiase en mí. Tardé cuatro meses en conseguirlo.

Sin embargo, mis compañeros de Tele 5 y yo no estábamos dispuestos a perder el tiempo, así que, durante mis viajes a Murcia, desarrollamos un plan alternativo para investigar a Sunny. Harry, el negrito que me había marcado a Susana en el Eroski, averiguó la dirección exacta de Sunny en Rincón de Seca, e incluso nos acompañó allí para localizar la casa, en la calle de Nuestra Señora del Rosario, nº 43. A partir de ese día, vigilaríamos aquella vivienda soportando tediosas guardias en el coche, para grabar quién entraba y quién salía de aquel edificio.

Aprendí a respetar a los detectives privados y también a los *paparazzi*, al experimentar en mis propias posaderas la desesperante lucha contra la somnolencia y el atroz aburrimiento de estar metido, durante horas, en un coche aparcado bajo el impío sol murciano, esperando a que alguien saliese de aquel portal.

En varias ocasiones, grabamos cómo Susy salía con su «prima», y pudimos seguirla durante todo su trayecto diario hacia su puesto de trabajo en el Eroski. Grabamos cómo tomaba el autobús y cómo se apeaba en la plaza de San Agustín. La filmamos telefoneando desde una cabina a sus amigos, incluyéndome a mí, ya que no le estaba permitido poseer un teléfono propio. La seguimos hasta el bar donde ella y su «prima» se compraban un bocadillo para vencer el hambre durante las largas horas de su turno en la calle. También pudimos grabar a varios hombres de raza negra que entraban y salían de la casa, pero ¿cuál de ellos era Sunny? ¿Quiénes eran los otros africanos que visitaban la vivienda?

En alguna ocasión pudimos seguir a Susy, acompañada de un negro enorme que conducía un Opel Vectra de color gris oscuro, matrícula 0717-BKK, hasta un centro comercial cercano, donde los grabamos haciendo la compra para toda la semana. Ni Susy ni su acompañante, que intuíamos podría ser el mismo Sunny, tenían la menor idea de hasta qué punto fueron objeto de un meticuloso seguimiento durante días. Y debo confesar que seguir un vehículo por las calles de una ciudad que no conoces, sin perderlo entre el tráfico ni levantar sospechas, es algo bastante más difícil de lo que parece. En este sentido, las películas policiacas exageran la simplicidad de los seguimientos. En la vida real es algo bastante más complicado.

Durante aquella temporada, conseguí citarme con Susy de día, al margen de su trabajo como prostituta en el Eroski, y aprendí a conocerla. Su color favorito era el verde, el verde de su esperanza en un futuro mejor. Le encantaba el helado de fresa, el arroz a la cubana y las canciones de Alejandro Sanz, quien, por cierto, empezó su carrera musical actuando en burdeles. Y es que, más allá de sus pechos, sus nalgas y su sexo, Susy era una mujer en toda regla, con sus gustos, sus fobias y sus miedos. Como cualquier otra mujer. Como cualquier otra prostituta, aunque en ellas, detalles como las preferencias musicales, los gustos culinarios o las predilecciones cromáticas sea algo que los varones ni siquiera se plantean. ¿A quién le importa lo que le agrada o no a una fulana?

Un par de veces la invité a cenar e incluso, al cine. Resulta difícil describir lo que reflejaban los ojos de aquella africana al contemplar, por ejemplo, a Cameron Díaz en *La cosa más dulce,* que acababa de estrenarse en los cines murcianos. Creo que era un asomo de envidia por la actriz americana, porque en varias ocasiones me explicó, como había hecho la skingirl Mara tiempo atrás, que las mujeres blancas eran más felices y vivían mejor que las negras. Pero también detecté algo que no había descubierto en su mirada nunca antes: la ilusión. Pienso que por unas horas, Susy se sentía como si fuese una ciudadana europea normal. Podía entrar en un restaurante e ir a ver una película de cine, sin tener que dar explicaciones a nadie y sin haber pasado por una cama para conseguirlo. Incluso se le olvidaba durante un rato el temor a cruzarse por la calle con algún cliente que pudiese señalarla con el dedo al tiempo que presumiera delante de sus amigos «a ésa me la tiré yo». Algo que en definitiva aterroriza a todas las prostitutas y que yo he experimentado personalmente, por ejemplo, mientras cenaba en el VIPS de Zaragoza con una prostituta española que reconoció a uno de sus clientes, un alto ejecutivo de la OPEL, en la mesa vecina a la nuestra. El baboso de la OPEL sonreía mientras cuchicheaba con sus amigos señalando hacia nosotros. En ese momento, me habría gustado tener la cámara a mano para grabar su cara de cerdo e incluirla en las fotos de este libro. Seguro que a su esposa le encantaría...

Mientras proyectaban la película, Susy no dejó de reírse ni un momento, con sus grandes ojos negros clavados en la pantalla. Pero aquella alegría contagiosa se me atragantaba cuando, pocas horas después, debía devolverla a su lugar de «trabajo», junto a otras muchas busconas callejeras.

Una tarde, puse en marcha un plan ideado para mostrar un cebo a su proxeneta. Acudí a mi cita con Susy, portando varias tarjetas de crédito, recopiladas anteriormente entre mis compañeros de Madrid. El objeto de aquella maniobra era simplemente que la nigeriana viese aquel lote de tarjetas. No hizo falta decir nada más. El anzuelo estaba echado.

Capítulo 7

Actriz, modelo, presentadora... y ramera de lujo

Se reconocen y protegen los derechos: a) A expresar y difundir libremente los pensamientos, ideas y opiniones mediante la palabra, el escrito o cualquier otro medio de reproducción.

Constitución Española, art. 20, 1

Manuel es un adinerado empresario catalán cuya fortuna fue consolidada gracias a un braguetazo. Su esposa, con influyentes parientes en Marbella, desconoce totalmente su doble vida, pero Manuel de vez en cuando echa una canita al aire en clubes como el Riviera o el Saratoga, cercanos a su domicilio en Castelldefels. Sé que vive allí porque la noche que le conocí en uno de esos clubes, yo mismo me ofrecí a llevarlo a su hogar conyugal. Aún yo no lo sabía, pero el tipo moreno de ojos pequeños y brillantes que estaba con él, en la barra del Riviera, era un importante narcotraficante internacional, con el que yo terminaría negociando...

Sin embargo, en general, a Manuel no le gustan los clubes de carretera, ni siquiera aunque sean tan lujosos como los de Castelldefels. Él frecuenta otro tipo de servicios y, de no haber sido por su inestimable colaboración, yo jamás podría haber accedido a ellos. Se trata de las agencias más selectas que trabajan con las escorts, o prostitutas de lujo, más caras y sofisticadas. Éste es el escalafón más alto en el negocio del sexo profesional, vetado a los ciudadanos medios, y reservado a los puteros más adinerados. Empresarios, políticos, actores o deportistas de elite, en disposición de gastarse entre 600 y 42.000 euros —de 100.000 a 7 millones de pesetas—, por un rato de placer con una chica que haya sido portada de *Interviú* o *MAN*, o con una top-model reconocida, o incluso con una famosa actriz, cantante o presentadora de televisión.

Para cuando conocí a Manuel, ya llevaba muchos meses sumergido en el mundo de la prostitución, y podía permitirme cierta seguridad y experiencia al hablar del tema. Creo que fue eso, mi seguridad al hablar del negocio, lo que me hizo ganar su confianza. Manuel pensaba que yo era un traficante de mujeres, entre otros negocios delictivos, con burdeles en Bilbao y Marbella. Sin embargo, en esta ocasión, lo de atribuirme la propiedad de un burdel en Málaga casi me cuesta un disgusto.

Aunque me lo explicó, no tengo clara la lejana relación familiar que Manuel tiene con el vidente de la jet más famoso de España, pero aquel parentesco hacía que conociese bien Puerto Banús y el elitista ambiente de los burdeles de Marbella. Así que jugué de farol y le cité algunos conocidos clubes malagueños como el Milady Palace de Puerto Banús, La Sirenita de Benalmádena, o los Selecta y Geisha de Torremolinos. Intenté hacerle creer que yo tenía algunas de mis rameras trabajando en aquellos locales, cuyos nombres le sonaban familiares y tragó el anzuelo con el sedal y la caña. Entusiasmado por nuestra incipiente relación, terminó por presentarme a Priscila, una rumana espectacular que ha llegado a cobrar hasta 400.000 pesetas por un servicio.

Priscila fue una «chica Fontaneda», y entre sus clientes se cuentan importantes abogados, toreros, empresarios y deportistas de Madrid y Barcelona. Me comentaba divertida, en una de nuestras últimas entrevistas, al poco de que la controvertida Nuria Bermúdez declarase, en verano del 2003, que se había acostado con media plantilla del Real Madrid, que la misma Priscila y muchas de sus compañeras habían hecho lo mismo mucho antes que la Bermúdez. De hecho, debo confesar que los nombres de muchos componentes del club blanco han aparecido una y otra vez en mis conversaciones con prostitutas de toda España, con el agravante de que todas coinciden en los mismos detalles, así que debo deducir que cuando el río suena... Supongo que es mera casualidad, pero todas las prostitutas que me han relatado sus orgías con jugadores del Real Madrid eran de aspecto nórdico, auténticas valkirias. Mis ex camaradas de Ultrassur al menos podrán estar tranquilos en ese sentido. La unidad racial, aunque sea con rameras, ha quedado salvaguardada... Salvo por el detalle de que algunos de los mejores clientes de mis amigas eran todo lo contrario a hombres arios...

Orgullosa, Priscila presumía de sus recién adquiridos pechos de silicona, ciertamente esplendorosos, alegando que se los había puesto el mismo cirujano que a Yola Berrocal. Ignoro si este punto puede considerarse como algo digno de orgullo. Actualmente trabaja en uno de los burdeles más famosos de España, con sucursales en Barcelona, Madrid, Vigo, Marbella, etc. Sin embargo, hastiada de sus jefes, estaba dispuesta a conocer nuevos ambientes, y ahí es donde entraban mis supuestos clubes de lujo en Bilbao y Marbella. Además, Priscila, como el 90 por ciento de las meretrices que hay en España, carece de documentación legal, y yo le había hecho creer a Manuel que mis contactos con el crimen organizado incluían a falsificadores de pasaportes, tarjetas de residencia, ofertas de trabajo, etc.

La rumana acudió a la cita de la mano del putero, a bordo del espectacular descapotable rojo que le había regalado un conocidísimo empresario del mundo del espectáculo madrileño, encaprichado por los favores sexuales de la impresionante rubia con las tetas de Yola Berrocal. Como me había ocurrido con Susy en Murcia, me aproveché de mis viajes anteriores, en este caso por Rumanía, para romper el hielo. Todas las mesalinas que he conocido recuerdan con cierta añoranza sus países de origen y aceptan entusiasmadas una conversación cálida e informal sobre la gastronomía, la historia, la música o la cultura de su patria. Así que desempolvé de la memoria mis recuerdos de Bucarest, Constanza, Tirgoviste o los verdes Cárpatos, y durante unos minutos creo que Priscila disfrutó con nuestro intercambio de recuerdos rumanos. Manuel sonreía satisfecho. Su intercesión había resultado enriquecedora para ambos.

Por fin, en un ambiente más distendido, la rumana comenzó a relatar, ante mi cámara oculta, su currículum profesional, que incluía haber compartido agencia con algunas de las cantantes, actrices o presentadoras más famosas de España, ejerciendo con ellas la prostitución en absoluto secreto. Priscila trabajaba en un local de alterne convencional, hasta que uno de sus clientes habituales, un conocidísimo abogado madrileño, le propuso cambiar de lugar de trabajo. Transcribo el español casi perfecto de Priscila, tal y como lo grabó mi cámara oculta.

—Él me ha aconsejado que no esté cara al público todas las noches, que es mejor hacer las mismas cosas, pero en discreto y por más dinero. Y entonces me dio el número de teléfono de esta agencia.

—Llamaste a la agencia, ¿y?

—Cuando llamé primera vez me han preguntado qué edad tengo, si tengo celulitis, si tengo estrías. Les he dicho que tengo veintisiete, aunque tenía ya veintiocho, y la edad máxima eran veinticinco. Pero cuando me han visto se han quedado encantados y me han hecho fotos en bañador y todo, y bueno, bien. Pero yo por ser normal y corriente, el precio eran 150.000.

—¿150.000 pesetas?

—Esto fue hace tres años. El precio mínimo eran 150.000 pesetas y la chica más cara eran seis millones. La más cara era M. S.

Priscila había pronunciado el nombre de una famosísima presentadora de televisión. Me quedé anonadado, pero intenté mantener la compostura. Se suponía que, como proxeneta profesional, no deberían impresionarme aquellas revelaciones. Todos los periodistas de España hemos escuchado rumores sobre famosas actrices, modelos, cantantes o presentadoras que ejercían la prostitución en secreto, pero aquella voluptuosa y exuberante rumana me estaba explicando con toda naturalidad que una de las presentadoras más famosas de la televisión era su compañera de burdel hace sólo tres años.

En su libro *Yo puta,* Isabel Pisano relata un curioso episodio protagonizado por ella misma y una importante *madame* madrileña llamada Patricia, regente de una agencia de prostitutas de lujo. Según relata Pisano, la celestina le había pedido que intercediese presentándole a algunas famosas, que la tal Patricia intentaba reclutar para su agencia de rameras de alto standing: «Oye, yo tengo clientes maravillosos de cuatro y cinco millones de pesetas por una noche, pero tienen el capricho de Ivonne Reyes, Mar Flores, Ana Obregón. ¿No me las podrías presentar?». Según relata la autora de *Yo puta*, al interrogar a la *madame* sobre cómo pretendía convencer a aquellas famosas para que se prostituyesen a su servicio, ésta respondió: «Es muy fácil, al principio las contacto para un desfile de bañadores, y cuando llega el momento, les digo que el desfile saltó, pero que el dueño de la marca está dispuesto a pagar la misma cifra del desfile por una noche con ellas; la mayor parte acepta» (pp. 28-29).

La primera vez que leí el libro de Pisano, aquel párrafo me pasó desapercibido. Ahora estoy en disposición de certificar, por experiencia propia, que refleja una absoluta realidad. Yo también terminaría negociando el contrato de varios servicios sexuales con famosas españolas, cerrando el precio en 3 millones de pesetas por cada una. El nombre de la *madame* citada por Pisano era la argentina Patricia del Valle Areyes, y su agencia era la misma en la que trabajaba Priscila... Pero no adelantaré acontecimientos.

—Seis millones... Eso es mucho dinero.

—Lo que pasa es que no lo sé cómo tienen el trato, pero la mitad siempre es para la *madame*. Lo que sé es que la agencia quedaba en la calle Orense, en el edificio Eurobuilding-2, en la habitación 326. El teléfono sí que no me acuerdo. Me imagino que si vas allí, te abrirá una señorita muy amable, te invitará a una copita, y te enseñará el book de señoritas. Antiguamente sólo por ver el book eran 15.000 pesetas.

—¿Y quién aparecía en ese book?

—No, las chicas que trabajábamos en esa agencia no podíamos ver el book. Pero el book lo sacaron en una revista... *Dígame*. Porque yo traté con el abogado Rodríguez Menéndez, poco tiempo, pero él lo sacó en su revista *Dígame*.

Inmediatamente anoté en mi lista de tareas pendientes una visita a la Hemeroteca Nacional, en la madrileña plaza de Colón, para buscar en los archivos de las publicaciones españolas la tal revista *Dígame*, aunque en ese momento opté por no interrumpir el relato de la rumana.

—Trabajábamos en hotel y en la misma agencia, que había dos cuartitos por si el cliente no tenía hotel y quería hacerlo allí. Si íbamos a hotel nos pagaba a nosotras el cliente y después le dábamos la mitad a la agencia, y si era en la agencia, al revés.

—¿Y por qué dejaste de trabajar allí?

—Un día me llaman de la agencia y me dicen que hay un abogado de Barcelona que en vez de 150.000 sólo va a pagar 100.000 pero que es muy amable y muy rápido. Y si es muy rápido, eso es lo que importa, y son 100.000, bueno, 50 para mí y 50 para la agencia. Y si es rápido, y guapo, y amable, y joven, pues bueno, fui. Al principio bien, pero después se puso muy violento. Quería cosas, no sé, sin preservativo y tal. Y entonces, llorando, de rodillas, me dijo que nunca había pagado a ninguna chica tanto dinero. Le digo, pero si has pagado una mierda, 100.000. Y me dice, si he pagado 400.000 por ti. Entonces me puse a llorar, cómo podían darme a mí 50 y él pagar 400.000.

Aquella estafa por parte de la agencia marcó definitivamente a Priscila, que continúa ejerciendo la prostitución, pero por su cuenta. Por eso se había reunido conmigo. Tomen nota todas las escorts españolas, por si sus agencias también las están estafando, cosa que no me extrañaría. Sin embargo, lo más sorprendente estaba por llegar. Aquella misma agencia le había propuesto a Priscila acompañar a un cliente de confianza en un viaje a EE. UU., sin embargo, un problema legal con su visado impidió el viaje. Poco después le propusieron otro desplazamiento, con el mismo cliente, pero a México. Priscila cobraría 200.000 pesetas al día, durante una semana. Sin embargo, la rumana ya no confiaba en la agencia.

—Yo hablé con mucha gente y todos me han desaconsejado. Mira, ellos te pagan por adelantado, pero quién sabrá lo que pasará en México. Yo no sé qué rollos tendrán. Igual me venden por diez millones o por veinte a un burdel y no vuelvo jamás. Me destrozan la cara, me follan ahí cincuenta tíos, boca, culo, cara y todo y por eso decidí no ir. Me han dicho, pues no te llamamos más, y así se acabó.

¿Es posible que España no sea sólo un país de destino, sino que mafias españolas vendan a su escorts de lujo a su vez, a burdeles de otros países? A medida que profundizaba en esta investigación, la sensación de vértigo que me inundaba, haciéndome sentir que el suelo desaparecía bajo mis pies a cada paso, se agudizaba cada vez más. Pero todavía me aguardaban muchas sorpresas.

Con pasmosa naturalidad, Priscila me comentó que entre sus compañeras en aquella agencia se encontraban otras famosas presentadoras de televisión, cantantes y actrices, auténticos mitos sexuales entre los españoles. Al escuchar aquellos nombres, no pude evitar recordar que mi hermano pequeño todavía tiene en su habitación los pósters de alguna de aquellas famosas, que han sido portada de revistas como *Interviú* o *MAN*. Estoy seguro de que disfrutaría más que nadie de las revelaciones de Priscila, porque de pronto aquellas famosas habían dejado de ser mitos eróticos inalcanzables. Ya no eran tan sólo una adolescente fantasía sexual en un papel colgado de la pared. Cualquier español, con el dinero suficiente, podría materializar aquel sueño. Y nada diferenciaba a aquellas populares divas de la pantalla de Susy o de cualquiera de las rameras de burdel que había conocido en mi periplo por los lupanares de todo el país. Nada, salvo el precio. Sin embargo, esa diferencia abismal en los honorarios implica ciertos matices en el servicio, a los que ni las prostitutas callejeras acceden. Por ejemplo, es una ley no escrita entre las cortesanas de todo el mundo que cierto tipo de cosas no se pueden hacer, salvo que sean consideradas y pagadas como «servicios especiales», que no todas las furcias admiten. La inmensa mayoría de las mesalinas no accede al sexo anal, ni a la felación sin preservativo ni, por encima de todo, a besar en los labios. El beso en la boca se reserva para el amado y no se regala al cliente de pago. Sin embargo, Priscila era contundente al tocar este punto en relación a las famosas.

—Te voy a decir una cosa, otra de las cosas que no me gustaba de la agencia es que, como decían que las que estábamos allí no somos profesionales, si el cliente decía que le chupes sin condón hay que chupar sin condón, y si quiere beso, también hay que besarle, y si quiere que le chupes el culo, también hay que chuparle el culo, ¿entiendes? Así de claro. Tan finas son, las famositas, por seis millones de pesetas…

Con muy buen criterio, Priscila añadía que seis millones es mucho dinero, pero si el cliente tenía una enfermedad, como el sida, y por realizarle una felación sin preservativo, la prostituta, famosa o no, era infectada, aquellos seis millones no compensaban.

—Malena, por ejemplo, empezó a trabajar en una sauna de Castellana, con una amiga mía. Antes de venir a la agencia. Como la Yasmine, que estaba en un chalet. Pero Malena Gracia empezó con una amiga mía…

Malena Gracia, de la sauna al *Hotel Glam*

Buceé en la hemeroteca hasta hacerme con todos los números de la revista *Dígame*, de la que me había hablado Priscila. Y no podía dar crédito a lo que estaba viendo ante mí. En el mes de octubre del año 2000, el polémico abogado Emilio Rodríguez Menéndez presentaba en sociedad la revista *Dígame*. Con Rodríguez Menéndez como editor y Javier Bleda, otro histórico de la extrema derecha española junto a José Luis Roberto o Blas Piñar, como director, la pareja volvía a coincidir años después de su aventura al frente del diario *Ya*. El legendario rotativo madrileño se había ido a la quiebra tras la gestión de Menéndez y Bleda, que no habían dudado en publicar lo que nadie más osaba publicar, para intentar vender periódicos. Ellos fueron los primeros en divulgar la existencia de un vídeo pornográfico en el que presuntamente aparecería Pedro J. Ramírez, director de *El Mundo*, con una prostituta de color llamada Exuperantia R. Menéndez y Bleda, sin par dúo dinámico, habían roto las reglas implícitas en el mundo de la comunicación, que acuerdan no airear los trapos sucios de los poderosos. Todos los periodistas, y me incluyo, hemos sufrido la censura alguna vez, al intentar divulgar informaciones políticamente incorrectas. Lo sé mejor que nadie. Muchos de mis reportajes han sido censurados, cuando no secuestrados totalmente por la cadena que debía emitirlos. Pero lo malo del binomio Menéndez/Bleda no era que osasen divulgar lo que todos preferían omitir, lo peor es que durante su gestión al frente de *Ya*, tampoco tenían pudor en inventar la noticia, cuando ésta no existía. Su vergonzoso fraude en torno al sangrante caso Alcásser, cuando toda la opinión pública vivía con un dolor sin precedentes el triple crimen de Miguel Ricart y Antonio Anglés, todavía clama al cielo. Sin ningún tipo de respeto, *Ya* publicó en portada que habían descubierto y entrevistado a Antonio Anglés, el criminal español más buscado de la historia, en un país sudamericano. Ilustraban la entrevista con varias fotografías en las que el mismísimo Rodríguez Menéndez posaba con el supuesto Anglés. Las ventas de periódicos se dispararon, sobre todo cuando el propio Menéndez fue entrevistado por Pepe Navarro en su programa *Esta noche cruzamos el Mississippi* y contó con todo lujo de detalles su presunta investigación periodística, que habría desembocado en la localización del asesino de Alcásser. Pero la gloria le duró poco al abogado, ya que pocas semanas después de aquel pelotazo del *Ya*, los periodistas de *Interviú* localizaron en Argentina al supuesto Anglés, que resultó ser un simple modelo, físicamente parecido al asesino, que ni siquiera era consciente del escándalo que había desatado en España su aparición. Todo había sido un montaje urdido por Rodríguez Menéndez para vender periódicos, como terminaría confesando él mismo posteriormente.

Con semejantes antecedentes, la opinión pública ya sabía lo que podía esperar de la reaparición de Menéndez y Bleda —quien, por cierto, había dirigido durante un tiempo la revista de Mario Conde, *MC*—. Desde su primer número, en que arremetía contra la periodista Karmele Marchante desde la portada, *Dígame* se ganó las antipatías de toda la comunidad periodística española. Un pacto de silencio se cernió sobre la publicación de Rodríguez Menéndez y Javier Bleda, dispuestos a publicar lo que nadie se atrevía ni tan siquiera a sugerir en las tertulias televisivas sobre el mundo del corazón. *Dígame* se propuso no respetar nada ni a nadie, y lo demostró sin duda al llegar a su tercer número, publicado el día 6 de noviembre del año 2000. El titular de portada era tan grosero como elocuente: «Descubrimos una red de prostitución de famosas: Malena Gracia ejerce de puta».

En su línea de un seudoperiodismo salvaje y brutal, la revista *Dígame* había preparado una encerrona a Malena Gracia, con la que Rodríguez Menéndez había mantenido una relación sentimental, aunque intuyo más profesional que afectiva, que había saltado a la prensa rosa ese mismo año. La vedette y el abogado aparecían en actitud muy cariñosa —imagino que amor de pago— durante unas vacaciones en Miami. Ya he explicado que las meretrices deben aceptar prácticas sexuales que rozan las parafilias...

En venganza por el evidente desplante, supongo, ya que hasta la ramera con más estómago tiene un límite, un supuesto periodista había contratado los servicios de Malena en la misma agencia en la que trabajaba Priscila, citándose en un conocido hotel madrileño con la famosa cantante y actriz, que por aquellas fechas trabajaba con Arévalo en una serie de Antena 3.

El autotitulado periodista de *Dígame* había acudido a la agencia del edificio Eurobuilding-2 para ver el catálogo de prostitutas, pagando 15.000 pesetas por el derecho a ver el book, y 25.000 más en concepto de adelanto. Tras escoger a Malena Gracia para el servicio, pidió que se la mandasen al hotel Meliá Castilla hacia las 20:30 horas de aquel 30 de octubre del año 2000, y Malena acudió a la cita. Una vez allí, exactamente en la habitación 1111, le abonó las 115.000 pesetas restantes, para completar las 150.000 estipuladas por acostarse con Malena Gracia. Y durante la siguiente hora y media mantuvieron dos contactos sexuales completos. Omitiré, por respeto, todos los detalles escabrosos que el pretendido periodista no omite en la revista de Rodríguez Menéndez.

Después del humillante montaje del falso Anglés en *Ya*, probablemente nadie conferiría ninguna credibilidad al reportaje sobre mesalinas famosas de *Dígame*, si no fuese porque el seudoperiodismo había grabado todo el episodio, escondiendo una cámara de vídeo en la habitación del hotel. Sin ninguna compasión por los sentimientos de Malena Gracia, Rodríguez Menéndez incluía varios fotogramas del vídeo, en los que la cantante aparece practicando el sexo explícito con su cliente, tanto en la portada como en el reportaje de *Dígame*. Pero pocos privilegiados pudieron ver aquel ejemplar del número 3 de la revista.

La publicación de Bleda/Menéndez era un semanario que aparecía los lunes, pero alguien había filtrado a la popular vedette que el lunes 6 saldría en portada de *Dígame* un reportaje sobre su doble vida, ilustrado con imágenes de uno de sus contactos sexuales. Ese alguien era Ana María B., una madre y esposa, ex miembro de la Guardia Civil, destinada en la vigilancia de la Casa Real, junto a otros compañeros de la 111 Comandancia, que había sido expulsada del cuerpo por ejercer la prostitución. Tras una investigación de Asuntos Internos, con expediente abierto el día 12 de agosto de 1997, una sentencia del Supremo confirma su expulsión del cuerpo «por ofender la dignidad de la institución y mantener conductas contrarias al Reglamento y a las Reales Ordenanzas». Había permanecido casi diez años en el cuerpo con un excelente expediente, hasta que se descubrió su doble vida, ilustrada en un sórdido vídeo grabado en la agencia en la que trabajaba, a través de una cámara escondida en el burdel para grabar a los clientes importantes. Sus compañeros de la 111 Comandancia, y después los de Asuntos Internos, contemplaron con morbosa curiosidad la imágenes registradas en esa cinta de vídeo, en la que el encargado del lupanar aparece enmascarado, cobrando a cada uno de los clientes que contratan los servicios de la guardia, señal inequívoca de que él sí sabía que una cámara grababa los encuentros sexuales de Ana María. Su posado, desnuda, en la portada de *Interviú* aún aparece, a mediados del 2003, en algunos books de famosas que yo he visto personalmente, en agencias de prostitución de lujo de Madrid y Barcelona, ignoro si con el consentimiento de la ínclita, que ahora posee varias peluquerías en Leganés. Al conocer su historia, inevitablemente recordé los apuntes del agente Juan sobre el injusto binomio Guardia Civil-burdeles...

El domingo 5 de noviembre, a las 17 horas, Malena Gracia se presentó en el Juzgado de Instrucción número

18 de Madrid, acompañada de Ana María B., para interponer una denuncia contra la revista *Dígame*, en un intento desesperado por evitar que la publicación de Rodríguez Menéndez llegase a los quioscos de Madrid. Por suerte para la vedette, la distribución de *Dígame* se limitaba prácticamente a la capital de España.

A las 8 de la mañana del lunes 6, sin haber podido pegar ojo por la angustia y el terror de que su familia, amigos y fans descubriesen su vida secreta, Malena se personó en el Juzgado de Instrucción número 2 de Alcobendas, acompañada por la ex guardia civil, para interponer una nueva denuncia contra *Dígame*, como último intento por evitar la distribución del número, que ya había salido de imprenta. Y lo consiguió, parcialmente.

A primera hora de la tarde la secretaria judicial se personó en la redacción de la revista para paralizar la distribución del número 3 de *Dígame*. Sin embargo algunos ejemplares estaban ya en circulación y, a pesar del tabú que se cernía sobre el tema de las famosas, algunos medios de comunicación, pocos y marginalmente, se hicieron eco de la noticia. A la semana siguiente, el número 4 de *Dígame* se agotó en todos los quioscos de Madrid, y Rodríguez Menéndez, envalentonado por el éxito editorial de aquella portada, que tenía aspecto más de *vendetta* personal que de interés periodístico, inició una campaña brutal y salvaje contra Malena Gracia, y contra otras famosas que, según él, ejercían la prostitución.

Durante varios meses se publicaron muchas noticias, comentarios de opinión —entre ellos, algunos muy hirientes firmados por Nuria Bermúdez, articulista fija en *Dígame*, que terminaría siendo también acusada por Menéndez de ejercer la prostitución—, y reportajes aportando infinidad de pruebas irrefutables sobre el trabajo de Malena Gracia como prostituta. La puntilla llega en el número 30 de *Dígame*, donde se publica una entrevista a Susana Iglesias, presente en todos los saraos de serie-B del famoseo nacional de la época, desde el programa *Tómbola* hasta la portada de *Interviú*. En dicha entrevista, Susana Iglesias confiesa que ella también ha ejercido la prostitución, y se atreve a afirmar que no sólo Malena Gracia, sino otras muchas famosas presentadoras, modelos y actrices, cuyos nombres cita, eran sus compañeras de gremio. En el siguiente número de *Dígame* se reproduce una nueva entrevista a la Iglesias —quien, por cierto, hizo un pequeño papel, precisamente interpretando a una ramera de lujo, en *Torrente 2*—, y en la que se incluía copia de la denuncia presentada en una comisaría, al parecer tras recibir varias amenazas de muerte por haber revelado la doble vida de sus famosas compañeras de burdel de lujo.

Pese a ello, el día 16 de noviembre del año 2000, Malena Gracia tuvo el valor de acudir al programa *Crónicas marcianas* de Tele 5, para negar categóricamente que trabajase como cortesana en una agencia de prostitución de lujo. En aquella intervención televisiva, alegó que los fotogramas reproducidos por *Dígame* pertenecían a un vídeo sexual doméstico, que ella había grabado tres años atrás con un novio italiano.

Rodríguez Menéndez, sin ninguna compasión, concentró páginas y páginas de su revista en aportar nuevas evidencias sobre Malena, y en el editorial del número 5 de *Dígame*, exactamente en la página 3, deja caer una amenaza velada a la famosa vedette: «... nos vamos a ver obligados, en nuestro próximo número, a regalar el vídeo en la revista para que nuestros lectores te puedan ver y, además, oír esa vocecita cuando le decías a nuestro periodista que te encantaría repetir con él, o esos grititos de pasión mientras hacías el acto por el que te pagaba...». Furiosa, avergonzada y humillada, Malena Gracia terminó confesando públicamente que el vídeo era auténtico, y que ella ciertamente había trabajado como prostituta de lujo, en la misma agencia que la rumana Priscila.

Pero Rodríguez Menéndez ya había descubierto el filón, y durante las siguientes semanas las portadas de *Dígame* alcanzaron cotas inimaginables de grosería y amarillismo, nunca antes visto en la historia de la prensa española. El controvertido abogado, sin pelos en la lengua, acusaba de ejercer la prostitución de lujo a una lista interminable de actrices, modelos y presentadoras famosas. Por supuesto, requeriría mucho tiempo, esfuerzo y sobre todo dinero averiguar si todas esas famosas llevan una doble vida como mesalinas de lujo, o si se trata de un nuevo embuste de Rodríguez Menéndez. Además, y en el supuesto de que fuese cierto, tampoco se trata de un delito.

Sin embargo, y sin ánimo de entrar en polémicas, me consta que algunas famosas trabajan como prostitutas en agencias de alto standing. Lo sé porque durante esta investigación yo mismo he negociado con sus *madames* un servicio sexual concreto. Y mientras lo hacía, pensaba de nuevo en Susy, la nigeriana de Murcia. Y me reafirmaba en que nada diferencia a Susy de Malena Gracia o cualquier otra ramera de gran lujo, salvo lo que pueden pagar sus clientes. El precio sigue siendo lo único que marca la diferencia entre una y otra.

En el número 43 de *Dígame*, y tras lo que imagino fue un angustioso suplicio familiar y profesional, Malena Gracia concede una entrevista a Emilio Rodríguez Menéndez, para aparecer con él en la portada y reconocer públicamente que el abogado tenía razón. En lo que a mí me parece una cruel humillación innecesaria, Malena se ve obligada a posar con el editor de *Dígame* —que terminaría despidiendo a Bleda, por lo que él asumiría también la dirección de la revista—, y a redactar una carta manuscrita en la que reconoce la veracidad de lo publicado, pidiendo perdón al abogado por haberse atrevido a negar públicamente su trabajo como ramera. Triste.

Esa confesión pública, aunque forzada por las circunstancias, es la única razón por la que yo publico el nombre de Malena Gracia, como una de las prostitutas de lujo que trabajaba con Priscila en la agencia del Eurobuilding-2. Servirá para dar al lector una referencia del tipo de famosas al que me referiré más adelante, ya que dentro del mundo de las escorts de lujo existe un curioso sistema al valorar el precio que puede cobrar una mesalina.

Manuel, el empresario barcelonés, fue uno de los clientes de Malena Gracia. Pero también contaba, en su particular currículum, con otras famosas que habían pasado por su cama. Entre ellas, una de las top-model españolas más importantes, habitual en las pasarelas Gaudí, Milán o Cibeles y modelo del año; o una conocida presentadora de televisión, improvisada náufraga en una famosa isla. Fue precisamente él quien me pondría al corriente del sistema de valoración de las prostitutas más caras de España.

—Mira, una tía como Priscila, reconocerás que es una mujer espectacular. Pues una como ella puede costar de 100.000 a 150.000 pesetas el polvo. Pero si apareciese como portada de *Interviú*, *MAN*, *Cosmopolitan*, o cualquier otra revista importante, ya podría cobrar más. No sé, quizá 200.000 o 250.000. Pero si sale en televisión, ahí es cuando realmente empieza a tener morbo. Yo he conocido a muchas azafatas de programas conocidos, o actrices que han hecho pequeños papeles, o que hacen *spots* comerciales. Una de ésas te puede costar 300.000 o hasta 500.000. Aunque todo esto es muy relativo. Pero las famosas de verdad, las presentadoras, actrices, cantantes, etc., ésas no te bajan del millón de pelas. Y dependiendo de que estén haciendo ahora algún programa importante o alguna película de éxito, te pueden cobrar 3, 4, o 6 millones...

Manuel sabía de lo que hablaba. Se había gastado auténticas fortunas en agencias de alto standing, y sus apreciaciones sobre la valoración de esas súper escorts resultaron ser exactas. Yo lo comprobaría personalmente poco tiempo después, al visitar de su mano varias de esas agencias de gran lujo. En cuanto a la oscilación tan abismal de los precios, tardé en comprender su sentido. Una misma chica, que obviamente gozaría de un físico excepcional, podía cobrar cinco o diez veces más, por hacer el mismo trabajo, dependiendo tan sólo de su fama. Una portada de revista o un trabajo como azafata de televisión eran el único factor determinante para que unos pechos sensuales, unas caderas voluptuosas o unas largas piernas triplicasen su valor de la noche a la mañana, o lo menguasen.

Según Manuel, algunas de esas seudofamosas de medio pelo, a las que conocemos como «*freaks*» en el mundo de la televisión, se esforzaban en aparecer en cualquier programa o portada, improvisando montajes absurdos y disparatados, sólo para que al volver a aparecer en la pequeña pantalla, su precio como prostitutas volviese a subir. Y es que algunas escorts de lujo, que durante un tiempo trabajaron de azafatas en programas como *Goles son amores*, *Osados* o *Telecupón*, o interpretando pequeños papeles en series de televisión, y podían cobrar casi un cuarto de millón de pesetas por servicio, sufrieron una fuerte depresión al desaparecer de las pantallas, junto con sus respectivos programas, y pasaron a cobrar un tercio o menos de ese dinero, por realizar el mismo servicio. Muy pocas, como Yasmine, «novia» del ex marido de Norma Duval, han confesado públicamente haber ejercido la prostitución.

En cuanto a los clientes de estos servicios, no hace falta ser demasiado brillante para deducir que no todo el mundo puede permitirse gastar 1.000, 3.000, o 6.000 euros en un servicio sexual. Obviamente, los clientes de este tipo de prostitutas son políticos, futbolistas, toreros, empresarios, actores... en definitiva, individuos muy poderosos, que sin duda sienten un morbo especial, una intensa excitación, al observar una revista de un quiosco de prensa, o al disfrutar de un programa de televisión en compañía de su esposa e hijos, y ver en la pantalla o en la portada a la que fue su amante por unas horas. Como decía alguien, lo único peor que no acostarse con Claudia Schiffer es hacerlo y no poder contarlo. Por algún tipo de atávico complejo de inferioridad, los hombres necesitamos reafirmar nuestra virilidad, en base a la cantidad y calidad de nuestras conquistas. Aunque, como en el caso del parchís, por cada una que nos comemos contamos veinte. Por eso, para los puteros de lujo, resulta casi tan satisfactorio como el momento del sexo en sí, el instante en que pueden enseñar a sus amigos la portada de una revista, o señalar en la pantalla a tal o cual azafata de televisión y decir: «A ésta me la tiré yo». Realmente, somos criaturas patéticas.

De hecho, a medida que profundizaba en esta investigación, me veía obligado a reconsiderar una y otra vez mis conocimientos sobre anatomía. Finalmente, concluí que la medicina y la fisiología yerran al considerar que los órganos humanos se sitúan en la misma parte del cuerpo en el caso de las hembras y de los varones. Sin duda, el cerebro masculino no se encuentra alojado dentro del cráneo, sino en algún punto de los genitales, lo que me lleva a la firme convicción de que, en nuestro caso, dolencias como la sífilis, la gonorrea o las ladillas podrían considerarse enfermedades mentales...

Políticos, empresarios, futbolistas... los puteros de lujo

A medida que examinaba minuciosamente todos los números de la revista *Dígame*, publicados entre el año 2000 y el 2002, aumentaba mi asombro y perplejidad. Emilio Rodríguez Menéndez no respetaba a nada ni a nadie. Ya en los primeros números, el dúo dinámico Bleda/Menéndez incluía en las páginas de tan insigne publicación un anuncio en el que buscaban «cazarrecompensas» dispuestos a ganar hasta un millón de pesetas, a cambio de cualquier exclusiva, cuanto más cruel y sangrante mejor. Eran los precursores de la tele-mierda actual, pero en formato impreso. De esta forma, justo es reconocerlo, *Dígame* consiguió algunos documentos gráficos que ni siquiera *Interviú* se atrevería a publicar. Como por ejemplo, un extenso reportaje en el que Dinio García, famoso por su idilio con Marujita Díaz, aparecía en una orgía celebrada en Valencia, con presuntas menores. Las fotos son realmente fuertes, y ninguna otra revista del corazón osaría divulgar un material como aquél. Una vez más, Dinio, como Malena Gracia, se beneficiaron del pacto de silencio que pesaba sobre todo lo publicado en *Dígame*, tanto como de la pésima distribución de la revista, casi limitada a Madrid. No obstante, exclusivas como aquellas sórdidas fotos del cubano confirieron a la revista cierta credibilidad, lo que agravaba aún más los brutales titulares de portada de algunos de sus números. Como muestra, valgan los siguientes:

> —Número 14: «El PP se va de putas». Políticos preeminentes del partido del gobierno, señalados como clientes habituales de las rameras famosas.
>
> —Número 22: «Dinio corruptor de menores».

Unas jóvenes valencianas ceden a la revista embarazosas fotografías del cubano.

—Número 25: «Putas y famosas». Junto con otras presentadoras y modelos famosas, aparece la primera foto de Patricia del Valle.

—Número 38: «Putas famosas de vacaciones en Marbella». Un conocido vidente es señalado como el intermediario entre las famosas y sus clientes en Marbella.

—Número 55: «Famosos y políticos sadomasoquistas». Periodistas, dirigentes políticos y artistas reconocidos son señalados como clientes de gabinetes SM.

—Número 78: «Famosos grabados en casas de putas». Otra larga lista de futbolistas, políticos o cantantes grabados mediante cámaras ocultas en burdeles españoles de gran lujo.

Como ejemplo del amarillismo salvaje y destructor de *Dígame* es más que suficiente. Por supuesto, y a pesar de lo audaz y temerario de estas acusaciones, Menéndez continuaba reafirmándose en las mismas semana tras semana, sin que ningún poder político o judicial quisiese o pudiese evitarlo. Sin embargo, prácticamente ningún medio de comunicación se hacía eco de tan feroces titulares, y un profundo vacío aisló a *Dígame* del resto de los medios de comunicación españoles, hasta su desaparición. Muy pocos de los puteros acusados por Menéndez, como Joaquín Sabina, han tenido el coraje de confesar públicamente que han sido clientes de las «cenicientas de saldo y esquina». Tengo las revistas y sé a quiénes acusaba Rodríguez Menéndez, pero no quiero seguir su rastro de periodismo sensacionalista barato y prefiero no publicarlo.

Por supuesto, ni siquiera el mundo de los famosos se

libra de un fenómeno habitual en el contexto de la prostitución. Mientras las rameras son satanizadas como semidelincuentes, la sociedad mira con tolerancia, y hasta con admiración, a sus clientes, aun a pesar de que son esos clientes los que mantienen el negocio. Ellos, famosos o no, son la demanda que genera la oferta. Y los chulos, mafiosos y proxenetas se ocupan de proveerles del producto que demandan. En el número 27 de *Dígame*, de fecha 23 de abril de 2001, Menéndez se despacha a gusto señalando a las cuatro familias que supuestamente se reparten el negocio del sexo de lujo en Madrid. La «familia Andrés», dirigida por un ciudadano árabe, controlaría 32 burdeles en la capital. Veintitrés más estarían controlados por un gallego de nombre Fernando. En tercer lugar, Jesús Adanero Moreno controlaría, según *Dígame*, varias de las agencias que contaban con famosas entre sus trabajadoras. Para terminar, se nombraba a Patricia del Valle como propietaria de varias empresas tapadera y de varias agencias en las que se prostituirían numerosas famosas.

—¿Y cualquiera puede ir a esas agencias? —le pregunté a Manuel—. La conversación con tu amiga me ha puesto cachondo y me gustaría tirarme a una famosa... Pero famosa de verdad, ¿eh?

—Qué va, no es tan fácil. Tienes que ser cliente conocido. O sea, tienes que ir unas cuantas veces por la agencia, y tirarte a algunas de las chicas normales para que te pongan en contacto con una famosa de verdad. Piensa que son chicas muy conocidas y que tienen que ser muy cuidadosas para que nadie se entere de que son putas. Famosas, pero putas. A lo mejor por eso son famosas...

—¿Qué quieres decir?

—Joder, pues que si yo soy un directivo de televisión, o alcalde de una ciudad, pues preferiré tener cerca a una presentadora, o a una relaciones públicas, o a una tía que sea la imagen publicitaria de mi pueblo, que me pueda tirar, ¿tú no?

—Sí, ya, claro.

—Pero tranquilo, a mí me conocen en todas las agencias, y si vas conmigo, no tendrás problema en que te enseñen los books, ni en tirarte a un famosa. ¿A qué famosa te gustaría tirarte?

No le contesté. No podría. Todos los hombres, y más los profesionales de la televisión que compartimos con ellas sala de maquillaje, comedor o cafetería en las cadenas nacionales, hemos divagado más de una vez sobre lo atractiva que es tal o cual presentadora, tal o cual actriz, o tal o cual azafata. Pero Manuel no divagaba. El empresario me estaba preguntando realmente a cuál de las estrellas de la televisión, que pueblan las fantasías nocturnas de los adolescentes, y no tan adolescentes, deseaba hacer mía.

De repente, se estaba abriendo ante mí un mundo completamente desconocido. Un mundo clasista, elitista y corrupto en el que no existe ni el respeto ni la dignidad; en el que un puñado de escogidos, poderosos por su dinero y por conocer las vidas secretas de otros poderosos, pueden plantearse en la vida real cuestiones que para el resto de los mortales tan sólo son una fantasía onanista. «¿A qué famosa te gustaría tirarte?»

Ni siquiera me podía imaginar, en aquel momento, las implicaciones de aquel descubrimiento. ¿Qué tipo de personas puede gastarse 1, 2 o 7 millones de pesetas en acostarse con una estrella de televisión? Evidentemente, hombres poderosos, pero no necesariamente por actividades legales. Poco a poco, iría conociendo a algunos de los clientes que han disfrutado de los encantos de esas divas de la pantalla. Sus testimonios terminaron por convencerme absolutamente de que todo aquello era cierto, porque los comentarios de un empresario sevillano o de un narcotraficante gallego, que no se conocían entre sí, resultaban ser exactamente los mismos al valorar la habilidad con el «francés», o el dominio del «griego», de una conocida presentadora y actriz latinoamericana afincada en España. Y no hablo de conocimientos idiomáticos precisamente. Sin especificar el precio justo de ese servicio...

Merecería el espacio de todo un libro detallar el lamentable desenlace de uno de estos servicios, que terminó con la muerte de un famosísimo empresario en una suite de lujo, a causa de una sobredosis de viagra. El corazón del millonario no pudo soportar la excitación de poseer a aquella famosa presentadora de televisión.

Definitivamente, Manuel sería una pieza clave en esta investigación. Acordamos que visitaríamos las agencias de famosas en mi próximo viaje a Barcelona. Necesitaba un poco de tiempo para preparar un plan. Si ya resulta arriesgado introducir una cámara oculta en un burdel de carretera, profanar los secretos sexuales de los personajes más poderosos del país podría ser algo doblemente peligroso, y necesitaba meditar mi próximo movimiento.

¿Productor cinematográfico y traficante de menores?

Pensaba en regresar a Murcia para continuar mi investigación sobre Sunny, cuando de pronto me encontré una nueva pista inesperada, que me retuvo unos días más en Barcelona. Desgraciadamente todo se complicaría, y me vería obligado a salir precipitadamente de la ciudad y a finalizar mi relación con Jesús.

Jesús es un putero de la vieja escuela. Su trabajo en la oficina de Correos de Barcelona nutre su adicción a las pelanduscas, de la misma forma que la agencia de noticias de Paulino alimenta su dependencia de las furcias en Galicia. Probablemente porque ninguna mujer se relacionaría con tipos tan abyectos y lamentables sin una gratificación económica por adelantado. Pero sospecho que Jesús va más allá. Desgraciadamente no lo puedo demostrar.

Yo he bebido mucho con ellos. Formaba parte del trabajo de siembra, del que luego podría recoger frutos más o menos interesantes. No recuerdo la visita a ningún lupanar de la que no aprendiese algo. Entre copa y copa siempre se les escapaba algún comentario, alguna indiscreción, que yo podría utilizar posteriormente... a pesar de las atroces resacas del día siguiente.

Jesús, como casi todos los puteros, bebe más de la cuenta, y eso le suelta la lengua. Gracias a su indiscreción tuve conocimiento de la presunta implicación de un conocido director y productor cinematográfico barcelonés en el tráfico de menores rumanas, explotadas sexualmente en el barrio de San Antoni. Inmediatamente me puse a seguir esa pista.

Como siempre, primero exploré la zona donde debería haberse desarrollado esa parte de mi investigación. Para ello, utilicé a una amiga personal de Jesús, que sin tener idea de lo que yo me proponía me condujo a la plaza de Pes de la Palla, en plena Ronda de San Antoni. Allí, cada noche, un puñado de rameras, muchas de ellas rumanas menores de edad, esperan pacientemente su turno para ser mancilladas por algún españolito que no quiera internarse en los alrededores del Nou Camp, zona de putas mucho menos discreta. Recorrí aquellas calles, la del Tigre, Joaquín Costa, Paloma, etc., estudiando las posibles rutas de escape en caso de contratiempos, y marcando los dos miserables hoteluchos presuntamente cómplices del delito. Y digo delito porque para subir a la habitación con el cliente, son las rumanas las que deben dejar su documento de identidad en la recepción —lógicamente los puteros, mayormente casados, no desean identificarse en ningún momento—, y se tratará del documento de una menor.

Todo estaba preparado y cierta noche yo debía reunirme con Jesús para conocer al productor y director cinematográfico en cuestión, quien ha participado en algunas de las películas más taquilleras del cine español de los últimos años. Llevaba ya varios días frecuentando el restaurante que hace esquina entre las calles de Floridablanca y Villarroel, justo debajo del domicilio de Jesús, y muy cerca de Pes de la Palla, donde suelen reunirse. Y de pronto, todo se fue al garete.

Fue una lamentable coincidencia. Jesús conservaba un ejemplar de la revista en la que había aparecido mi fotografía meses atrás. Al principio no había relacionado a Tiger88 conmigo, ya que jamás habíamos hablado del tema, ni tampoco existía ninguna razón para hacerlo. Pero aquella noche, y de forma casual, Jesús escuchó una entrevista al autor de *Diario de un skin* en la radio barcelonesa. La única condición que pongo para conceder entrevistas es que mi identidad continúe en el anonimato, y en este caso el técnico de sonido, un tal Julio Perea, que me había prometido que manipularía mi voz para hacerla irreconocible, no lo hizo. O al menos no lo hizo lo suficientemente bien. Jesús reconoció mi voz y toda la operación se fue a la mierda por la incompetencia profesional de aquel técnico de sonido.

Estoy seguro de que toda la historia es real. De que aquel productor cinematográfico participa de alguna manera en el negocio de la prostitución, e intuyo que Jesús también, pero no tengo ninguna prueba. No pude obtenerlas a causa de que un preclaro técnico de sonido se atrevió a opinar que mi exigencia de alterar la voz durante las entrevistas a Tiger88 era sólo una cuestión de marketing, para parecer más misterioso y vender más libros. Su actuación irresponsable e incompetente podría haberme costado la vida, si en vez de un Jesús furioso a través del teléfono, hubiera sido un proxeneta armado el que me hubiera identificado por culpa de aquella entrevista. Suponiendo, claro, que Julio Perea, como Luis Alfonso Gámez y otros periodistas afines al movimiento neonazi, no desease intencionadamente que alguien le pegue un tiro a cualquier persona identificada como Antonio Salas, fuese yo o no.

Ante aquel imprevisto, me vi obligado a abortar toda la operación de las rumanas y salir precipitadamente de Barcelona. Imagino que ahora, esas menores continuarán siendo prostituidas en los alrededores de Pes de la Palla, pero yo no pude hacer nada por evitarlo, a causa de un técnico radiofónico. Quizá ahora comprenda que si renuncio al reconocimiento de mi trabajo, y exijo que mi imagen y mi voz sean distorsionadas en todas las entrevistas, es porque tengo buenas razones para hacerlo.

Una de las pocas fotos de Edith Napoleón, prostituta nigeriana en la Casa de Campo de Madrid, asesinada y descuartizada en once pedazos por un putero insatisfecho.
(Cortesía de *Interviú*.)

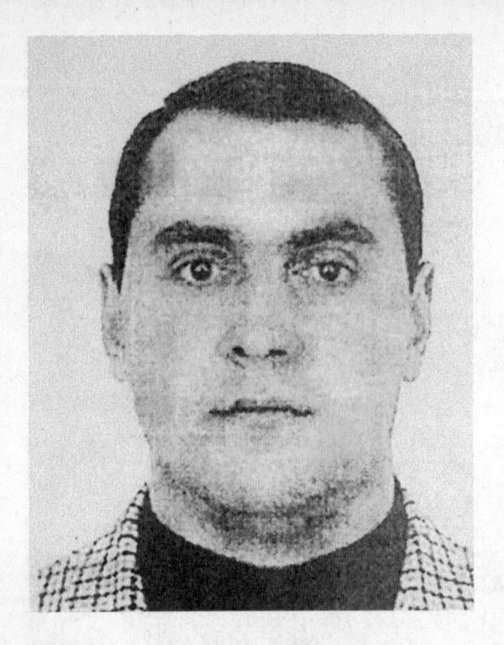

Anatolie Russu, alias *Tolia*. Dirigía desde Moldavia la mafia que trajo a Nadia a España tras ser secuestrada, con sólo 17 años.

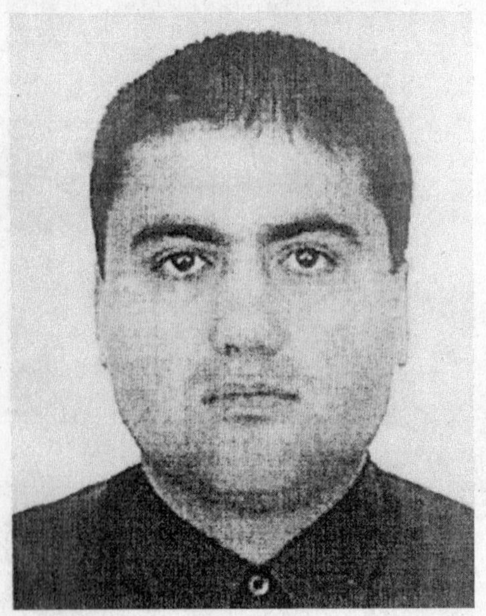

Samson Dimitri, alias *Dimas*, lugarteniente de Tolia. Transportaba a las chicas hasta España y las colocaba en diferentes burdeles del país, negociando su compra venta.

Valentín Cucoara, receptor de las chicas enviadas desde Moldavia, y responsable de vigilarlas en España y «motivarlas» para que trabajasen constantemente.

Nadia, con Valentín Cucoara, fotografiados en uno de los pisos que la mafia tenía en el barrio de Carabanchel (Madrid).

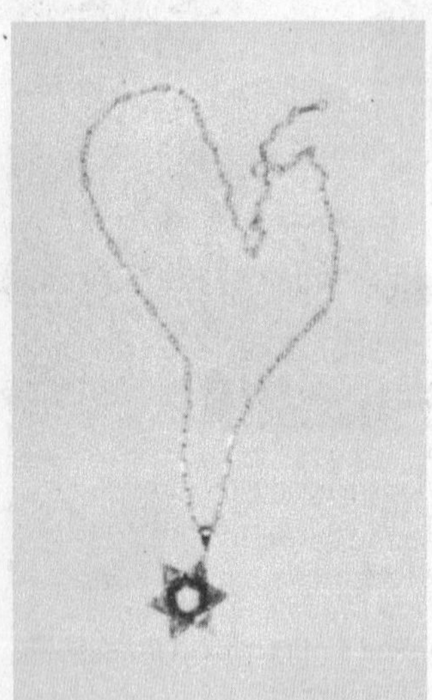

(Arriba) *Madame* Angie, encargada de la agencia Numancia de Barcelona, uno de los burdeles de gran lujo donde trabajaba Malena Gracia. En primer plano, uno de los books de prostitutas de alto standing que pude consultar, para escoger con qué famosa deseaba tener relaciones sexuales.

(Debajo) Uno de los medallones que lucen las prostitutas captadas por la vidente Vera, y que vende a las meretrices que, como Andrea, caen en su seudosecta, siendo estafadas por la meiga gallega.

(Arriba) Los coches de Policía aparcados frente al club Lido durante la redada que presencié con el agente Juan, en la que fue detenido Joachim Schmitt, alias Joaquín «el Alemán».
(Debajo) Diferentes portadas de la revista *Dígame*, de Emilio Rodríguez Menéndez, en las que se acusaba a numerosas famosas españolas de ejercer la prostitución de gran lujo.

(Arriba) Carmen, ex prostituta, dedicada ahora a ayudar a las mujeres prostituidas que acuden a la asociación ALECRIN en busca de ayuda o consejo.
(Debajo) Ana Botella, concejala de Asuntos Sociales del Ayuntamiento de Madrid, y Eduardo Zaplana, ministro de Trabajo y Asuntos Sociales, en la presentación, el 29 de enero de 2004, de un seminario sobre «El tráfico de mujeres y la prostitución», en el que se estudió el modelo sueco que penaliza al cliente.

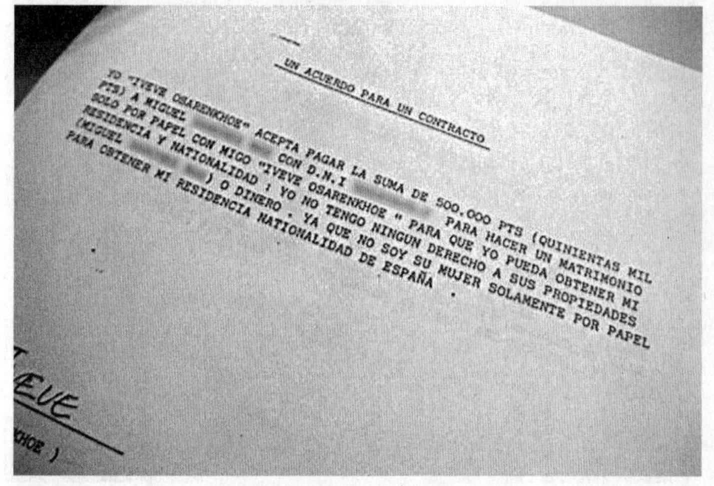

UN ACUERDO PARA UN CONTRACTO

YO "IVEVE OSARENKHOE" ACEPTA PAGAR LA SUMA DE 500.000 PTS (QUINIENTAS MIL PTS) A MIGUEL [illegible] CON D.N.I [illegible] PARA HACER UN MATRIMONIO SOLO POR PAPEL CON MIGO "IVEVE OSARENKHOE " PARA QUE YO PUEDA OBTENER MI RESIDENCIA Y NATIONALIDAD ; YO NO TENGO NINGUN DERECHO A SUS PROPIEDADES (MIGUEL [illegible]) O DINERO . YA QUE NO SOY SU MUJER SOLAMENTE POR PAPEL PARA OBTENER MI RESIDENCIA NATIONALIDAD DE ESPAÑA .

(Arriba) Foto inédita de una caravana de inmigrantes nigerianos durante su viaje hacia Marruecos, donde intentarán cruzar a España en patera. Entre ellos, varios menores y muchachas destinadas a los burdeles europeos.

(Debajo) Fotografía «robada» de uno de los contratos ilegales efectuados para casar a prostitutas extranjeras con ciudadanos españoles a cambio de dinero. El objeto de estos «matrimonios blancos» es legalizar a las prostitutas para que puedan ejercer en Europa.

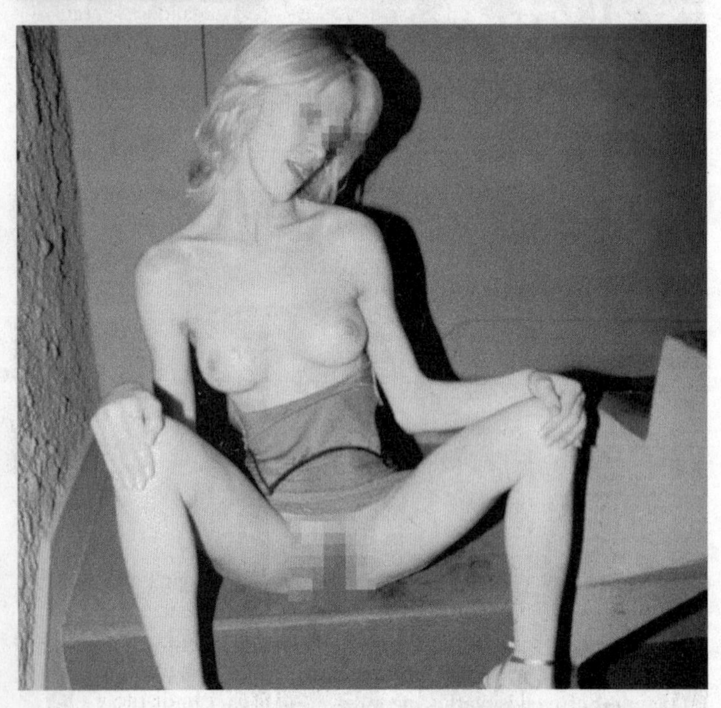

(Arriba) Anuncio de la actuación de Sonia Monroy en el burdel La Luna, propiedad de Manuel Crego Gómez, vocal de ANELA.
(Debajo) Una de las fotografías del book erótico de Andrea, la modelo y prostituta que recogí de un burdel de Pontevedra en plena noche, y a la que ayudé a salir del país.

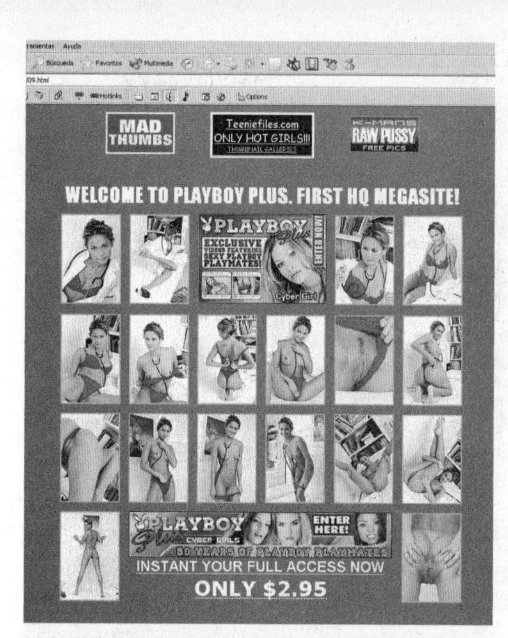

Las fotos originales de la falsa Lorena, tomadas de una página pornográfica. En realidad se trata de la actriz porno Brandy Smith, perteneciente a la factoría Private, que jamás ha visitado España ni ha trabajado en ningún burdel.

Página web de la agencia Lady Marian ofreciendo a la presunta estudiante y prostituta Lorena. Supuestamente, borran la cara de la joven para proteger su identidad.

La falsa Karolina es en realidad la modelo erótica Yanna Cova, portada de *Penthouse* en junio de 2003, y que nunca se ha prostituido ni ha visitado España.

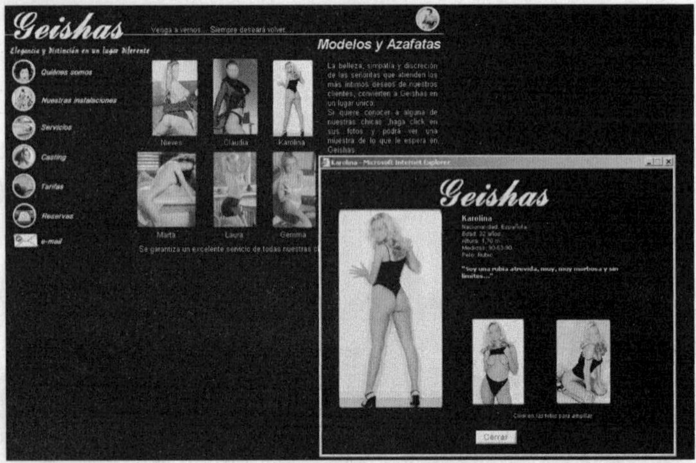

Página web del conocido prostíbulo madrileño Las Geishas, donde se ofrece a la supuesta ramera española Karolina, con el rostro difuminado «para que no sea reconocida por sus amigos o vecinos».

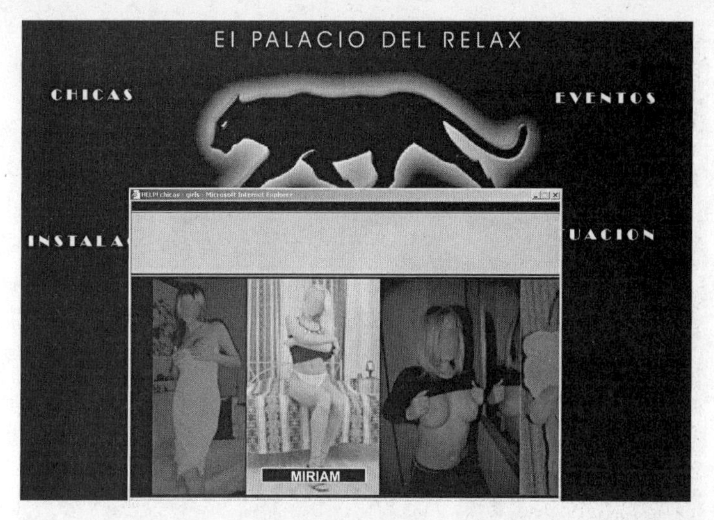

Página web del burdel valenciano Help, cuya placa de calidad de ANELA le fue entregada personalmente por José Luis Roberto. Entre las presuntas rameras que ofrece está la supuesta Miriam, con el rostro borrado para «proteger su identidad en Valencia».

La foto original, manipulada por los responsables de la web del Help, está tomada de la página porno *youngporn.net* y pertenece a Julia, una modelo erótica nórdica que jamás ha visitado España ni ha ejercido la prostitución, y menos en un local de ANELA.

Valérie Tasso, autora de *Diario de una ninfómana.*

Yola, estudiante extremeña que combinaba las clases con su trabajo como go-go, stripper y prostituta. Su familia ignora su vida secreta.

(Arriba) Burdel La Paloma, propiedad de El Suizo, padre de una finalista de *Gran Hermano*, grabado con mi cámara oculta, justo antes de entrar en su interior.
(Debajo) Mario Torres, el narcotraficante mexicano en el momento en que me vendió las seis niñas, de trece años, para mis burdeles. Estrujé instintivamente el paquete de cigarrillos pensando que era su cuello…

(Arriba) Uno de los folletos de España 2000 anunciando la candidatura de José Luis Roberto a la alcaldía de Paterna, pocos meses antes de los contactos del grupo ultra con el tránsfuga socialista Tamayo.

(Debajo) Instalamos cámaras ocultas en la calle para grabar a Prince Sunny cada vez que entraba y salía de su casa, antes y después de cada seguimiento del boxeador y líder de la asociación criminal Edo de Murcia.

(Arriba) Prince Sunny con Susy, que luce el collar mágico que le entregué, poco antes de que la comprase al proxeneta nigeriano, por 17.000 dólares.
(Debajo) Momento de la detención de Prince Sunny. Al descubrirme grabándole con una cámara de vídeo, su mirada destilaba odio. Supo que había sido víctima de un infiltrado.

Dos de las fotografías tomadas por la Policía Científica de los documentos falsos, matrículas, etc., incautados a Prince Sunny tras su detención. Destacan los fetiches de vudú y los eleguas, aún manchados de sangre, con los que aterrorizaba a sus prostitutas, como Susy.

Capítulo 8

Cómo importar esclavas y no morir en el intento

(Son infracciones muy graves) Inducir, promover, favorecer o facilitar, formando parte de una organización con ánimo de lucro, la inmigración clandestina de personas en tránsito o con destino al territorio español siempre que el hecho no constituya delito.

Ley de Extranjería, art. 54, b.

Paulino mantiene su agencia de noticias y su productora de televisión en A Coruña, pero en realidad nació y se crió en el pueblo de Villagarcía de Arosa, en Pontevedra, una localidad conocida en el ámbito policial como una de las entradas de droga más importantes de España. Por eso le creí cuando me telefoneó para invitarme a que le acompañase en una de sus habituales «rutas», para celebrar que había conseguido una exclusiva periodística relacionada con el narcotráfico gallego. Cuando Paulino, cuya productora llegó a trabajar para El Mundo-TV en algún reportaje, hablaba de «salir de ruta» se refería a recorrer todos los burdeles de la zona, desembolsándose auténticas fortunas que lapidaba con las rameras. Era su forma de celebrar un éxito profesional. Yo le he acompañado en muchas ocasiones y he sido testigo de su incontenible adicción. Después de visitar todos los locales de alterne, y tras haber subido hasta con tres prostitutas en el mismo burdel, aún tenía ganas de más sexo. Al final, a las 6 de la madrugada, y cuando todos los clubes habían cerrado ya sus puertas, lo acompañaba a la calle del Orzán, para terminar la noche con alguna furcia callejera. O, en el caso de no encontrar a ninguna, lo dejaba en cualquiera de los pisos clandestinos dedicados a la prostitución de A Coruña. Las conoce todas, e incluso, me indicaba cuáles de ellas pertenecían al mismo proxeneta, cuál era la especialidad de cada apartamento, o quiénes eran las mejores mesalinas y las especialidades profesionales de cada una de ellas.

—Mira, en Casa Blanca, tienes un gabinete de sadomasoquismo de la hostia en la tercera planta. La Casa Muñecas en San Diego es del mismo dueño que la que está en Vereda del Polvorín y en la calle de San Luis. Si lo que te molan son las brasileñas, en Adelaida Muro te puedes tirar a dos a la vez por 60 euros...

Paulino es un tipo lamentable, pero confieso que me resultó extremadamente útil en esta investigación. Por eso, cuando me telefoneó y me preguntó si estaba en Galicia, le mentí.

—Sí, estoy en Santiago, ¿por qué?

—Porque tengo pasta. Unos amigos míos de Villagarcía me han dejado acompañarles en un desembarco de coca, y que les grabase, y esto va a ser un pelotazo. Voy a ver si se lo vendo a Tele 5 o al Mundo, así que tenemos que celebrarlo. Te invito a cenar esta noche y te presento a unas putas que he adoptado...

—¿Que has adoptado?

—Sí, una está viviendo en mi casa. Así follo gratis. Y no veas las historias que cuenta...

Evidentemente no podía dejar pasar aquella oportunidad. Tomé el primer avión para Santiago y allí alquilé un coche. Tres horas después aparcaba frente a su productora de la calle del Alcalde Sanjurjo. Tuve que esperarle casi dos horas en el coche, pero no era la primera vez. Como todos los adictos, Paulino es un mentiroso compulsivo y carece completamente de sentido de la responsabilidad. No importaba que tuviese una entrevista profesional importante, una cita o un compromiso. De pronto, sufría un «mono» y necesitaba una dosis de sexo imperiosamente. Su adicción obnubilaba completamente su juicio y sólo podía pensar en sexo. En esos casos, acudía, según su propia confesión, a cualquiera de los pisos clandestinos en los alrededores de su productora, para conseguir una dosis de lujuria. Después volvía a la normalidad... durante un rato.

Cuando me contó la historia del desembarco de cocaína en Villagarcía, le convencí de que un amigo de un amigo de un amigo tenía un pariente en Tele 5 que podía estar interesado en comprarle las imágenes que decía haber grabado, y que resultaron ser otro de sus absurdos embustes, pero lo que a mí me interesaba verdaderamente era acceder a aquellas prostitutas que afirmaba «haber adoptado».

Éste fue uno de los frutos que pude recoger al hacerme pasar por amigo de Paulino, porque todos los adictos estiman a sus compañeros de adicción. Al menos así no se sienten tan miserables. Gracias a eso, aquella noche conocí a algunas personas que serían determinantes en esta investigación. Y aunque en muchas ocasiones sentí un impulso incontenible de estrangular a aquel adicto al sexo para desahogar con él la rabia que se iba acumulando en mi corazón a medida que avanzaba en esta infiltración, finalmente ha resultado mucho más provechoso para la misma que me tragase mi ira y agradezco a la providencia el haberme contenido. Su propia miseria y su adicción son el mejor castigo, y tarde o temprano acabará autodestruyéndose.

Cuando conducía hacia la zona de burdeles —existe media docena de ellos concentrados en pocos kilómetros—, nos cruzamos con la Guardia Civil, y me sorprendí dando un respingo en el asiento. Aquellos meses conviviendo con proxenetas, prostitutas y puteros terminaron por desarrollar en mí una auténtica animadversión a los controles de Policía. Cada vez que llevaba en el coche a alguna de mis fuentes, procuraba conducir con extremada prudencia para evitar ser parado en un control de tráfico. Porque si yo llevaba a un delincuente y por cualquier razón la Policía nos detenía, mi acompañante podía ponerse nervioso y entonces la situación podía escapar al control. Además, siempre existía el riesgo de que mi aspecto y mi actitud, que cada vez se asemejaban más a las de un verdadero chulo, levantasen sospechas en los agentes y que decidiesen registrarme. Y si me descubrían con la cámara oculta delante de los verdaderos proxenetas o puteros, toda mi tapadera se iría al traste. Por eso utilizaba siempre coches de alquiler, no me importaba que mis fuentes se quedasen con la matrícula, y por eso terminé por desarrollar el mismo sentido de alerta que poseen los delincuentes, al ver en la carretera un coche de la Guardia Civil. Aquella noche, con los nervios a flor de piel, llegamos al primer burdel de nuestra «ruta».

La primera vez que vi a Andrea fue en el club Olimpo, donde, por cierto y gracias a Paulino, terminé haciendo muy buenas migas con Iván, uno de los camareros. El productor gallego era uno de sus mejores clientes.

Andrea llamó mi atención al primer momento. Su más de metro ochenta de estatura, acrecentada por unos enormes tacones de aguja, la hacían sobresalir por encima de todas las demás chicas del local. Pero lo que verdaderamente me hizo fijarme en ella era su sonrisa. Una sonrisa enorme, resplandeciente, sincera. No había visto una sonrisa como aquélla en ningún burdel del país.

Es cierto que la mayoría de las prostitutas dibujan en sus labios una mueca, que pretende ser alegre, mientras trabajan. Es más fácil seducir a un cliente aparentando que disfrutan de su compañía que con cara de funeral. Sin embargo, esas sonrisas son tan falsas como el nombre, la edad o la nacionalidad que declaran al putero. Pero la sonrisa de Andrea tenía algo especial. Y creo que ella se dio cuenta de que había despertado mi interés, porque en cuanto nuestras miradas se cruzaron, de punta a punta del burdel, se dirigió directamente hacia mí, antes incluso de que Paulino nos presentase.

—Hola. ¿Cómo estás?

—No tan bien como tú.

—*Obrigada* —su sonrisa se convirtió en una leve carcajada—. Yo soy Andrea, ¿y tú?

—Antonio, pero todos me llaman Toni.

Muac, muac, dos besos en las mejillas y con un gesto, la invito a sentarse a mi lado.

—Gracias. ¿Vives por aquí?

—¡Qué va! Vivo en Madrid, pero estoy con este amigo que sí vive por aquí.

—Sí, Paulino viene *moito* por aquí. *E moi* putero.

—Tu acento... ¿Eres brasileña?

—Sííííí.

—Vaya, yo estuve en São Paulo hace poco...

El primer contacto con Andrea fue excelente. Imagino que se creó un buen *feeling* entre nosotros. Pero, a pesar de esa corriente de simpatía que fluía entre los dos, me resultaba imposible imaginar que Andrea terminaría convirtiéndose, poco después, en una pieza clave para mi investigación.

Charlamos durante casi veinte minutos, sin que Andrea intentase sacarme una copa, pero nuestro primer contacto no pasó de ahí. Sin embargo, un par de meses después, en un nuevo viaje a Galicia, y esta vez en compañía del agente Juan, me la encontré en otro burdel de la zona: La Fuente.

La Fuente es probablemente el prostíbulo más lujoso de todo el territorio gallego. Pertenece a Manuel Crego Gómez, vocal de ANELA en Galicia, nacido el día 20 de agosto de 1958 en Vila de Cruces, Pontevedra. Manuel, alias *Baretta* —por su parecido con el detective televisivo—, trabajaba como taxista en Vigo hace unos quince años, cuando comenzó a relacionarse con el mundo marginal de la zona. Allí conoció a la que es su esposa, Celsa B. L. —nacida en la orensana población de Vilardevos, el día 4 de octubre de 1959—. Celsa, más conocida como Elsa en estos ambientes, fue la que sugirió a Manuel que invirtiese en el negocio de la prostitución un dinero que habían recaudado con otras actividades. Así fundó la sociedad Hostenor La Luna S.L., o lo que es lo mismo, el primer macroburdel gallego, llamado La Luna, prostíbulo que presenta la placa de garantía de ANELA en su fachada.

Desde el principio La Luna siempre ha aportado pingües beneficios a Manuel y Elsa, que no tardaron en inaugurar el restaurante El Canguro, a pocos metros del lupanar. Después, ampliando sus ambiciones empresariales, entró en sociedad con José Antonio A. L., gerente del club Venus —también conocido como Hostal Condado—, ubicado en Cibrao das Viñas, en Orense. Así extendió sus dominios a un nuevo prostíbulo, el club Paraíso, en Puente Ulla, localidad de Santiago de Compostela. Tanto en el club Venus como en el club Paraíso, que visité con Paulino y Juan varias veces, la cobertura legal corre a cargo de la sociedad Cruceiro de Ulla S.L.

Más tarde, Manuel Crego adquiere la nave industrial donde se encontraba otro burdel, el club N-VI. El fracaso de este serrallo le obligó a realizar una audaz inversión —los rumores hablan de 150 millones de pesetas—, para reconvertir el mediocre club N-VI en el lujoso La Fuente.

En este local contó con la colaboración de su cuñado, Domingo B. L., que comenzó ocupándose de la seguridad del local, para prosperar hasta hacer las veces de encargado, aunque también frecuenta el pionero La Luna. El primer burdel de Baretta fue totalmente remodelado en el año 2003 con una importante inversión económica que incluye, no sólo escenario para strip-teases, nueva decoración, etc., sino también página web: www.pub-laluna.com.

Pero no es la única página web de burdeles de la familia Crego, ya que su hermano José, propietario de otros lupanares como el Scorpio o el Olimpo, en el que conocí a Andrea, es también el responsable del prostíbulo Tritón, también perteneciente a ANELA, y cuya página web: www.tritonshowclub.com, está linkeada, es decir a la que se puede acceder desde la propia página de la Asociación Nacional de Empresarios de Locales de Alterne, al igual que la de La Luna. Por cierto, en el número 3 de la revista oficial de ANELA, correspondiente al mes de junio de 2003, se entrevistaba a Manuel Crego, incluyendo una fotografía del legendario Baretta.

Sin embargo, en ese momento, yo me encontraba al otro lado de la Nacional VI, en el burdel de lujo La Fuente, que es, con diferencia, el local de mayor nivel, no sólo por la enorme cantidad y variedad de chicas que ofrece, sino porque la decoración y arquitectura del edificio sólo es eclipsada por la clase y estilo de la mayoría de mesalinas que ejercen allí. En este local todo es lujo y glamour. Hasta tal punto que, en el verano de 2003, coincidiendo con el tercer aniversario del prostíbulo, Manuel Crego contrató anuncios en la prensa gallega para publicitar la actuación de Sonia Monroy y sus Sex-Bomb en el burdel. Por aquellos días, yo me encontraba siguiendo otras pistas en Andalucía y en Valencia, y no sería hasta el día 3 de diciembre de 2003, en el decimocuarto aniversario de La Luna, cuando podría grabar con mi cámara oculta a Sonia Monroy actuando en un burdel de Crego.

Muchas de las prostitutas más atractivas, que antes trabajaban en otros clubes de la zona, terminan evolucionando en el escalafón profesional, hasta ingresar en las filas de La Fuente, donde no es difícil encontrarse a jugadores del Deportivo de La Coruña, políticos de la Xunta de Galicia, famosos empresarios gallegos, etc. Y allí estaba Andrea, con su sonrisa resplandeciente.

Esta vez fui yo el que se acercó a ella para saludarla. Afortunadamente me recordaba. Nuestra conversación sobre São Paulo, su ciudad natal, había conseguido que fijase mi rostro en su memoria. Al menos no era uno de los miles de hombres con los que entablaba una conversación banal antes de subir al reservado, cosa que por otro lado yo no había hecho. La inmensa mayoría de ellos terminan diluyéndose en el olvido de estas profesionales del sexo, que cada día pueden llegar a acostarse con cinco, diez o hasta quince hombres distintos.

Como siempre, los consejos de Juan resultaron ser proverbiales: «Si quieres que una puta te dé información, jamás, y digo jamás, te la tires». Y el caso de Andrea era un nuevo ejemplo.

Charlamos un buen rato, e incluso intercambiamos nuestros números de teléfono, algo que las prostitutas tienen completamente prohibido. Aquello me hizo concebir la esperanza de que la espectacular brasileña pudiese convertirse en otra de mis fuentes. Lo que no podía imaginar era hasta qué punto.

Al día siguiente, recibí una llamada telefónica de Andrea. Estaba asustada. Al parecer, una peligrosa mafia del Este había irrumpido en los burdeles gallegos, aterrorizando a todas las chicas. A través de ella conocí, *in situ*, mi primera mafia rusa.

Orden: asesinar a la testigo

Según pude averiguar, la organización operaba en Galicia, León, Zamora y Oviedo fundamentalmente. Traían chicas ucranianas, rusas y lituanas obligadas a prostituirse para pagar una deuda asumida en su país, a las que incautaban todo su dinero. Aún después de saldar su deuda millonaria, la mafia continuaba extorsionándolas en concepto de «protección», exigiéndoles hasta un 50 por ciento de sus ingresos.

Dos de los cabecillas de la mafia eran los hermanos Enrique y Román P. I. Este último, conocido como Víctor por las rameras, disponía de DNI 72134... y era el encargado de viajar a Ucrania a reclutar a las chicas. Para cuando yo conocí la existencia de esta mafia, Víctor disponía de un piso franco en la calle de Agustín Alfageme, nº 11, de León, y más tarde de otro en la urbanización Los Molinos, nº 1, de Cabezón de la Sal, en Cantabria. Su hermano Enrique, nacido en Rusia el día 13 de noviembre de 1963, disponía de una vertiginosa colección de antecedentes penales por todo tipo de delitos.

Otro de los cabecillas era Volodimir K., nacido en Klaipeda, en Ucrania, el día 19 de septiembre de 1962, que tenía domicilio en Gijón. Era el que controlaba los burdeles zamoranos. Sin embargo, Oleksandr —Oleksandrovich— Florevitch D. F., más conocido como *Sasha* o *Ricardo el ruso*, era el principal cabecilla de la organización. Nacido el día 6 de junio de 1961 en Tchernogov (Ucrania), se había nacionalizado español tres o cuatro años antes, y disfrutaba del DNI 7165… porque se había amparado en la nacionalidad española de su madre, Margarita Eloísa F. S., nacida en Gijón el día 19 de diciembre de 1924 y fallecida en Oviedo el 25 de agosto de 1993.

De él, según las chicas, sólo sabíamos que conducía una furgoneta Volkswagen, ACDI 19D, con matrícula LE-95…, que estaba a nombre de una empresa de recreativos (?). Sasha era un perro viejo en el negocio. Cambiaba constantemente de teléfono móvil para el que utilizaba siempre tarjetas de previo pago, con el fin de evitar que la Policía pudiese pincharle la línea. Todos los mafiosos con los que he tratado durante esta investigación hacían lo mismo. Además, usaba nombres diferentes dependiendo del móvil que utilizase: en el 630 27… atendía como Sasha, mientras que en el 676 30… lo hacía como Ricardo. Yo mismo he tenido que sufrir las dificultades de esos cambios de teléfono, a la hora de negociar la compra de fulanas para mis ficticios burdeles con otros traficantes internacionales.

Sasha estaba casado con la ucraniana Irina D., nacida en Jerson el día 29 de diciembre de 1964, con NIE: X-01893… Era conocida en el submundo de la prostitución con el alias de *Marina*. Ambos tenían un domicilio a su nombre en la calle del General Elorza, nº 86, de Oviedo, y sus nombres aparecían relacionados con varios asesinatos no resueltos, atribuidos a ajustes de cuentas entre mafiosos, en Lérida, poco tiempo antes.

Según Andrea y alguna de las compañeras que conocí en La Fuente, tras la aparición de Sasha merodeando por el burdel, aparecieron varias chicas nórdicas que empezaron a trabajar en el local de lujo coruñés. La brasileña y sus amigas me contaban cómo, algunas noches, tras cerrar al público el local, aparecía un siniestro personaje conocido como Ángel, que atemorizaba a las chicas para sacarles el dinero que habían ganado, golpeando las puertas y gritando, sin que ninguno de los vigilantes de seguridad del burdel se atreviese a hacer nada.

El tal Ángel, un tipo joven, delgado y con aspecto inocente, era en realidad Andrey D., nacido el día 7 de marzo de 1970, con NIE X-1986..., aunque también utilizaba pasaportes falsos a nombre de Andrei Marinenko y Alvydas Verdickas. Usaba el móvil 699 126... para telefonear a las chicas y aterrorizarlas con crueles amenazas, y solía ir armado. Yo me crucé con él en La Fuente y en La Luna en alguna ocasión.

El encargado de transportar a las chicas pertenecientes a esta red era Francisco A. J., hijo de Manuel y Raquel, nacido en Oviedo el día 11 de marzo de 1959, con DNI 10822... Francisco, con domicilio en Tapia de Casariego, utilizaba para los traslados indistintamente un Laguna con matrícula O-066... o un Lada matriculado O-172... Este coche era propiedad de Volodimir, aunque en ocasiones fue visto también con un Lada matrícula O-031... propiedad de un tal Alexander, que resultó ser otro alias de Sasha. Curiosamente, todos ellos, al igual que las chicas traficadas, utilizaban pasaportes con visado estampado en la embajada de España en Kiev. Alguien debería investigar quién facilitaba esos visados...

Sería muy largo resumir todas las ramificaciones de esta organización, que controlaba docenas de prostitutas colocadas en burdeles de todo el país. Algunos de ellos con placa de ANELA. Digan lo que digan José Luis Roberto y sus socios, es imposible evitar que muchas de sus fulanas sean mujeres traficadas, ya que el 90 por ciento de las mesalinas que ejercen en España son extranjeras importadas por las mafias aunque con frecuencia, debidamente aleccionadas por sus proxenetas, ellas mismas lo nieguen.

La organización funcionaba lucrativamente, hasta que una de sus chicas decidió acogerse al programa de protección de testigos y denunciar a sus traficantes. No puedo profundizar demasiado en este caso, para evitar facilitar pistas que puedan conducir a la identificación de esa joven rusa. Sólo añadiré que gracias en buena medida a la pericia del agente Juan, la Policía pudo tener conocimiento de que la organización había decidido eliminar a la testigo, antes de que pudiese declarar en el juicio contra Sasha y sus lugartenientes.

Ángel, el aniñado sicario lituano que me había cruzado en La Fuente, y un ucraniano llamado Oleksandr K., nacido el día 26 de marzo de 1976, fueron interceptados por agentes de la Brigada de Extranjería, cuando se dirigían a Ciudad Real para eliminar a la testigo. Las escuchas telefónicas a aquellos mafiosos, posibilitadas gracias a que algunas de sus fulanas facilitaron sus números de móvil, permitieron averiguar el día en que se había ordenado silenciar para siempre a la joven rusa.

Las investigaciones policiales posteriores en torno a la organización de Sasha implicaron en la trama a numerosos propietarios de burdeles españoles que, conscientemente o no, tenían en sus locales a chicas traficadas:

CLUB	LOCALIZACIÓN	RESPONSABLE	NOTAS
La Luna	Bergondo (A Coruña)	Manuel Crego Gómez	Vocal de ANELA
La Fuente	Bergondo (A Coruña)	Manuel Crego Gómez	Vocal de ANELA
Venus	San Ciprián (Orense)	José Antonio Álvarez y Manuel Crego Gómez	Sociedad interpuesta, Vocal de ANELA
Mont Blanc	Paiosaco (A Coruña)	Juan, alias *el Perro*	Encargado
Olimpo	Cortiñán (A Coruña)	José Crego Gómez	Sociedad interpuesta
Nevada	León	Mehjouba Amjahed	Mnir A. trasladó a dos chicas en su coche
M2	Santa Marta (León)	Mariano Tartilan Carriego y César Rodríguez Pastor	
Maná	Santa Marta (León)		Cambio de nombre a La Dama o América
La Habana	Ctra. Benavente, km 20		
Elefante de Oro	Coreses del Pan (Zamora)		
Galeón	Quiruesas de Vidriales (Zamora)		
Hogar Conductor	Coreses del Pan (Zamora)	Fernando Pérez Blázquez	
Olimpo	Tordesillas (Valladolid)		Cambio de nombre a Guaraní

Ante situaciones como ésta, más habituales de lo que el lector podrá imaginar, no es de extrañar que algunas prostitutas terminen viviendo aterrorizadas. En el caso de Andrea, llegó un día en que no soportó más.

Una mañana, semanas más tarde, recibí la llamada telefónica de la exuberante brasileña. Había sido trasladada a un burdel de Pontevedra y quería escapar de la red que la había traído a España, e incluso, quería huir del país. Me suplicaba que la ayudase, porque no conocía a nadie, y acordamos ejecutar su plan de fuga dos días después, en la noche del viernes al sábado. De nuevo tomé la carretera de Galicia. Tardé en llegar a Pontevedra cuatro horas, aunque luego perdí casi otras dos en encontrar el local en cuestión. De paso, di varias vueltas por la Estación de Autobuses, pero no había ni rastro de Mª Carmen, la heroinómana hermana del violador de gallinas. Inevitablemente pensé que quizá ya habría muerto. Las drogas, las palizas o incluso el VIH que imaginé en ella quizá habrían acabado ya con su terrible existencia. Al pensarlo, algo en mi interior me corroía las entrañas porque no había podido hacer nada útil por Mª Carmen. Aunque en esta ocasión yo sentía que, de alguna manera, la petición de Andrea me daba la oportunidad de redimirme.

Según lo planeado, a las seis de la madrugada debería recoger a Andrea en la parte trasera del burdel. El corazón me golpeaba en el pecho como si quisiese salir a tomar el aire. Mientras aguardaba, con las luces apagadas y el motor en marcha, desfilaban en mi mente todas las historias terribles que había escuchado sobre las mafias y los proxenetas. Recordé a Grace, la esclava de Cambre, a Nadia, la adolescente secuestrada por las mafias ucranianas a punta de pistola, y a Helen, la nigeriana lapidada en Vicálvaro. Pensé en qué ocurriría si los presuntos proxenetas de Andrea me sorprendiesen en ese momento intentando llevarme a una de sus chicas más rentables, porque estoy seguro de que Andrea tenía que ser una de las rameras más codiciadas por su belleza en los clubes donde trabajaba. Yo entonces lo ignoraba, pero Andrea había sido modelo profesional en Brasil.

El tiempo se dilata cuando pasas miedo. Además, a pesar del ronroneo del motor, a mis oídos llegaban todo tipo de ruidos sospechosos: crujidos, ladridos de perros, el viento... cualquier sonido disparaba mi imaginación, pensando que los matones del local o los proxenetas me habían descubierto y se acercaban ya a mi coche para sacarme a golpes del interior y hacerme confesar qué estaba haciendo allí. En un intento por tranquilizarme, me aferré a la misma arma que había adquirido en Madrid durante la grabación de mi reportaje sobre los skinheads como Tiger88, pero fue inútil, la tensión seguía siendo la misma.

Por fin, descubrí una sombra alta, moviéndose en la penumbra. Forcé la vista hasta identificar a Andrea. Se acercaba al coche portando dos enormes maletas, que anteriormente había escondido en un armario de la trastienda. No esperé a guardarlas en el maletero. En cuanto las arrojó sobre el asiento de atrás y entró en el coche, hundí el pie en el acelerador y salimos derrapando a toda velocidad.

Ni siquiera se había cambiado. Todavía llevaba un modelito de noche tan corto como un suspiro y unos zapatos de tacón de aguja. Se cambió mientras yo conducía de vuelta hacia Madrid. Aquel viaje fue una temeridad. Me costó verdaderos esfuerzos no dormirme por el camino. Si ya estaba cansado después de los primeros 600 kilómetros, la segunda etapa me dejó exhausto. Aquella noche también aprendí el remedio que utilizan las rameras para soportar el sueño durante las interminables noches de vigilia en los serrallos: coca-cola con café.

La alquímica mezcla de cafeínas funcionó, y soporté los 1.200 kilómetros al volante. Podríamos haber parado, pero Andrea estaba muy asustada y deseaba poner tierra de por medio lo más rápido posible. Incluso, aunque se quejaba de un fuerte dolor en la espalda, se negó tajantemente a que la llevase a un hospital. Improvisamos un vendaje sobre la marcha y se tomó media caja de analgésicos. Andrea, como todas las prostitutas que han tenido que vivir entre palizas, golpes y sufrimiento, es mucho más dura y fuerte que cualquier hombre que haya conocido.

Cuando llegamos a Madrid, la alojé en mi apartamento, donde pasaría los tres días que tardamos en conseguir que saliese hacia Italia, donde vivía su hermana. Posteriormente, desde allí marcharía de vuelta a Brasil, donde yo le enviaría por correo las pertenencias que no pudo transportar con ella.

Juro que durante esos tres días Andrea y yo no mantuvimos relaciones sexuales, a pesar de dormir juntos. Supongo que podríamos haberlo hecho, y confieso que a mí no me habría disgustado. Yo no tenía pareja ni más compromiso que mi propia autoestima, pero creo que habría sido incorrecto abusar de su agradecimiento porque en el fondo, ella ya me pagaba con creces con la información y los contactos dentro de las mafias que su amistad me proporcionaba.

Andrea, una modelo porno soñadora

Andrea había nacido a las tres de la madrugada del día 30 de abril de 1975 en São Paulo. Su padre, Querino, era un humilde motorista originario de Nova Trento, en Santa Catalina, y su madre, Natalia, ama de casa, también había nacido en Santa Catalina. En su tierra natal había estudiado mecanografía e informática, e incluso había trabajado en las empresas IBOPE y NIFFA de Porto Alegre hasta 1996. Siempre fue una buena estudiante. Me consta porque Andrea lleva consigo todos sus enseres personales, y conserva, como recuerdo de su infancia, sus notas escolares. Sus calificaciones destacaban, con media de notable, en las asignaturas de educación artística, historia y física. Le encantaba la poesía, se sabía de memoria casi toda la obra de Paulo Coelho y soñaba con mundos románticos y amables, que nunca llegaría a conocer en la vida real. De hecho, no entendía bien el significado de la palabra «amable» en castellano.

Las malas compañías terminaron por empujarla al mundo de la marginación, hasta llegar a coquetear con algunas de las bandas del crimen organizado nutridas por cientos de desesperados y desesperadas que crecen como hongos en las pútridas favelas brasileñas. Su físico espectacular la convertía en una excelente candidata para el negocio del sexo, y alguien, cuyo nombre nunca se atrevió a revelarme, la introdujo en el mundo de la prostitución y de la pornografía.

Cuando se quiso dar cuenta, en el año 1999, ya trabajaba como modelo erótica para revistas brasileñas como *Sexy* o *Ele e Ela*. Sin embargo, su gran oportunidad llegaría en el año 2000, al ser escogida como una de las modelos que podría posar para la famosa revista pornográfica *Hustler*, fundada por el magnate de la industria del porno norteamericano Larry Flynt, cuya vida ha sido llevada al cine de la mano de Woody Harrelson, a las órdenes de Milos Forman. Curiosamente, con el tiempo, y mientras investigaba el mundo del porno en relación a la prostitución, yo terminaría por conocer a la representante oficial de *Hustler* en Barcelona.

Desgraciadamente, el destino deparaba una amarga sorpresa a la brasileña. Andrea trabajaba en la noche y se había convertido en una profesional del sexo, por lo que la noche del 21 de abril del año 2000, recibió una brutal paliza en la discoteca Bunker, ubicada en la calle de Raúl Pompéia, nº 94 de Copacabana, a manos de uno de los guardias de seguridad del local. Cuando Andrea recobró el conocimiento, su cuerpo estaba cubierto de moratones y escoriaciones, que ni el mejor maquillaje podía disimular.

Según un telegrama de la agencia Promodel de Copacabana, que Andrea me facilitó —como otros documentos que certifican su historia—, a las 17:21 horas del día 27 de abril debería haberse celebrado la sesión fotográfica acordada con el representante de *Hustler*, para decidir si Andrea viajaba a EE. UU., con objeto de iniciar su carrera como modelo en América. Pero su estado físico, a causa de la paliza, hacía imposible la sesión de fotos. Por eso, en lugar de a EE. UU., Andrea fue enviada a Madrid el día 20 de diciembre del año 2000, a bordo del vuelo Iberia-6800 que despegaba de Río de Janeiro a las 17:10 horas. A las pocas horas de llegar a la capital española, volaría, en el vuelo Iberia-546, hasta Santiago de Compostela, donde empezaría inmediatamente a trabajar en los burdeles gallegos en los que yo la encontré tiempo después.

Una de las cosas más sorprendentes que conocí, a través de Andrea, es que existen todo tipo de parásitos y vividores, además de los propios proxenetas y traficantes, que explotan a las prostitutas. Porque las meretrices no sólo existen cuando ejercen como tales. Antes de las seis o de las siete de la tarde, y después de las cinco o de las seis de la madrugada, las profesionales del sexo continúan existiendo. No desaparecen del planeta sólo porque los varones ya no necesitemos sus servicios y les neguemos hasta el derecho a existir. No se desintegran en la nada, ni son escondidas en un armario que tan sólo vuelve a abrirse cuando deben vestir de nuevo sus ropas provocadoras, para acudir al burdel, con objeto de satisfacer las necesidades sexuales de los hombres. Existe una vida para esas mujeres, antes y después del club, aunque a nadie le importe. A nadie, salvo a los parásitos sociales. Por si no tuviesen bastante con ser traficadas, explotadas y humilladas hasta la locura por las mafias, otra legión de vampiros intenta estafarles el poco o mucho dinero que pueden obtener vendiendo su cuerpo.

Andrea fue la primera en revelarme que existían abogados que acudían a los burdeles para dejar a las prostitutas las tarjetas de sus bufetes, prometiéndoles que podrían conseguirles la nacionalidad española por un módico precio. Yo mismo terminaría contratando los servicios de uno de esos malnacidos, oculto bajo un ridículo pero convincente disfraz, para demostrar cómo venden a precio de oro a las inmigrantes impresos y documentos sin ningún valor legal. Existen también representantes comerciales, que acuden a los burdeles para vender a las chicas zapatos, ropa, o perfume al doble o triple de su valor real. Se aprovechan de que muchas de ellas, cambiando de club en club, haciendo «plaza» cada veintiún días, no saben ni en qué ciudad están. Alejadas de los núcleos urbanos, no pueden acceder a las tiendas normales, y se ven obligadas a comprar los productos de esos estafadores. Pero uno de los parásitos sociales de las fulanas que más me sorprendió fueron los videntes.

Supongo que la marginación, el sufrimiento y la soledad hacen que las personas desvalidas se vuelvan más supersticiosas y clamen al cielo en busca de la ayuda y el consuelo que no encuentran en la tierra. De los hombres sólo pueden esperar... nada. Son un trozo de carne que se utiliza para eyacular, y después se aleja, e incluso se reniega de su existencia. Por otro lado, la inmensa mayoría oculta a sus familias y amigos cuál es su verdadera profesión. Y qué decir de sus jefes. Está claro que ninguna de ellas va a acudir al proxeneta para consultarle sus problemas o en busca de esperanza. Ahí es donde aparecen los parásitos del espíritu, los vampiros de la fe, los traficantes de ilusiones.

Existe un extraño vínculo invisible entre el mundo de las videntes y el de la prostitución. Y no me refiero sólo a que los anuncios de adivinos se maqueten al lado de los de las rameras en todos los periódicos del país. Ni a que muchas videntes, entre ellas la bruja televisiva más famosa de España —antigua trabajadora del Apandau de Barcelona—, provengan del mundo de la noche. Me refiero a algo más siniestro.

No sólo las mafias nigerianas utilizan las creencias y supersticiones sobrenaturales para aprovecharse de las prostitutas. Casos como el de la colombiana «satánica» que conocí en la redada del club Lido, o las nigerianas a cuyo ritual de brujería asistí en La Milagrosa, son mucho más frecuentes de lo que imaginaba. Pero ninguna historia me pareció tan sorprendente como la que descubrí a través de Andrea.

Andrea conoció a la vidente Vera, el mes de febrero del año 2001, a través de una de sus compañeras de La Fuente. Aquella chica tenía un altar a la diosa Pombayira en el dormitorio del burdel, una de las divinidades más importantes del panteón afrobrasileño. Al igual que ocurre con la santería cubana, o el vudú haitiano, los esclavos negros importados a Brasil sincretizaron sus dioses africanos con las divinidades precolombinas y con el santoral cristiano, dando lugar a religiones como la Umbanda, el Camdomblé, la Macumba, etc. Por eso aquella imagen de la Pombayira velaba los sueños de Andrea y de su compañera de dormitorio en el burdel, cada noche, flanqueada por varias velas blancas. Aquella chica, brasileña como ella, pertenecía a una especie de seudosecta espiritista y viajaba a Vigo una vez por semana, al igual que otras muchas chicas, para encontrarse con su consejera espiritual, la tal Vera. Un día, Andrea decidió acompañarla.

En Vera encontró, o eso creía, la madre protectora que tanto añoran todas las cortesanas. Ella les daba consejo y realizaba todo tipo de rituales mágicos y de protección, con objeto de que las mesalinas ganasen mucho dinero, no fuesen maltratadas por los proxenetas o incluso, conociesen a un buen hombre que las sacase del oficio. Todo ello, a cambio de un módico precio... o no tan módico.

Andrea fue admitida en la comunidad de Vera, y como distintivo de esta insólita hermandad, le fue entregado un colgante, que yo posteriormente vería en el cuello de otras prostitutas. Se trata de una estrella de seis puntas, con un hexágono central. Todas las «hijas» espirituales de Vera llevan ese amuleto. Claro, que para lucirlo antes deben abonar las 10.000 pesetas de su importe.

Durante varios meses, Andrea frecuentó la consulta de Vera en Vigo, junto con otras muchas prostitutas. Allí no sólo pudo adquirir amuletos, perfumes mágicos o rituales esotéricos. Vera, aprovechando la confianza que depositaban en ella las supersticiosas meretrices, les vendía ropa o joyas, de la misma forma y al mismo precio abusivo que los comerciantes que visitan los burdeles, sólo que ella utilizaba un argumento de venta mucho más ingenioso. Convencía a las chicas de que todas ellas eran una Pombayira, y debían vestir unas ropas y joyas que agradasen a los espíritus. ¿Y quién podía asesorarlas mejor que una médium sobre lo que agrada o no a los espíritus? Casualmente, Vera también importaba prendas de lujo desde América —aunque apuesto a que las compraba en cualquier mercadillo de Pontevedra—, y podía facilitar a sus chicas los vestidos más apropiados para conseguir el favor de Pombayira.

No sólo eso, con la excusa del poder mágico del número siete, y como golpe de efecto para reforzar la credulidad de sus clientas, aseguraba que todos sus trabajos mágicos tenían que ser abonados en clave de siete. Y Andrea, como otras muchas furcias estafadas por Vera, pagaba ridículos rituales mágicos a 77.777 pesetas por ceremonia. En el caso de Andrea, cuando se dio cuenta del engaño, se había gastado más de 700.000 pesetas en la médium. Y aunque yo conocí al menos otras dos fulanas brasileñas que frecuentaban periódicamente la consulta de Vera en Vigo, es imposible calcular cuántas prostitutas están siendo estafadas por la meiga gallega. Ojalá algún día los dioses del panteón afrobrasileño hagan que Vera tenga que pasar por la misma humillación que sus clientas. Ojalá la Pombayira consiga que Vera se vea en la necesidad de vender su cuerpo a los mismos hombres que sus estafadas, para aprender a valorar el sufrimiento y la vergüenza que les cuesta ganar cada euro. Y ojalá padezca 77.777 veces cada mentira y cada engaño con los que exprime la fe, la esperanza y la credulidad de sus «ahijadas espirituales».

Pacto entre traficantes

Los tres días que Andrea pasó en mi apartamento fueron para mí un curso acelerado de proxenetismo. Además, en Madrid vivían algunas amigas suyas, compañeras de «plaza» durante algún tiempo, y también chulos y proxenetas que accedió a presentarme. Gracias a ella pude asistir a una insólita reunión, en un céntrico restaurante madrileño. Andrea me presentó como un novio suyo «metido en el negocio» y nos reunimos en el restaurante Ginos, ubicado dentro del centro comercial City-Vips de la calle de Fuencarral. Uno de los comensales era español, Rafael, y el otro latinoamericano, David. Discutían la mejor forma de introducir en España un cargamento de nigerianas. Decidieron que la partida estaría compuesta de seis chicas que harían pasar por las componentes de un ballet tradicional africano, que venían a asistir a un festival étnico que se celebraría poco después en Madrid.

Al parecer, el americano contaba con una tapadera excelente porque era representante artístico. Según explicaba, conseguía contratos falsos que permitían que las chicas entrasen en el país como bailarinas exóticas. El español, al parecer, disponía de los contactos necesarios para colocar a las prostitutas en los burdeles, además de conseguir pasaportes falsos para ellas, una vez que estaban en España.

Yo no comprendía para qué querían los pasaportes falsos si ya habían entrado en el país; por eso, la respuesta del americano me dejó atónito. En realidad, la estrategia consistía en falsear su regreso a Nigeria. Una vez colocadas en diferentes burdeles, los pasaportes eran enviados a un *connection-man* en Abuja para que fuesen entregados en diferentes comisarías de Policía, como si hubiesen sido extraviados accidentalmente por sus propietarias. Eso significaría que habían regresado a su país, y nadie pensaría que estaban siendo prostituidas en Europa.

En aquella reunión aprendí lo que era el espacio Schengen, un territorio interfronterizo en Europa, utilizado por las mafias para facilitar el ingreso de las mujeres traficadas en nuestro país o en cualquier otro perteneciente a la Comunidad. Conocí así la rutina habitual a la hora de captar, transportar y colocar a las adolescentes nigerianas en el viejo continente.

En primer lugar, un nativo de la misma aldea o ciudad era contratado para buscar a jóvenes africanas cuyas familias viviesen la mayor penuria económica, o no, y les ofrecía viajar a Europa para hacerse millonarias. Para mi sorpresa, en la mayoría de las ocasiones se informaba a las chicas sobre el «trabajo» que iban a desempeñar; sin embargo, se las engañaba en cuanto a las condiciones. Si aceptaban acompañar al traficante en su viaje al paraíso europeo, cada una de ellas debería aceptar una deuda de entre 35.000 y 40.000 dólares, que tendría que pagar a través de su ejercicio de la prostitución. A las chicas se les decía que en Europa se gana tanto dinero, que en unos pocos meses la deuda habría sido saldada, y a partir de ese momento, todo el dinero que ganasen sería para ellas y para sus familias. Sin embargo, la realidad es que la mayoría se pasan la vida pagando.

Una vez aceptado el trato, la familia sería considerada como una garantía de pago, es decir, si la joven se negaba a seguir trabajando para nosotros, o nos denunciaba a la Policía, tendríamos el derecho de ejecutar a sus familiares. Y para sellar el pacto, cada una de ellas sería conducida a un brujo nativo, donde se confeccionaría su *body*, mediante un brutal ritual de vudú. Cuanto más salvaje y sangriento, mejor. El alma de la muchacha sería apresada por el hechicero, que fabricaría un siniestro fetiche con la sangre menstrual, pelo, uñas, piel, y otros elementos de las chicas.

Posteriormente el *connection-man* obtendría la documentación falsa que fuese pertinente, y el *sponsor* se ocuparía de organizar el viaje hacia el viejo continente, bien por la ruta terrestre —atravesando Níger, el desierto del Sahara, Argelia y Marruecos, para luego entrar en España en patera—, o bien por la ruta aérea. En este caso, deberíamos utilizar los aeropuertos de Génova, Zúrich y París. No existen vuelos directos entre Nigeria y España.

La lengua oficial en Nigeria es el inglés, aunque se conocen más de 250 dialectos diferentes, así que una vez en

España las chicas dependerían totalmente de nosotros. Solas, asustadas, desconocedoras del idioma, las costumbres y hasta del país en el que se encuentran exactamente, nosotros seríamos sus únicos protectores, lo que facilitaría enormemente su obediencia. No obstante, todas serían sometidas a nuevos rituales de vudú, ya en España, para reforzar el terror, y recordarles que sólo eran pedazos de carne sin alma, hasta que saldasen la deuda.

Una vez en Europa una *mamy* o un *master* se ocuparía de vigilarlas y controlarlas para evitar rebeldías. Se les incautarían los pasaportes y se las colocaría en pisos de nuestra confianza, sin teléfono ni acceso a nadie que no fuésemos nosotros, que naturalmente tendríamos el derecho de acostarnos con la que nos placiese, cuando y como nos apeteciese. El sueño de la mayoría de los varones. Por último, las instruiríamos en lo que tendrían que decir si alguien les preguntaba: jamás dirían la verdad. Tendrían que mentir sobre su nacionalidad, sobre su nombre y sobre cómo habían llegado a España y el tiempo que llevaban aquí. Y por encima de todo, jamás reconocerían haber sido traficadas, de hecho la mayoría desconoce el significado de esa palabra. Afirmarían haber venido por su voluntad y sentirse muy satisfechas y agradecidas por tener la oportunidad de someterse a las vejaciones y humillaciones de los hombres blancos.

Durante el inicio del tráfico de africanas para las ramerías españolas, allá por los años 1995 y 1996, las chicas reconocían su origen nigeriano. Pero ante la afluencia de solicitudes de asilo, éstas comenzaron a ser sistemáticamente rechazadas, por lo que los traficantes indicaron a las jóvenes que debían identificarse como procedentes de Liberia, país al que no podrían ser repatriadas debido al conflicto bélico en el que está sumido. A partir de los años 1996-1997 desaparecieron las nigerianas, al mismo tiempo que centenares de seudoliberianas empezaron a presentarse en la Oficina de Asilo y Refugio de Madrid. Pronto esta avalancha de solicitudes de asilo provocó infinidad de «inadmisiones a trámite», por lo que, de repente, comienzan a desaparecer las refugiadas supuestamente llegadas de Liberia y aparecen las que decían provenir de Sierra Leona, otro país sin posibilidad de extradición a causa de la guerra.

No obstante, y dejando al margen las triquiñuelas de los mafiosos para evitar la extradición de sus busconas, lo cierto es que cuando un país sufre un cataclismo económico o social, las mafias del tráfico de mujeres acuden como buitres carroñeros para reclutar a su población femenina. Ocurrió con Rusia y con todos los países del Este que, tras la caída del muro de Berlín, nutrieron con sus jóvenes el mercado europeo de la prostitución y la pornografía. Ahora empiezan a abundar las argentinas...

El negocio resultaba redondo. Un cargamento de media docena de adolescentes, disfrazadas como un ballet tradicional africano que viene a un festival cultural en Madrid, a 40.000 dólares cada una, nos supondría 240.000 dólares, es decir, más de cuarenta millones de pesetas. Sin embargo, siempre será más, porque con el paso del tiempo, las chicas nunca saben con exactitud cuánto dinero han pagado ya y cuánto les resta. Además, el verdadero negocio está en revenderlas en España.

Una chica hermosa y «trabajadora» puede acostarse cada día con diez o quince hombres distintos. Tirando por lo bajo, un servicio completo oscila entre los 30 euros de la calle y los 60 de un club. Supongamos que gana unos 500 euros al día y que, en un derroche de generosidad, la dejamos descansar un día de cada siete. Tendríamos unos ingresos de 3.000 euros a la semana, o lo que es lo mismo, unos 13.500 euros al mes por cada una. Sólo con este cargamento de seis chicas, nos embolsaríamos unos 81.000 euros al mes, trece millones y medio de pesetas, como poco. Aunque hay que descontar los gastos de transporte, manutención, alojamiento, etc., sigue siendo un negocio redondo se mire como se mire, ¿no? Afortunadamente los proxenetas no lo tienen tan fácil...

Naturalmente, el buen traficante debe saber escoger la mercancía. Me recordaba una forma de nazismo. Sólo las más hermosas y los mejores cuerpos tienen una posibilidad. El resto están condenadas a un holocausto paulatino. Sólo les queda la oportunidad de ofrecer servicios que no quieran aceptar las más guapas: sadomaso, griego, sexo sin preservativo, lluvia dorada, coprofilia, bondage, humillación, tríos, etc. Evidentemente su destrucción psicológica es más rápida. Pero ¿a quién le importa? En el lugar del que vinieron hay miles esperando engrosar las filas de los traficantes. Tiene muchos menos riesgos que el narcotráfico o el tráfico de armas. ¿Quién puede pedir más?

Pero, por si esto no fuese bastante, lo verdaderamente ingenioso es que, cuando nos hayamos aburrido de las chicas, y aunque su deuda no haya sido abonada, podemos venderlas al propietario de algún burdel, renegociando el precio. Es decir, si al cabo de los meses, las chicas ya nos han abonado varios miles de dólares de la deuda establecida, supongamos que 15.000, podemos venderlas a algún otro proxeneta por 30.000 dólares, o por lo que nos dé la gana, en lugar de por los 20.000 o 25.000 que restan de su deuda. Esto nos hace ganar más dinero, lo que repercute evidentemente en agravar la deuda de las esclaviza ya que a su nuevo propietario será a quien tendrán que satisfacer a partir de ese momento. Ese nuevo propietario podrá venderlas a su vez a un tercero, o a un cuarto, y así las deudas originales se dilatan hasta perder toda referencia lógica, y las chicas se pasarán años y años pagando por ser utilizadas como esclavas sexuales por los cultos y civilizados hombres blancos del viejo continente.

Aprendí que nuestros mayores enemigos eran la Policía Judicial, la Brigada de Extranjería, y sobre todo, las organizaciones no gubernamentales como ALECRIN, empeñadas en hacernos perder el dinero invertido en el viaje, la documentación falsa y la manutención de las chicas, con la absurda pretensión de liberarlas. Pero, ¿para qué querían liberarlas? La mayoría son analfabetas y no sirven para nada más que para abrirse de piernas. ¿Por qué se empeñan esas feministas en contrariar el destino para el que han sido creadas si no tienen otro fin que el satisfacer sexualmente al hombre? Además, como en Nigeria están sometidas a la ablación de clítoris, la lapidación, la poligamia islámica, y cosas por el estilo, deberían estarnos agradecidas por darles una oportunidad de sobrevivir en Europa... así razonan los traficantes.

Descubrí que asociaciones de empresarios como ANELA resultan de gran ayuda y llegan a ser nuestros aliados, sean ellos conscientes o no. Al fin y al cabo, necesitamos a los locales de alterne para ganar más dinero porque el precio de un servicio se duplica en muchos clubes. Incluso coincidimos con ellos en no reconocer delante de nadie que nuestras chicas son mujeres traficadas sino más bien, como pretenden los empresarios del sexo, «putas vocacionales» que voluntariamente han escogido la prostitución como un «empleo digno y gratificante»... Lo único que no tengo claro es por qué, en el fondo, a estos honrados empresarios no les termina de gustar que sus hijas o sus madres participasen de tan noble empleo. Al fin y al cabo, qué mayor orgullo para un padre ver que su hija trabaja en el negocio familiar.

Es indudable que la clave de un buen lupanar está en la variedad, de hecho, los grandes empresarios poseen no uno, sino varios clubes de alterne, que además están estrechamente relacionados con burdeles de otros países como Francia, Italia, Holanda, etc., con objeto de poder intercambiarse las chicas para que la carne fresca fluya en los supermercados del sexo. Este trasiego obliga a que las chicas viajen mucho de club en club y de país en país, por lo que nuestras «zorras» necesitan documentos falsos. Afortunadamente, todas las mafias incluyen entre sus colaboradores tanto a abogados, como a falsificadores profesionales, capaces de obtener todos los documentos que sean precisos para que las chicas puedan cruzar las fronteras sin problemas con la ley. El precio de un pasaporte falso oscila entre los 2.000 y 3.000 dólares. Los hay más baratos, sobre todo, los de países africanos, pero son de peor calidad.

Las partidas de nacimiento falsas también son muy cotizadas, y resultan más económicas, porque se sitúan en torno a los 300 dólares. Su utilidad, así como la de los falsos carnets de partidos políticos, es la de ser presentados en la Oficina de Asilo y Refugio. En la época en que las nigerianas aún se confesaban como tales, tenía mucho éxito el carnet del Movement for Survival of Ogoni People (MSOP) y el de Campaign for Democracy, asociaciones políticas perseguidas por el tirano represor, a causa del cual las futuras prostitutas pedían asilo político en España. Al principio, algunas colaban, pero era tan descarado el tráfico, compra-venta y alquiler de aquellos carnets entre las mafias, que terminó por descubrirse el truco.

En aquella cena, por encima de todo, aprendí a valorar más conscientemente los riesgos del mundo en el que me estaba metiendo, porque cada vez que el tipo que tenía enfrente alargaba el brazo para servirse una copa de vino, podía ver con toda claridad la pistola que llevaba oculta bajo la chaqueta y confirmar que no se trataba de un revólver, sino de un arma semiautomática que, a juzgar por el cargador, debía alojar unas quince balas de gran calibre. Un 38 probablemente. Creo que se me cortó la digestión. No es fácil degustar la comida cuando la compartes con un traficante armado.

Como ya he dicho, a pesar de no coincidir con la opinión policial, mi experiencia personal me ha convencido de que la mayoría de los traficantes de mujeres practican otros delitos. Podría contar mil anécdotas que ilustran esta afirmación. Por ejemplo, uno de aquellos contertulios, Rafael, estaba metido también en el negocio de las armas. Sólo unos días después de aquella cena, me llevó al ático de un bloque de apartamentos. Se había empeñado en mostrarme algunas pistolas para venderme un arma. Ya habíamos bebido dos botellas de Cigales, un exquisito rosado vallisoletano, durante la cena, e imagino que eso explica el peligroso despiste de Rafael, que es, por otro lado, un gran coleccionista, amante de los mejores caldos y experto enólogo. La opípara cena y el exceso de alcohol me habían producido un incómodo ataque de hipo, que me confería una apariencia muy ridícula al intentar meterme en el papel de un peligroso proxeneta.

En la sobremesa, aquel tipo sentado justo frente a mí me mostró todo tipo de armas. Desde una temible «pajillera», hasta un poderoso Magnum 45. Pero el incidente se produjo cuando sacó una pequeña Astra del calibre 9mm. La pistola estaba amartillada y aunque sacó el cargador, mientras me la enseñaba, apretó el gatillo. La detonación fue atronadora y la bala atravesó la mesa, rozándome la rodilla derecha. El tintineo del casquillo, al caer al suelo, resonó en mis oídos como la campanilla del monaguillo en un funeral. Mi funeral.

Ambos nos quedamos petrificados, mientras el proyectil silbaba hasta detenerse a mis pies. Todavía conservo esa bala —engarzada a mi cuello como amuleto—, que pudo haberme destrozado la rodilla en el mejor de los casos, y consideré que era como una señal de que estaba tentando demasiado la suerte. Mi pobre ángel de la guarda empezaba a quejarse del exceso de trabajo...

Lo increíble es que, a pesar del atronador sonido del disparo, y de que ya era medianoche, nadie en el edificio se inquietó por el incidente. Nadie llamó a la Policía. Ignoro si estaban acostumbrados a escuchar detonaciones de bala en aquella vivienda pero, al menos en aquella noche, nadie se interesó por el origen del tiro. A mí se me quitó el hipo de golpe.

De alguna manera, en aquella primera cena con los amigos de Andrea —días antes del incidente del disparo— aprendí todo lo que un traficante de mujeres debe saber del negocio. Un par de meses más tarde, utilizaría todos los conocimientos adquiridos para simular una negociación como un auténtico traficante.

Mientras disfrutábamos de la cena italiana del Ginos, nadie podría haber adivinado el contenido de nuestra conversación. Parecíamos un grupo de ejecutivos, aunque uno de ellos fuese armado, manteniendo una animada conversación. Y es que los mafiosos y traficantes de mujeres viven completamente integrados en la sociedad. A pesar de tratarse de uno de los tipos de criminal más cruel y deleznable que existe, nada lo identifica. Viven a nuestro alrededor, en nuestras ciudades. Son nuestros vecinos. Bailan en nuestras discotecas, comen en nuestros restaurantes, duermen en nuestros hoteles, se divierten en nuestros cines. Aparentan ser respetables empresarios, ciudadanos modélicos y sin embargo, son los causantes de una fuente inagotable de dolor, de océanos de lágrimas, de kilómetros de desesperación. Aquella cena, de color gris tristeza, me dejó un amargo sabor a melancolía en el paladar.

Poco después acompañé a la brasileña para el inicio de su nueva vida. Me despedí de Andrea en la estación de autobuses de Madrid, justo antes de que partiese hacia Italia. Me regaló un álbum con algunas de sus pruebas fotográficas como modelo porno, elocuentemente obscenas, y un libro de poesías en portugués. Era su forma de agradecer mi ayuda. Antes de marcharse me dijo una de las cosas más tristes que he escuchado en el transcurso de esta investigación.

—Perdón por desconfiar de ti, pero te portabas bien conmigo *e* a mí me enseñaron a desconfiar *das* cosas buenas... Me pasaron tan pocas cosas buenas en la *mia* vida que *non* sé cómo hay que comportarse cuando ocurren.

Después me dio un beso y subió al autobús. No fui capaz de controlar las lágrimas que se derramaban por mis mejillas, como si fuese un estúpido sensiblón. Pero no lloraba por Andrea, que al fin y al cabo partía hacia una vida mejor, sino por todas las Andreas que nutren los burdeles del mundo. Cientos de meretrices, miles de mesalinas, millones de Marías Magdalenas que no tienen un Jesucristo que las redima de sus pecados, ni que les ofrezca consuelo y amor desinteresado. Supongo que yo intento ser, al menos, el hagiógrafo que transcriba sus historias.

Creo que ni yo, ni ningún hombre, ni tampoco ninguna mujer que no haya ejercido este «oficio», podremos llegar a comprender jamás el sufrimiento que se va acumulando en el corazón de estas chicas, que va surcando su alma de mil heridas y desengaños que nunca cicatrizan del todo. Como las marcas que dejó la cuchilla en las muñecas de Carmen, la empleada de ALECRIN, que un día pensó que la mejor salida para una vida como prostituta era la muerte. Afortunadamente, se equivocaba.

No esperaba aquella llamada de Susy, que me hizo olvidarme por unos momentos de Andrea, para concentrar toda mi atención de nuevo en Murcia. Seguíamos hablando por teléfono algunas veces, con objeto de mantener fresco el contacto, pero en esta ocasión, era ella la que llamaba para darme una noticia imprevista. Sunny, el proxeneta nigeriano más importante de la región, quería conocerme.

Por un lado, era una buena noticia. El traficante había mordido el anzuelo de las tarjetas de crédito que yo le había hecho ver a Susy intencionadamente. Pero por otro, no me hacía mucha ilusión encontrarme con el boxeador, mientras yo llevara encima una cámara oculta. Quedé con Susana en que nos encontraríamos en Murcia tres días después, aunque en realidad tardé uno sólo en regresar a su ciudad. Necesitaba averiguar todos los datos posibles sobre Sunny antes de nuestro encuentro. Quería saber todo lo que pudiera sobre mi adversario y acudí a todas las fuentes posibles para averiguarlo.

Harry, el africano que me había marcado a Susy meses atrás, terminó considerándome un «colega» en el negocio del tráfico de mujeres, y poco a poco fui teniendo conocimiento de muchos otros miembros de la comunidad nigeriana, vinculados directamente con Sunny, como Prince K. O., afincado en Madrid con NIE: X2862...; o los «jefes» establecidos en Sevilla y Málaga respectivamente, Olumyiwa A., con NIE: X2720... y Oni O. O., con NIE: X3082... También supe que la encargada de enviar a las chicas a Alemania desde Málaga era Eunice O., con NIE: X3461... y que había otros «colegas» ubicados en Murcia, como Jude N. y Nnamdi Ch. O. Este último con NIE: X1553...

Gracias a todos ellos y a algunas prostitutas nigerianas compañeras de Susy en el Eroski, por fin estaba en disposición de elaborar un perfil biográfico de mi objetivo que, en realidad, coincidía con el de miles de inmigrantes ilegales que convierten el tráfico de seres humanos en su *modus vivendi* una vez llegan a Europa.

Prince Sunny nació el día 17 de febrero de 1976 en Benin City, capital del estado de Edo, siendo el menor de cuatro hermanos —tres de ellos chicos y una chica—. Ni su padre, Jacob, ni su madre, Agnes, pudieron soñar jamás con que su hijo tuviese la oportunidad de emigrar a España, pero durante los años noventa, miles de chicos y chicas nigerianos, alentados por historias fantásticas sobre el paraíso europeo, habían decidido perseguir su sueño de un futuro mejor. Poco a poco, todos los amigos, vecinos y compañeros de colegio de Sunny fueron desapareciendo de las calles de Benin City.

Con apenas veinte años, ganaba algunos dólares rompiendo caras en el ring. Era fuerte y no tenía miedo, pero aquellos ingresos a duras penas le permitían mantener a su joven esposa, Sandra —que era funcionaria del estado—, y al hijo que acababan de tener, Junior. Un buen día, alguien le habló de España. Alguien le dijo que era un país fantástico donde se podía ganar mucho dinero y la vida era color de rosa. Sólo tenía que llegar hasta la frontera, saltar una valla en un lugar llamado «Zuta», o algo así, y automáticamente sería recibido con los brazos abiertos, le entregarían papeles y un trabajo y empezaría a hacerse rico. Y Sunny, como miles de jóvenes similares, se creyó todas aquellas patrañas, y se despidió de su joven esposa y de su hijo para iniciar un viaje atroz y despiadado, en busca de un sueño inexistente.

Naturalmente, sus consultas en el consulado español de Lagos resultaron totalmente estériles. De hecho, no conocía a nadie que hubiese conseguido jamás un visado para España siguiendo los cauces legales. Sus amigos comentaban con sorna que el día que la embajada de España en Abuja —que evidentemente no realiza este tipo de gestiones—, o el consulado de Lagos, decidiesen emitir un visado, tendrían que llamar a Madrid para que les explicasen cómo se hacía. De todas formas, puesto que Sunny provenía de una familia humilde, aunque hubiese conseguido el utópico visado, tampoco tenía dinero para pagarse un viaje en avión. Así que sólo le quedaba un camino para acceder a ese lugar idílico y maravilloso llamado España.

Al igual que miles de nigerianos antes y después que él, Prince Sunny se enfrentaba a una caminata brutal, teniendo que recorrer cientos de kilómetros a pie, y aprovechando cualquier medio de locomoción que le ahorrase algo del interminable trayecto hacia el paraíso europeo, ya fuera en coche, en camello, en moto o a caballo. Al fin, se gastó el poco dinero que había ahorrado para el viaje en pagarse el «lujo» de ir hacinado en un camión destartalado con docenas de hombres y mujeres amontonados como bestias, para recorrer algunos kilómetros de desierto a bordo del mismo.

El resto del camino se vio obligado a hacerlo a pie, con lo que supone tener que beberse los propios orines ante la falta de agua en el impío Sahara, y seguir adelante a pesar de los siniestros y frecuentes montículos que jalonan el camino de tumbas excavadas en la arena con las manos, en las que una piedra intenta evitar que el viento arrebate una foto o el pasaporte del fallecido. Cientos de muertos anónimos, que han perdido la vida persiguiendo el sueño europeo y cuyas fotos miran con atención los peregrinos que se cruzan con ellas, como Sunny, con objeto de informar a sus familiares, en caso de reconocer al difunto.

Cada una de aquellas sepulturas, tocadas por la improvisada lápida de papel, parecía una advertencia. Desde aquellas fotos, sujetas con una piedra, los mártires de la esperanza parecían querer alertar a Sunny contra las penalidades que le aguardaban si decidía seguir adelante en su empeño de alcanzar el paraíso. Pero Sunny había aprendido a encajar los golpes de la vida, como encajaba los puñetazos de sus adversarios en el cuadrilátero, y nunca había tirado la toalla.

El trayecto desde Benin City hasta Agadez, en Níger, fue relativamente sencillo. Desde allí hasta Argelia, las cosas empeoran mucho. Además del desierto, las bandas de ladrones arrebatan a los aspirantes al primer mundo los pocos enseres de valor o dinero que lleven encima en su peregrinaje hacia el paraíso. Dicen que los peores son los mismos soldados argelinos, que violan a las mujeres y a veces también a los hombres, antes de robarles. Pero Sunny era fuerte y robusto, un luchador profesional. No temía a los ladrones. Sus verdaderos enemigos —la sed, el hambre y las enfermedades— eran aquellos que no pueden derrotarse con los puños.

El viaje hasta Argelia fue muy duro, pero a pesar de todas las penalidades del inmisericorde desierto, alcanzó Tamanrasset, ciudad de paso para las caravanas de inmigrantes que intentan alcanzar Europa por la ruta terrestre. Allí empezó a concienciarse de que los cuentos de hadas que le habían narrado eran totalmente ficticios. En los guetos de inmigrantes que van de paso, escuchó los primeros relatos de algunos senegaleses, libaneses, guineanos o nigerianos como él, que habían conseguido llegar hasta Europa tiempo atrás, pero que habían sido detenidos por las autoridades españolas y repatriados a sus países de origen. Una vez devueltos allí, sólo podían resignarse o volver a intentarlo. Y eran muchos los que habían sufrido el padecimiento de aquel viaje mortal a través del desierto, una y otra vez, firmemente dispuestos a alcanzar de nuevo Europa. Allí las cosas no eran tan fáciles como le habían contado a Sunny, pero desde luego, estaban mucho mejor que en África.

Para cuando Sunny alcanzó la ciudad de Maganahia, ya llevaba muchos kilómetros de desierto, de hambre y de sed a sus espaldas, y su escepticismo había aumentado de forma proporcional a su desesperación. Un compatriota que ya había hecho aquella ruta en tres ocasiones le explicó que la valla que tenía que saltar, de la que le habían hablado sus amigos en Benin City, no era el final del camino. Después, tenía que atravesar el mar para poder llegar verdaderamente a España.

¿El mar? Nadie le había explicado a Sunny, como ocurre con la inmensa mayoría de los inmigrantes ilegales, que después de atravesar un infernal mar de arena, tendría que cruzar también un mar líquido. ¿Patera? El boxeador jamás había escuchado ese término. Y tampoco le habían avisado de que el precio por cruzar en patera hasta el continente europeo podía oscilar entre los mil y mil quinientos dólares. Una suma absolutamente inconcebible para él.

Así pues, Prince Sunny hizo lo mismo que hacen muchos supervivientes nigerianos: convertirse en guía de inmigrantes ilegales, lo que denominan un «pasador». Durante meses, junto a otros nigerianos, marroquíes y senegaleses, se dedicó a escoltar caravanas de inmigrantes, la mayoría de muchachas destinadas a los prostíbulos de Francia, Italia, Alemania o España, ahorrando todo el dinero que podía para pagarse su propio billete hacia el paraíso. Entre cien y doscientos dólares por operación eran sus honorarios por conducir a sus paisanos africanos hasta los bosques cercanos a Ceuta o Tetuán, donde docenas de ellos, a la desesperada, intentaban saltar la verja y echar a correr. La Policía española capturaba a algunos, pero muchos de ellos conseguían burlar el control policial y entrar en el país. Los que eran detenidos, después de su atroz viaje por el desierto y mil penalidades, sólo podían hacer una cosa… nada. Resignarse y volver a su país con el rabo entre las piernas. Los demás, con suerte, podrían encontrar sitio en campos de refugiados, como el de Calamocarro, esperando una oportunidad para saltar al continente.

Hay algunos que, una vez en Marruecos, intentan pasar por la frontera legal de Melilla o Ceuta, especialmente en los puestos fronterizos de Beni Enzar, de Melilla o El Tarajal, de Ceuta. Pero para eso necesitan conseguir una *necua* —el documento marroquí—, que puede costar una auténtica fortuna, lo que lo convierte en totalmente imposible para la mayoría de los inmigrantes, dependiendo de la calidad de la falsificación. Los puestos menores, como el de Farhana en Melilla, reservado sólo para residentes, se llenan de inmigrantes ilegales los días de mercado, porque intentan aprovechar la masificación para colarse en la frontera escondiéndose en el interior de un camión, en el maletero de un coche, etc., aun a riesgo de morir asfixiados. Algunos, incluso, se juegan la vida intentando bordear la costa y trepar por escarpados acantilados, que todos los días se cobran la vida de hombres y mujeres desesperados, que prefieren arriesgarlo todo antes de regresar a la miseria, la indigencia y la hambruna africana.

El tiempo que Sunny vivió pasando inmigrantes en la frontera argelino-marroquí no sólo le sirvió para ganarse su plaza en una patera, sino que aprendió mucho sobre el negocio del tráfico de seres humanos. Es un tipo inteligente y sobre todo urgido por el mejor aliciente del ingenio: la necesidad. Y entre cargamento y cargamento de reses humanas, destinadas a satisfacer con sus jóvenes cuerpos la lujuria del hombre blanco, que pasaba por la frontera, el boxeador tomaba buena nota de los trucos, secretos y gajes del oficio.

Por fin, un buen día, un año después de haber salido de su Benin City natal, recaudó el dinero suficiente y atravesó la frontera de Marruecos con un grupo de paisanos. Una vez en la parte española, contactó con una de las mafias dedicadas a las pateras y compró su plaza. Pero aquello no era el final del viaje.

La inmensa mayoría de pateras son embarcaciones paupérrimas, sin los sistemas de navegación ni comunicaciones apropiados. El punto más corto del estrecho de Gibraltar distancia catorce kilómetros los continentes de Europa y África. Apenas algo más de una docena de kilómetros que puede ser un agradable paseo para el Español que decide «bajarse al moro», o simplemente disfrutar de un día de compras exóticas en Ceuta o Melilla, a bordo de un cómodo ferry. Pero dentro de una maltrecha patera, atestada de inmigrantes y capitaneada frecuentemente por algún imbécil avaricioso que apura hasta el último centímetro de la lancha, con tal de vender una plaza más, esa travesía puede ser mortal.

Los informativos nacionales nos han acostumbrado a las terribles imágenes de inmigrantes extenuados por el esfuerzo, al borde de la deshidratación, que arriban a las costas de Algeciras al límite de sus fuerzas. A veces, la Guardia Civil recupera los cadáveres de muchos de ellos, que murieron ahogados a escasos pocos metros de las costas españolas, o destrozados en los arrecifes de alguna playa. Pero no existen estadísticas sobre los que mueren en alta mar, ni sobre las pateras que se van a pique a medio camino, ni sobre las que sufren una avería y quedan a la deriva durante días, ni las que son embestidas por barcos de mayor calado, que evitan notificar la desgracia para ahorrarse problemas legales...

Sunny tuvo suerte. Consiguió resistir la insolación, el hambre y la sed en la brutal travesía. Cuando el feroz calor del estrecho golpeaba sin piedad contra la patera, atestada de inmigrantes, se limitaba a apretar los dientes y los puños, y aferrarse a su firme convicción de que llegaría hasta el final, a toda costa. Y lo consiguió.

Siguiendo el consejo que le habían dado, cuando estaba a pocos metros de la costa, se tiró al mar y ganó la playa a nado. Tragó mucha agua y se quemó los pulmones con la salitre del mar. Pero siguió apretando los dientes y nadando.

Al pisar las arenas de Algeciras, siguió las recomendaciones que le habían dado en Maganahia, y aunque estaba agotado, hambriento y sediento, no se sentó a descansar. Le habían advertido que no debía dejar que los hombres vestidos de verde le alcanzasen, así que en cuanto vio a los agentes de la Guardia Civil, que intentaban interceptar a todos sus compañeros de patera, echó a correr. La salitre le quemaba los pulmones, y los músculos le dolían por el esfuerzo. La ropa se le pegaba a la piel, restándole agilidad, y casi no le quedaban energías después de la brutal travesía, pero echó a correr. Corrió con toda su alma, y se internó por las calles de la ciudad hasta perder de vista a los hombres vestidos de verde. Sunny se convirtió así en uno de los miles de inmigrantes que alcanzan España ilegalmente. Ahora concentraría todo su esfuerzo en amortizar el dolor, el hambre, la sed y la angustia que había padecido durante los meses que había durado su peregrinación desde Nigeria.

No tardaría en comprobar que las cosas en España no eran tan fáciles como le habían contado. Y su resentimiento creció también al tiempo que su frustración. Pero

Sunny no había sufrido tantas angustias para venirse abajo precisamente ahora que ya había alcanzado la tierra prometida. Nunca había renunciado a un combate en el cuadrilátero, y no pensaba hacerlo en la vida real. Había aprendido mucho de su trabajo como «pasador» y se había dado cuenta de que el negocio estaba al otro lado de la ley, especialmente con las mujeres. Ellas son las que en el fondo mantienen el negocio del tráfico de seres humanos, ya que el precio por pasar una mujer de una frontera a otra, su plaza en una patera, etc., cuesta el doble o el triple que el de un hombre. Porque todos saben que en Europa una mujer puede producir mucho dinero... alquilando su cuerpo e hipotecando su dignidad. Los analistas del fenómeno de la inmigración deberían tener este factor en cuenta.

Así que Sunny no tardó en ponerse manos a la obra. Tenía que legalizar su situación para poder moverse con libertad a un lado y otro de la frontera. Su intención estaba clara: traer compatriotas nigerianas para que trabajasen de prostitutas. Ellas serían la mejor fuente de dinero que podía soñar.

Sunny llegó a España antes de que se produjese el endurecimiento en la Ley de Extranjería del año 2000. Obtuvo un permiso de residencia y un NIE: el X0274...

También consiguió un puesto de trabajo, por mediación de una española: Lucía C. A., domiciliada en la calle de Ánimas, de Alcantarilla, provincia de Murcia. Esta mujer fue la clave para que Sunny consiguiese legalizar su situación en España, afincándose en Murcia. Allí establecería su primera residencia fija en un bajo de la calle de Tierno Galván, nº 38.

El boxeador no tardó en demostrar la proverbial habilidad nigeriana para sobrevivir en condiciones adversas, a fuerza de imaginación. Se atrevió con todo tipo de negocios. Desde alquilar a otro inmigrante su puesto de trabajo, con lo cual conseguía cobrar del primo, que además hacía constar en la empresa que el boxeador cubría diariamente su puesto laboral, hasta toda una pléyade de negocios ilegales. Según me narraron sus amigos murcianos, Sunny había probado suerte —y con éxito— en negocios de falsificación de documentos, de prostitución, de tráfico de drogas, de falsificación de tarjetas de crédito, etc.

De hecho llegó a ostentar la presidencia de la asociación Edo de Murcia —por supuesto, una asociación aparente, sin legalizar—, que más bien era una agrupación criminal cuyos temas de discusión eran siempre ilícitos, pero servía de reunión a todos los nigerianos provenientes de la región de Edo, a la que también pertenece Benin City, establecidos en Murcia, Alicante y alrededores.

Sólo existía una asociación nigeriana por encima de ésta, igualmente ilícita, y que según pude averiguar tenía como presidente, o *chairman*, a un tal Namdi C. O., nacido el día 21 de mayo de 1970, con NIE: X1553.... Namdi también terminaría siendo procesado por falsificación. Sin embargo, la popularidad del boxeador entre los traficantes y falsificadores nigerianos era mucho mayor que la del tal Namdi, hasta el extremo de que en un CD grabado por un grupo musical africano afincado en Murcia, se dedica una canción a Sunny.

El día 28 de noviembre de 2000, sin embargo, Prince Sunny tuvo un susto muy serio. Fue detenido por la Policía Local de Murcia que instruyó diligencias contra él por tráfico de drogas. Son las diligencias 27951. Al parecer, el boxeador había acudido en su Renault 11 a la estación de autobuses para recoger al hermano menor de una de sus «novias», que portaba un cargamento de cocaína y hachís. Interceptados por la Policía, intentaron deshacerse del paquete con la droga, pero fueron detenidos. Sin embargo, Sunny prometió a «su cuñado» que si él se declaraba único responsable y lo exculpaba, se ocuparía de pagar las costas de su abogado y de que no le faltase nada en la cárcel. Y así ocurrió. A la hora de escribir estas líneas todavía está cumpliendo condena, y según me explicó una de sus hermanas, prostituta junto con Susy en los alrededores del Eroski, Sunny le envía de vez en cuando dinero y presentes a la cárcel, para agradecerle su lealtad.

El día 24 de enero del año 2002 de nuevo se redacta una denuncia policial contra Prince Sunny, las diligencias 2190. Esta vez los cargos son por falsificación. Le incautan una buena cantidad de permisos de conducir nigerianos, que presuntamente utiliza para dotar de algún tipo de documentación a las prostitutas que introduce ilegalmente en el país, pero vuelve a salir airoso.

Así las cosas, el boxeador continúa con su carrera delictiva siendo uno de los cofundadores de la «calle de las putas», en los alrededores del Eroski, donde ninguna mujer nigeriana puede ejercer la prostitución sin contar con el permiso explícito de Sunny. Además, combinaba su próspera carrera como proxeneta con otras actividades delictivas, como el lucrativo negocio de las tarjetas falsas. Negocio en el que contaba con hábiles colaboradores como un tal Aslep, que también terminó siendo detenido por la Policía murciana, aunque una vez más, el convincente boxeador consiguió que su socio cargase con todas las culpas, volviendo a librarse de la justicia, a costa del sacrificio de Aslep.

Drogas, prostitución, falsificación... Poco a poco el boxeador nigeriano continuó haciéndose un lugar cada vez más importante en el mundo del crimen organizado. Fue ascendiendo en la ambición de sus «trabajitos», hasta el extremo de intentar colar en algún banco murciano un talón, a nombre de un canadiense, de 18 millones de pesetas.

En Alicante contactó, tiempo después, con un tal Juan, babalao y experto en santería y vudú, que le ayudaba en los rituales de brujería con los que aterrorizaba a sus chicas para obligarlas a ejercer la prostitución y evitar que pudiesen denunciarle a la Policía. Con lo que no contaba Sunny es que un brujo más poderoso que él, blanco y periodista, iba a estropearle el negocio en cuestión de días.

Ahora que sabía su historia, podía comprender por qué hacía lo que hacía. Podía entender que él mismo era fruto de sus circunstancias, y que el sufrimiento que había padecido, en su terrible periplo africano, había modelado su carácter hasta convertirlo en violento y pendenciero. Pero nada justificaba que infligiese a otras personas, en este caso mujeres traficadas, el mismo dolor que él había padecido.

Capítulo 9

Estudiantes y universitarias españolas: carne fresca para el burdel

Si las mencionadas conductas (inducción a la prostitución) se realizaren sobre persona menor de edad o incapaz, para iniciarla o mantenerla en una situación de prostitución, se impondrá al responsable la pena superior en grado a la que corresponda según los apartados anteriores.

Código Penal, art. 188, 3
(Modificado según Ley Orgánica 11/2003,
de 29 de septiembre)

Mi primer contacto personal con Sunny fue a través del teléfono. Lo recuerdo perfectamente, porque de la impresión, me caí de la cama en la habitación del hotel. Cuando aquella mañana sonó el móvil, esperaba escuchar cualquier cosa antes que aquella voz profunda, grave y casi gutural.

—Diga.

—¿Antonio? Soy Sunny, el… primo de Julieta —el boxeador utilizaba el nombre «profesional» de Susy.

—¿Qué? ¿Cómo?

—Estoy en la recepción de tu hotel.

Sentí un brote de pánico. ¿Por qué estaba Sunny en la recepción de mi hotel si habíamos acordado vernos al día siguiente? ¿Le habría advertido alguien que un blanco estaba haciendo demasiadas preguntas en Murcia? ¿Me habría delatado alguna de mis fuentes? Aquella situación no estaba prevista y me había cogido con las defensas bajas. Así que intenté ganar tiempo a toda costa.

—Ah, ya. Pues, hola, Sunny, encantado de conocerte. Pero verás, ahora no estoy en el hotel. Estoy en El Corte Inglés comprando un regalo para el hijo de... tu prima.

—No importa, yo esperaré aquí a ti.

El puñetero negro me lo estaba poniendo difícil. Si se plantaba en la recepción del hotel no podría salir del edificio sin ser descubierto. Maldije mi propia imprudencia. Siempre he dicho que el buen infiltrado debe mentir lo imprescindible. Es importante decir la verdad siempre que sea posible, de lo contrario nuestras propias mentiras se volverán contra nosotros, restándonos capacidad mental y agilidad. Ahora tenía que salir del hotel sin ser visto, y regresar por la puerta principal con un regalo para el hijo de Susana.

Corté la comunicación diciendo que le llamaría en un minuto. Necesitaba pensar. Consulté el plano del hotel que se encuentra en todas las habitaciones. Buscaba salidas de emergencia, alguna puerta trasera que me permitiese salir del edificio y regresar por la puerta principal, pero eso llamaría la atención de todos los empleados. No podía meterme en la cocina o desprecintar una puerta de emergencia sin que todo el personal se quedase con mi cara y mi extraño comportamiento. Incluso podría saltar alguna alarma, lo que también alertaría al traficante.

De pronto me di cuenta de que aquel pánico me estaba obnubilando el juicio. Yo había vigilado la casa del traficante y lo había seguido por media Murcia, pero Sunny no me conocía a mí. No me había visto nunca. Simplemente podía bajar a la recepción y pasar delante de él sin mirarle a los ojos, como si fuese un inquilino más del hotel. Si controlaba los nervios no tenía por qué darse cuenta.

Ya había llamado el ascensor para poner en práctica mi plan, cuando mi móvil sonó de nuevo. Había surgido un imprevisto y Sunny tenía que salir inmediatamente hacia Alicante, para atender unos negocios. Posponía nuestro encuentro para el día siguiente. Me dejé caer pesadamente sobre las escaleras como una marioneta cuyos hilos acaban de ser cortados con una tijera y respiré aliviado. Ahora tenía veinticuatro horas para prepararme, y sobre todo para tener claro mi plan.

No existía ninguna manera de averiguar si Sunny sospechaba de mí. Desde luego, si desconfiaba, no había dicho nada que expresase esa suspicacia, sin embargo, su tono de voz no era en absoluto tranquilizador. De todos modos, lo que más me inquietaba no era tanto la corpulencia física de Suny como su astucia. Evidentemente no menospreciaba los puños del boxeador, pero consideraba mucho más peligrosa la inteligencia que en muchas ocasiones había demostrado. No hacía mucho que Susy me había contado que cuando ella dio a luz el día 19 de junio del año 2000, recién llegada a las costas de Algeciras en una patera llena de inmigrantes, Sunny se presentó en la casa de acogida disfrazado de sacerdote. Con un alzacuellos y una Biblia tan falsos como su fe, consiguió hacerse pasar por un religioso compasivo que atendería a su paisana nigeriana. Susy salió así de la casa de acogida con destino a las calles de Murcia, donde comenzaría a ejercer la prostitución, mientras Sunny se ocupaba de custodiar a su hijo cuando la joven madre ganaba dinero para él.

Estudiantes de día y rameras de noche

Esa noche volvía al Pipos. Quería volver a interrogar a la amiga de Ruth que me había dado las primeras pistas sobre el burdel de alguien relacionado con *Gran Hermano*. Y para mi sorpresa, por primera y única vez en el transcurso de esta investigación, conocí a una prostituta española trabajando en un club. Naturalmente, no es que no existan más, pero es un dato a tener en cuenta que después de los meses que llevaba visitando burdeles de toda España, fuera la primera vez que encontrara a una prostituta española en un club de carretera. Se llama Yolanda y es una estudiante de veintidós años. Costó algún tiempo convencerla, pero finalmente congeniamos y accedió a contarme su historia con pelos y señales.

Yolanda, Yola para los clientes, nació en un pueblecito extremeño, en el seno de una familia tan humilde como numerosa. A los catorce años pasó por una experiencia traumática que marcaría toda su vida: fue violada, según su relato, y supongo que víctima de la vergüenza —que en todo caso debería sentir el violador—, algo se rompió en su interior. Comenzó a coquetear con las drogas y al cumplir la mayoría de edad se marchó a la gran ciudad para buscarse la vida. Como le encantaba bailar y poseía un buen cuerpo, pronto encontró trabajo como go-go de discoteca y más tarde, como stripper. Pero un buen día decidió dar un paso más.

Muchas estudiantes españolas han especulado alguna vez con el mundo de la prostitución. En sus conversaciones íntimas, entre amigas, se han preguntado cómo sería ese mundo. Yola también. Aquel día, envalentonada por una amiga tan curiosa como ella —las estudiantes españolas prostituidas que he conocido empezaron igual—, decidió telefonear al número de un anuncio de prensa. Buscaban camareras para un local de alterne, se prometían generosos sueldos y un trabajo cómodo. Así es cómo Yola y su amiga empezaron a trabajar en un burdel catalán donde, en poco tiempo, se atrevieron a saltar al otro lado de la barra, para convertirse en dos chicas de alterne más. Sus ingresos se multiplicaron, aunque las drogas se llevaban la mayor parte.

Unos meses después, Yola regresó a su pueblo para seguir trabajando como ramera en un club de Don Benito, en la provincia de Badajoz. Nunca me lo confirmó, pero probablemente fuera el Papillón o el Sandokán.

Allí conoció todo tipo de hombres, aunque parece ser que uno de sus clientes consiguió convencerla para aceptar un tratamiento de metadona. Cuando yo contacté con ella, acababa de terminarlo, aunque seguía metiéndose una dosis de heroína de vez en cuando. Yo controlo, me decía. Como todos los heroinómanos.

Intentó reconstruir su vida y empezó a estudiar, pero, como el sexo genera mucho dinero, terminó llevando una doble existencia: durante el día asistía a clase como todos sus compañeros y era una alumna más; por la noche comerciaba con su cuerpo desatando la lujuria en los hombres.

Yola disfrutaba con la ingenuidad de los compañeros de clase que intentaban seducirla invitándola a un refresco o al cine, cuando por la noche aquella «inocente» estudiante alternaba con hombres de negocios, empresarios y probablemente hasta con los padres de alguno de sus cándidos compañeros de estudios. Yola, como me han confesado otras prostitutas, disfrutaba en cierta manera del control que las meretrices ejercen sobre el cliente.

Actualmente, combina su trabajo como go-go y stripper con la prostitución. Se justifica diciendo que necesita el dinero para operarse los pechos. «Porque los pechos son muy importantes en mi trabajo.» Pero se engaña a sí misma. Yola, como otras chicas de su edad, es alérgica a la pobreza y gana en una noche lo que sus compañeros de clase quizá ganen en un mes, una vez concluyan sus estudios y empiecen a trabajar.

Puede comprarse ropa, zapatos, joyas... que sus compañeras sólo pueden soñar. A cambio, ella se dice que sólo tiene que alquilar sus prietas carnes jóvenes a empresarios, políticos o profesionales. Sólo.

Sin embargo, Yola no tiene ningún chulo ni proxeneta que tome a su familia como rehén de un pacto suicida. Tampoco ha asumido ninguna deuda millonaria, ni ha sido víctima de crueles rituales vudú. No rota de burdel en burdel cada veintiún días, ni ha de soportar el frío del invierno y el calor del verano, ofertando su cuerpo al mejor postor en el escaparate de la calle. Salvo el hecho de que ambas practican el sexo por dinero, Yola no tiene casi nada en común con Susana.

Cara a cara

Y por fin, llegó el momento. Me había citado con Susy y con Sunny en una cafetería de la concurridísima plaza de la Catedral de Murcia porque no quería encontrarme con el ex boxeador en un lugar aislado y sin testigos.

Un compañero de Tele 5 volvía a acompañarme en esta ocasión, para grabar, desde otro ángulo, mi primer encuentro con el traficante. Además, era de agradecer la presencia de unos ojos amigos en medio de tanta soledad. Porque, aunque sabía que en el caso de que el traficante descubriese mi identidad durante la entrevista, el golpe de un puñetazo o el filo de su navaja serían imparables, yo prefería que aquellos ojos aliados estuviesen allí.

Sobre todo, por lo que es más importante, sabía que después de la angustia del día, podría hablar con alguien y compartir la tensión acumulada. Ya estaba acostumbrado a que por la noche, después de una jornada entre mafiosos, prostitutas, traficantes y puteros tuviese que encerrarme en la habitación del hotel y tragarme toda la mierda del día, imposible de digerir.

En las ocasiones en las que la angustia era insoportable, cuando las confesiones de una prostituta adolescente, las gracias de un putero infame o las negociaciones con un traficante impío ponían a prueba mi capacidad de resistencia psicológica, sólo la voz de un amigo, al otro lado del hilo telefónico, permitía mantener la cordura. Nunca agradeceré lo suficiente a esos amigos el haber estado al otro lado del teléfono para escucharme, sin preguntas ni reproches. Especialmente a aquel «rubí» en bruto al que acudí más de una vez para que pronunciase mi nombre, para que me repitiera que yo no era Antonio el traficante de mujeres, sino un periodista infiltrado.

Por todo eso me aliviaba saber que mi compañero estaba allí, en algún punto de aquella plaza, vigilándome a través del objetivo de su cámara, cuando Sunny hizo su aparición.

Siempre le había visto en la distancia, mientras vigilábamos su casa o lo seguíamos, conduciendo frenéticamente por las calles de Murcia. Al verlo de cerca, me pareció mucho más grande y corpulento. Sus sempiternas gafas de sol que sin embargo esconden un ojo semicerrado, legado de su época en el ring, y la ostentación que hace de su riqueza con sus collares, anillos y hasta un pendiente de oro hacen de él el arquetipo del mafioso africano.

Nada más sentarse pide una Larios sola, sin hielo, me estudia con la mirada y después me tiende su enorme manaza. Estruja la mía sin piedad mientras Susy nos presenta. Con la mano indemne, le entrego el enorme osito de peluche que he comprado para su hijo en El Corte Inglés esa mañana. Susy luce al cuello el collar que le regalé, dotado de supuestos poderes mágicos.

—¿Qué tal?

—Bien.

—¿Bien?

—Sí. Mucho calor, ¿no? —intento entablar una conversación y recurro al socorrido asunto del tiempo.

—Sí.

—Hace más calor aquí que en África, ¿verdad?

—¿Conoces África? —me pregunta Sunny intrigado. Y vuelvo a echar mano de mis anteriores experiencias como reportero en medio mundo.

—Sí, claro.

—¿Qué país de África?

—Marruecos, Nigeria, Mauritania, Malawi, Egipto, Mozambique...

—Pero no conoces oeste de África. Nigeria...

—Sí. Abuja, Lagos, Benin...

—Sí, sí.

—¿Y tú conoces España bien?

—Sí. Desde Alicante hasta La Coruña.

Desde nuestro primer encuentro, y aunque con cuentagotas, Sunny fue dándome información que me permitiría profundizar cada vez más en su vida. Intento ser amable y simpático, e improviso sobre la marcha mientras mi cámara oculta registra toda la conversación.

—Con este calor no me extraña que estéis tan morenos. Tú estás un poco más moreno que yo —digo, intentando ganarme su simpatía.

—Sí, estamos aquí para estar morenos.

—Pero África es más bonito. A mí me gusta más. No hay tantas prisas. Hay una luz increíble para hacer fotos. Y las mujeres son más lindas que aquí.

—¿Eres murciano?

—No, madrileño.

—Hay mucho africano en Madrid.

—Sí, yo tengo muchos amigos africanos en Madrid. Me gusta la brujería.

Cuando surge el tema de la magia, Susy le dice algo al oído, en un dialecto africano que no entiendo. Y de pronto, Sunny me sorprende con sus conocimientos sobre la brujería afroamericana. Ha visto que llevo los collares de santero que me habían facilitado en La Milagrosa, y reconoce sin problema los dioses que representa cada uno. Para mí es una prueba irrefutable de que Sunny está familiarizado con el vudú, y deduzco que probablemente sea él mismo quien realiza los *yu-yús* y los *body* con los que extorsiona a sus chicas.

—Tú llevas a Changó —dice el boxeador, mientras señala el collar de cuentas rojas y blancas que luzco desde mi época como aprendiz de santero en La Milagrosa.

—Sí, pero soy hijo de Babalu Aye.

—Entonces, tú eres mi hermano.

—¿Sí? ¿Eres hijo de Babalu? —pregunto refiriéndome al espíritu animista sincretizado con San Lázaro en la brujería afroamericana.

—Sí.

—Coño, ¿sabes de brujería?

—Sí. Tengo un español que tiene Changó, que es babalao. Su nombre en español es Juan.

—¿Y dónde está?

—En Alicante, pero es de Granada.

Tomo buena nota, e intuyo que el tal Juan, como la Vera de Vigo, es uno de los videntes que, de alguna manera, colabora con las mafias de la prostitución, reforzando la sugestión de las rameras sometidas a esos supuestos hechizos vudú.

—¿Hace mucho tiempo que tú vienes aquí para trabajo?

—Yo voy y vengo constantemente.

Intuyo que Sunny intenta averiguar a qué me dedico, pero todavía no se atreve a preguntarlo. Intencionadamente dejo ver en el bolsillo de la camisa un mazo de tarjetas de crédito, como había hecho con Susy anteriormente, con la excusa de sacar un paquete de cigarrillos. Sé que Sunny se dedica, entre otras actividades delictivas, a la falsificación de tarjetas y a las tarjetas robadas, y quiero que piense que yo puedo ser un compinche. Los traficantes de tarjetas necesitan españoles que puedan pasar las robadas o falsificadas en comercios y tiendas sin despertar sospechas y constantemente buscan colaboradores. Sin dar importancia al gesto, que intento que parezca casual, vuelvo a guardar las tarjetas y el tabaco, después de encender un cigarrillo. Y sigo con la conversación.

—¿Llevas mucho en España?

—Yo sí, cinco años.

—Hablas muy bien español. Yo no hablo africano. Hay demasiados idiomas en África.

—Sí. Todos los países de África no tienen el mismo idioma. En Nigeria tampoco el mismo idioma. Nosotros somos de Benin City. En Lagos hablan yoruba, en Abuja hablan ausa...

—Ahí nació el vudú.

—Sí. Yoruba, el dueño es Changó; en Benin es Ogún...

De pronto, cometo un error. Me dirijo a Susy y la llamo por su nombre, en lugar de usar el que utiliza en su trabajo, Julieta. Sunny se da cuenta y reacciona como impulsado por un resorte. «¿Cómo sabes tú nombre de ella?» Sé que ha sido una imprudencia. El hecho de que conozca el verdadero nombre de una de sus chicas significa que tengo más confianza con ella de lo que debería tener un cliente normal. Cambio de tema y consigo salir del paso, pero debo ser más cuidadoso. Sé que aquella imprudencia le valdrá a Susy una buena regañina cuando regrese a casa. Así me lo confirmaría Susy pocos minutos después, cuando Sunny, satisfecho con nuestro primer contacto, decide marcharse y dejarnos solos. Susy me confiesa que Sunny quería verme «para ver lo fuerte que tú eres». El africano tenía tanta curiosidad por mí como yo por él, y me estudiaba.

—Joder, es grande, ¿eh? Está fuerte…

—Síííí.

—Prince Sunny, ¿no? Se llama así.

—Sí, Prince Sunny.

—¿Y sabe de brujería? Porque reconoció los collares.

—Sí, sabe mucho.

—¿Es brujo? ¿Hace brujería vudú?

—Sí.

Susy no quiere profundizar más en el tema, pero ya me ha confirmado que mi intuición era cierta. El proxeneta se encarga personalmente de los rituales del terror que garantizan la fidelidad de sus pelanduscas. Y de pronto, surge un nuevo personaje en este drama. Al preguntarle por su hijo, Susy me revela que hay un hombre, que resulta ser un joven nigeriano al que conoció durante su terrible viaje hacia Europa, que asumiría la paternidad del niño, aunque él no fuese el progenitor real. Aquel muchacho, al que Sunny había propinado más de una paliza al intentar estar con Susy sin pagar por ello, llevaba un mes haciéndose cargo del pequeño, siguiendo las órdenes del traficante.

—¿Qué tal está el niño?

—Está bien. Ahora, en Torrevieja con su padre.

—¿Con su padre?

—Yo siempre hablar con Sunny para venir él aquí. Pero él no escuchar a mí, entonces yo callar.

—No entiendo.

—Yo pedir a Sunny por favor llevar a mí a Torrevieja, o traer él aquí, para mi niño venir aquí. Él dice, sí, un día, un día… siempre dice un día, pero nunca venir.

—Pero ¿no puedes ver a tu hijo?

—Sí, un mes allá y cinco días aquí conmigo, y luego volver allá un mes.

De pronto, descubro que Susy ignora dónde está su hijo y que las palizas del proxeneta le inspiran tanto temor como los siniestros rituales de vudú a los que está sometida.

—¿Y si vamos a buscarlo tú y yo y lo traemos?

—Yo no sabe, sólo él sabe dónde está.

—¿Sólo Sunny sabe dónde está tu hijo?

—Sí. Antes casa sí, ahora cambiar de casa. Yo no sabe en qué casa está. Cuando yo ver a él, yo muy feliz.

—Sunny muy grande, ¿eh?

—Sí. Él boxeador en mi país. Es muy fuerte.

—Cuando se enfada, tiene que ser muy peligroso, ¿no?

—Mucho, eh. Sí, no puedo yo hablar mucho en casa. Yo calla, pegar...

—¿Cómo?

—Cuando él enfadar, yo para dormir, sin hablar. Pegar, ¿eh? No sé, yo llorar...

Poco a poco me fui sintiendo cada vez más implicado emocionalmente en aquella historia, hasta el extremo de considerar seriamente la posibilidad de casarme con Susy para conseguirle la nacionalidad española; o incluso llegué a fantasear con la idea de eliminar personalmente al boxeador nigeriano, en caso de no obtener pruebas de sus delitos para facilitar su detención. A partir de aquel día, el caso de Susana se convirtió en una obsesión personal. Los responsables del equipo de investigación de Atlas-Tele 5, para los que trabajaba en esos momentos, aceptaron excluir todas las grabaciones de Susy y de Sunny del reportaje *Esclavas del vudú* que estábamos preparando, y que se emitió dentro del programa *Infiltrados*, que presentaba Javier Nart. Si aquellas imágenes salían en antena, y Sunny descubría que le habíamos estado grabando, podría salir de España y quedar impune de sus delitos una vez más. Así que acordamos continuar la investigación, al margen del programa, hasta que yo pudiese ganarme la confianza de Sunny para demostrar que traficaba con seres humanos. Y que en la España del siglo XXI, digan lo que digan los libros de historia, todavía es posible comprar una esclava.

Universitarias calientes

Sunny me había dejado muy claro que, a partir de nuestro primer encuentro, cuando quisiese hablar con Susana le llamase a él a su móvil. Y así fue. Con relativa frecuencia, desde aquella primera reunión, podría charlar con Sunny cada vez que telefoneaba a la nigeriana, y aquello me hacía ganar cada vez más confianza con el negro. Sin embargo, no quería desatender otra línea de investigación que me parecía fascinante y profundamente desconocida: las estudiantes y universitarias españolas que se prostituyen, al margen de sus compañeros de clase, familiares y amigos. Yola no era una excepción.

Durante toda investigación, las pistas llegan por los cauces más inesperados. Y fue mi propio compañero, otro joven periodista, el que me facilitaría un nuevo hilo del que tirar. Esa noche, mientras cenábamos en el restaurante del hotel, tras comprobar que nuestras respectivas grabaciones de mi primer encuentro con Sunny eran perfectas, me hizo un comentario en relación a Yola y a las universitarias españolas que ejercen la prostitución.

—¡Y tanto que es verdad! Yo tenía una compañera en clase que no se cortaba un pelo. Imagínate, que de pronto le sonaba el móvil, pero estando en clase, y contestaba la llamada dejando superclaro de lo que estaba hablando. Por ejemplo, yo la oía decir: ¿Diga?... Sí, soy yo... 20.000 más el taxi... ¿En qué hotel está?... ¿En qué habitación?... Vale, en media hora estoy ahí... Y la tía se levantaba y se piraba. Nos tenía a todos como motos, porque se gastaba una pasta en ropa y siempre venía a clase supermaqueada...

Esa joven, estudiante de Ciencias de la Información en la Universidad Complutense de Madrid, resultó ser Mercedes S. F., y su testimonio es muy similar al de otras estudiantes españolas.

Mercedes descubrió un anuncio en la prensa local en el que se precisaban señoritas y llamó. Tiene una personalidad muy fuerte y, en su caso, no necesitó que ninguna amiga la envalentonase para telefonear a la agencia y acordar una cita con los proxenetas.

—La oficina estaba en la torre de Colón, que está encima de la cafetería Riofrío, y allí mismo sé que tenían un apartamento de los de lujo, de 50.000 la hora y sólo una chica. La encargada y mujer del dueño supermafioso se llamaba Miriam, pero ni idea de los apellidos.

—¿Qué tal fue la entrevista?

—Bien, me explicaron un poco las condiciones: que iríamos a medias, que estaría con otras chicas y una encargada en uno de sus pisos, y nada más.

—¿Y adónde te mandaron?

—La casa a la que yo fui, que tenía el portero automático con cámaras, estaba en Goya, nº 23, creo que en el tercer piso aunque no estoy segura. Al parecer llevaban un tiempo teniendo problemillas con el portero, que decía que iba a llamar a la policía y tal, lo mismo por ahí puedes sacar algo.

Con frecuencia los propietarios de este tipo de casas clandestinas ocultan a los demás vecinos la utilidad que dan al piso. Como anécdota, puedo decir que en algunos de ellos colocan placas falsas en la puerta, para aparentar que esa vivienda es el bufete de un abogado, la oficina de una inmobiliaria, o incluso, la consulta de un vidente.

—La *madame* se llamaba Rosana, y era una colombiana gorda y afable. Como te conté, funcionaban con anuncios en prensa, diciendo que las chicas recibían solas en la casa y tal, pero siempre estábamos más. Los tres anuncios que yo supe que tenían, y que eran los nombres de los servicios, eran de Eva, Ana y Estefanía —ninguna de las chicas nos llamábamos así—. Los anuncios los ponían en *ABC, El País* y *El Mundo.*

—¿Qué ponía al que llamaste tú?

—El anuncio al que yo llamé estaba en *El País*, y pedían chicas no profesionales, universitarias, y también telefonistas. El cincuenta por cien del precio de cada servicio era para la casa y el otro cincuenta para la chica.

—¿Y tenían muchos pisos de ésos?

—Sé que tenían por el barrio Salamanca varias casas más, una en General Pardiñas, y también por Atocha, Marqués de Vadillo y Bilbao, pero ésas no las conocí.

El de Mercedes tampoco es un caso aislado. Como no lo es el de Yolanda, la go-go y stripper del Pipos, que ahora trabaja en un conocido local de Barcelona. Allí los cientos de clientes que frecuentan el pub pueden disfrutar de su arte como bailarina y algunos de ellos, a través del propietario del local, de algo más... Ellas son un ejemplo de la evolución que experimentan las busconas españolas; la mayoría comienzan en pisos clandestinos y posteriormente pasan a los servicios en hotel, clubes de lujo, etc.

A través de Yola, es decir, a través de un novio suyo, vigilante jurado en un burdel extremeño, conocí a otra estudiante española que ejercía la prostitución, aunque en este caso, con ambiciones mucho mayores que la go-go, y que me introduciría en otra dimensión de la prostitución en España.

Rosalía se inició en el negocio del sexo el día 17 de febrero de 2002, de una forma similar a Yolanda. Ella y un par de amigas, todas jóvenes españolas que habían fantaseado durante semanas con la idea de prostituirse, decidieron dar el gran paso, pero de forma completamente independiente.

—Alquilamos un piso, aquí en el centro, y pusimos un anuncio en el periódico. Y ya está. Así de fácil. Cada una cobraba lo suyo y ya está.

Sus amigas, como ella, ocultaban a sus familiares, amigos y compañeros de estudios su doble vida. Y como en los casos anteriores, sentían una cierta satisfacción morbosa al observar el comportamiento de jóvenes de su edad, que intentaban seducirlas con una invitación al cine o a la discoteca, o al último concierto de Operación Triunfo. Rosalía y sus amigas se movían en un status social y en un nivel económico muy superior. Y según me dio a entender una de ellas, en una ocasión acudió al piso en el que trabajaba uno de sus profesores de la facultad. Lejos de sentirse descubierta —al fin y al cabo el profesor estaba casado— cumplió con el servicio y cobró como a cualquier otro cliente. La sorpresa llegó cuando sus calificaciones sufrieron un agradecido incremento en la nota final.

Rosalía no tardó en independizarse de su grupo de amigas, y probó suerte tanto en otras agencias de más prestigio como trabajando por su cuenta, convirtiéndose en una de las pocas escorts extremeñas que cobraba 80.000 pesetas por un servicio completo. Entre sus clientes había políticos, escritores, empresarios que le pedían todo tipo de servicios, como por ejemplo, acompañarlos hasta locales de intercambio de parejas donde debería estar con tres y cuatro hombres diferentes, mientras el cliente disfrutaba sólo como *voyeur*. Yo mismo la acompañé a uno de esos locales, donde me explicó con todo detalle las perversiones que solicitaban de ella los clientes... francamente alucinante.

Lo más extraordinario del caso de Rosalía es que supone un excelente ejemplo de otra constante que me encontré al profundizar en la personalidad de muchas jóvenes prostitutas: su extremo y malentendido romanticismo. Rosalía es una adicta al cariño, y eso es lo que buscaba en todos y cada uno de sus clientes. Mientras la entrevistaba, pronunció una frase tan elocuente como demoledora: «A veces terminaba de estar con un cliente, y en cuanto salía por la puerta, me iba corriendo al chat para intentar conocer a alguien que me dijese algo bonito. A veces estaba chateando con algún amigo, y le decía que iba a comprar tabaco o a preparar la comida, cuando en realidad recibía a un cliente, y después de hacer el amor, volvía corriendo al chat. En el fondo, creo que lo que buscaba desesperadamente era un poco de amor en cada hombre...».

Algo que otras prostitutas me han confesado es que, a pesar de que ellas puedan estar con varios hombres diferentes cada día, jamás permitirían a su novio o marido que mirase a otra mujer. Una paradoja habitual entre las prostitutas.

Durante una de nuestras entrevistas, Rosalía me ratificó lo que el agente Juan me había aconsejado para ganarme la amistad de las prostitutas: «Si has hecho un servicio con un hombre, ya sabes a lo que va, así que aunque después te venga de amigo, de ayuda o de lo que quieras, tú siempre vas a pensar que te va a manipular, entonces lo manipulas tú a él, porque ha habido sexo. Otra cosa es una persona que ha pagado el servicio y no lo hace. Lo puedes ver, te puede dar cierta confianza. Pero un hombre que busca sexo... lo primero que piensas es que quiere sexo gratis...».

Juan tenía razón al aconsejarme que, bajo ningún concepto, cayese en el mismo juego que los clientes, y que viese lo que viese, resistiese la tentación del sexo. Y debo reconocer, no sin cierto pudor, que en muchas ocasiones supuso un esfuerzo enorme, colosal, no dejarme llevar por el deseo que, evidentemente, me inspiraban muchas de esas chicas. Y también confieso con vergüenza que en alguna ocasión, como en el Vigo Noche, me dejé llevar por las circunstancias, y la inexperiencia no es una excusa. Yo también fui en ese momento un prostituidor, y de alguna manera un colaborador de las mafias. Afortunadamente aprendí a controlar esos instintos, y de esa forma conseguí testimonios como los de Rosalía, de un valor incalculable. No sólo por su historia personal, sino por las pistas que me iban facilitando para avanzar en la investigación, como por ejemplo sobre la trastienda de los burdeles en Internet.

Hace un año, Rosalía conoció a un proxeneta croata con el que mantuvo una tormentosa relación, que terminó por hacerla dar el salto final. Cuando quiso darse cuenta, el ucraniano la había involucrado en su agencia de escorts, y su nombre aparecía en una página web de Internet, junto a los de otras señoritas.

Rosalía y su jefe croata, único responsable de la agencia y de su página web, pensaron, acertadamente, que las mesalinas del siglo XXI no pueden permanecer ajenas a las nuevas tecnologías. Los anuncios por palabras en la prensa local son monótonos y repetitivos. En cualquier periódico del país, se publican diariamente cientos de anuncios de este estilo. Especialmente en los grandes diarios como *La Vanguardia*, *El País*, *El Mundo* o *El Periódico*, aparecen tantos cientos de avisos que cualquiera de ellos queda diluido entre todos los demás. El croata pensó que había que idear algo más atractivo, una forma de publicidad en la que se pudiese detallar con mayor precisión todos los servicios sexuales que sus chicas podían ofrecer al cliente, así como fotos del local y de sus instalaciones y, cómo no, fotografías de las señoritas, hermosas y exuberantes, que el interesado podría disfrutar.

La página web comenzó a funcionar con gran éxito, ofertando señoritas de Madrid, Barcelona, Marbella, acompañadas de una detallada descripción física, un book fotográfico y un listado de los servicios sexuales que dichas señoritas estarían dispuestas a mantener. Sin embargo, según me reveló Rosalía, todo es mentira…

Capítulo 10

El fraude de las falsas rameras de Internet

Serán castigados con la pena de prisión de seis meses a un año o multa de seis a dieciocho meses los fabricantes o comerciantes que, en sus ofertas o publicidad de productos o servicios, hagan alegaciones falsas o manifiesten características inciertas sobre los mismos, de modo que puedan causar un perjuicio grave y manifiesto a los consumidores, sin perjuicio de la pena que corresponda aplicar por la comisión de otros delitos.

Código Penal, art. 282.

Las Geishas en Madrid, Lady Erotik en Málaga o Help en Valencia, este último uno de los primeros locales adscritos a ANELA, son prestigiosos burdeles de lujo. Todos ellos cuentan con elaboradas páginas en Internet. Webs renovadas periódicamente, en las que se ofrecen fotografías de las impresionantes modelos que el cliente puede encontrar al visitar su local. Chicas jóvenes, con cuerpos espectaculares, y dispuestas a satisfacer todas las fantasías del usuario, que puede gozar de un servicio sexual completo en las instalaciones del burdel o solicitar que le manden a la chica en cuestión a su domicilio u hotel.

Las Geishas, por ejemplo, es uno de los locales con más solera de la capital de España. Situado en la calle Rodríguez Marín, nº 88, cuenta con una página web de exquisita presentación, en la que se ofrecen varias docenas de minibooks fotográficos de sus supuestas modelos. Ingrid, Sabrina, Dominic, Claudia o Karolina son mujeres espectaculares, capaces de desatar la lujuria del varón más templado. Pero ¿qué ocurre si un cliente telefonea al 91 563 49... y solicita que le envíen a su hotel a una de esas voluptuosas modelos? Yo lo hice... aunque jugaba con ventaja porque, para cuando les telefoneé, ya había identificado a cinco o seis de las señoritas cuyas fotos aparecen en el portal informático del burdel madrileño.

—¿Dígame?

—¿Las Geishas?

—Sí, ¿dígame?

—Llamo por el anuncio del periódico.

—Sería para venir aquí o quieres que te enviemos una señorita.

—Me gustaría que me enviases una señorita al hotel. ¿Qué precio tiene ese servicio?

—400 euros. Tenemos señoritas españolas y extranjeras y puedes verlas si quieres en nuestra página web...

La mujer que atendió mi llamada tenía la cara dura de asegurarme, verbalmente, que las chicas que aparecían en su web eran las señoritas que se prostituían en su local. Así que a morro, morro y medio. Pedí a una de las chicas que ya tenía identificadas en el entorno pornográfico.

Media hora después de mi llamada, solicitando que me mandaran a Ingrid —española de 1,70, veinte años y medidas 90-61-90 según la web—, una señorita latinoamericana se presenta en la habitación, pero no tiene nada que ver con las chicas que aparecen en la red. Sonrosada, la buscona me explica que su compañera, Ingrid, se ha puesto enferma repentinamente y por eso la envían a ella que se parece mucho. Tanto como un huevo a una castaña.

Con una satisfacción no exenta de cierta crueldad, por comprobar que mis sospechas eran correctas, le pido que se marche y le abono el importe del taxi. No pasan ni cinco minutos antes de que me telefoneen desde Las Geishas para decirme que pueden enviarme otra chica parecida a la que he elegido en su página web. Con picardía escojo a otra de las modelos de la web, de la que ya sabía tanto como de la anterior. Media hora más y otra señorita, ciertamente atractiva, pero que no es la Karolina —también española y de 1, 70, de treinta y dos años y medidas 90-63-90— que aparece en la red, llama a mi puerta. De nuevo la rechazo y reacciona con la misma sorpresa que la anterior. «Es la primera vez que un cliente me rechaza» —me dice.

¿Cómo sabía yo que aquellas dos señoritas cuyas fotos aparecen en la página web de Las Geishas no podían de ninguna manera visitarme en mi hotel para tener un encuentro sexual conmigo? Pues porque ninguna de ellas es prostituta, ni ha pisado jamás España, ni mucho menos puede ser alquilada por ninguno de los clientes de Las Geishas. Se trata de modelos eróticas o pornográficas, cuyas fotos son pirateadas de determinadas páginas web muy específicas, o compradas a una agencia holandesa por los informáticos responsables de la creación del portal, que manipulan las fotos para hacer creer al usuario que esas chicas buscan el anonimato.

En el caso de la falsa Karolina de Las Geishas se trata de la modelo erótica internacional Yanna Cova, que, por cierto, fue portada de la revista *Penthouse* en su número de julio del 2003. Seguro que a la multinacional *Penthouse* le encantaría discutir con los propietarios del garito madrileño los derechos legales de las fotos de una de sus modelos, por mucho que intenten disimular la identidad de las mismas, emborronando la cara de Yanna en las fotos de su página web.

En realidad la primera pista sobre este tipo de fraudes me llegó de Valérie Tasso, la autora de *Diario de una ninfómana*. La escritora francesa me explicó que muchas agencias de alto standing, como en la que ella misma trabajaba, utilizaban su página web como un reclamo para clientes. Y en este caso concreto, se mezclaban las fotos de auténticas mesalinas, como ella, con otras fotografías de modelos eróticas y porno, que la agencia adquiría a través de una agencia pornográfica holandesa.

—Lo que hacían en todas las fotos, tanto las nuestras como las de modelos eróticas que jamás habían trabajado en la agencia, ni en España, y que ni siquiera eran prostitutas, era borrarles la cara, para que pareciese que eran chicas reales, que querían ocultar su rostro. Pero todo era mentira. Y cuando un cliente llegaba preguntando por alguna de aquellas chicas de Internet, se le presentaba a una que se le pareciese, y siempre picaban. O simplemente se le decía que la chica estaba ocupada, o haciendo un servicio en hotel, y escogía a otra. Lo importante es atraer al cliente a la agencia y una vez allí todos terminaban pagando el servicio con una chica u otra.

Los comentarios de Valérie y de Rosalía me hicieron abrir otra línea de investigación, que terminaría sumergiéndome en el insondable submundo de la pornografía. Desde la multinacional Private y el legendario Bagdad de Barcelona, a las salas Mundo Fantástico y las más lujuriosas despedidas de soltero en Madrid.

En la Ciudad Condal terminé por localizar a Néstor, uno de los primeros creadores de páginas web para prostíbulos españoles. Néstor me puso en la pista de las distribuidoras pornográficas que nutrían de imágenes a los webmasters de los ciberburdeles más importantes del país entre los que se encontraba él. Néstor además me sugirió varias páginas web pornográficas, renovadas todos los días, donde podría encontrar muchas de las fotos originales que, debidamente manipuladas, son utilizadas en portales como www.lasgeishas.com, www.ladyerotik.com, o www.ladymaryam.com, pertenecientes todos ellos a las ramerías más importantes de España.

A partir de ese momento me embarcaría en una cruzada absurda y frenética para demostrar que incluso los serrallos más reputados, dicho esto sin doble sentido, estafan a sus pánfilos clientes con sus llamativas páginas web. Entre ellos se cuentan incluso algunos lupanares que exhiben la placa de garantía de calidad de ANELA en su entrada. Para ello, en primer lugar debería elaborar un directorio de los burdeles, y también de las escorts particulares, que anunciaban sus servicios en Internet. Las principales revistas pornográficas europeas, así como los periódicos locales de todas las provincias de España, fueron la cantera donde localizar las direcciones web para acceder a esos servicios.

Directorio de ciberburdeles en España

NIGHT CLUB COCKTAIL
www.cocktail2002.com
c/ Mayor, 215
Puente Tocinos. Murcia
968 30 29 70

CHRISTINE RELAX
www.christinerelax.com
943 46 19 17
626 29 36 37
C/ Aldapeta, 59
San Sebastián

BEGOÑA RELAX
www.begonarelax.com
943 28 37 05
678 07 45 43

PUERTO BAHÍA
www.puerto-bahia.com
93 280 16 97

NANNIS
www.soynanniss.com
93 410 14 35

LA VIE EN ROSE
www.clublavieenrose.com
Rector Ubach, 46, bajos
Barcelona
93 201 37 06

AGENCIA SELECCION
www.seleccionspain.com
93 200 20 00

MADAME CRISTINA
www.madamecristina.com
93 430 22 05
www.barcelonasexo.com
620 28 29 23

AGENCIA SISÍ
www.sisigirls.com
623 52 72 31
www.harenparadise.com

WOMANS INTERNACIONAL
www.womans-international.com
93 451 15 53
93 451 73 88

SCORTS BARCELONA
www.escortbcn.com

AGENCIA STANDING-BCN
www.standing-bcn.com
93 487 08 28
639 39 20 09
www.welcome.to/anais

CLUB ENJOY
www.enjoy-club.com/sadomoon

CLUB GIRLS
www.enjoy-club.com/girls/
Avda. Sarrià, 23
Barcelona
93 430 08 75

SAUNA STYL
www.enjoy-club.com/styl/
c/ Soler i Rovirosa, 8, entlo. 2ª
Barcelona
93 231 96 81

MUNDO DE TENTACIONES
www.mundotentaciones.com
646 80 67 95

CLUB XXX
www.club3x.net
c/ Viladomat, 291
Barcelona
93 419 87 84

AGENCIA DESIRE
www.desire-vips.com

PLAERS
www.plaers.com
93 272 02 82
www.travestisbrasileras.com
93 323 24 34

SAUNA MR
www.masajesrelax.net
c/ Enric Granados, 66
Barcelona
93 451 65 46

NEW ARIBAU
www.newaribau.com
www.entenza65.com
C/ Entenza, 65, bajos
Barcelona
93 426 92 05

LEMNOS
www.lemnos.biz
c/ Conde Borrel, 162, entlo.
Barcelona

RELAX WORLD
www.paracomerselas.com
93 226 54 75

LONDRES 20
www.londres20.com
c/ Londres, 20
Barcelona
93 439 60 40
696 53 33 02

ANGI ESCORT
www.enjoy-club.com/escort
619 86 09 28

MS
www.masosado.com
c/ Gran de Gracia, 215, entlo.
Barcelona
93 415 90 10

MODELS
http://netroweb.lanetro.com/thebest
610 41 61 41

PUB PARIS
www.paris-glamour.com
Ctra. Horta a Cerdanyola, km. 8
Barcelona
93 423 427 54 / 44

VALENCIA.COM
www.valencia.com
96 380 47 76

HELP
www.help.arrakis.es
Dr. Vila Barberá, 20, bajo
96 380 47 76

COMPLEJO ROMANI
www.complejoromani.com
Ctra. Nacional 332, km. 242
Sollana. Valencia

AGENCIA STILO
www.stilovalencia.com
96 325 95 35

ATABU
www.atabu.com
c/ San Vicente
Valencia
96 380 34 35

ADELUXE
www.adeluxe.com
Avda. Aragón
Valencia
96 337 41 12

EL CISNE
www.complejoelcisne.com/
Avda. de Alicante, s/n
(Antigua Ctra. N.332, km 246)
Silla (Valencia) 46460
96 121 26 33

CANELA
www.netroweb.lanetro.com/cane-
la
96 362 00 54

PARAIS
http://netroweb.lanetro.com/pa-
rais
96 380 68 02

AGENCIA VIP
www.michicax.com
96 338 14 14

IRENE
www.netroweb.lanetro.com/irene
96 373 07 18

IRENE II
www.netroweb.lanetro.com/sex
96 352 81 23

MAJESTIC
www.majesticval.net
96 348 44 29

MARBELLA PARTY
www.marbella-party.com/

MARBELLA SCORT
www.marbella-scort.com

ADRIANAS SCORTS
www.adrianascort.com
630 50 93 00

SEX MADRID
www.sex-madrid.com

LAS GEISHAS
www.lasgeishas.com
c/ Rodríguez Marín, 88, bajo
91 563 49 26

CLAUDIAS
www.anunciox.com/claudia

EROTICA INTERNACIONAL
www.eroticainternacional.com
c/ Hermosilla, 101, esc. C 1° 1
c/ Sor Ángela de la Cruz, 24, esc. A 1° D
c/ Princesa, 3, dupl. 10 Apto. 1012
c/ Monteleón, 30, 1°
c/ Estrella, 15, 1°
c/ Estrella, 18, 1°
c/ Atocha, 45, 2° B
c/ Atocha, 107, 2° E
c/ Fuencarral, 8, 1°
c/ San Bernardo, 30, 1°
Madrid

MUNDO FANTÁSTICO
www.tumundofantastico.com
c/ Atocha, 80
Madrid
91 528 77 27

FOTOS VER
www.fotosver.com

SEXO BOHEMIO
www.sexobohemio.es.vg

AGENCIA SONIA
www.sonia-madrid.com
91 300 54 40

6KM10
www.6km10.com
Nacional 6, salida 10
Madrid
91 357 39 96

BAR SAN JORGE
www.barsanjorge.com
P° de la Castellana, 56
Madrid
91 375 14 44

FEDERICA SCORTS
www.federicaescort.com/
91 458 75 45

D´ANGELO
www.tst.es/dangelo
P° de la Castellana, 151

Madrid
91 579 07 92
C/ Rosario Pino, 3
Madrid
91 570 37 57

MARCELA
www.marcela.prorelax.com
91 457 97 73

GODSEX
www.godessex.com
626 80 07 38

GARLAND
www.anunciox.com/garland
91 411 38 48
630 98 10 25

HAREN MADRID
www.haren-madrid.com
91 388 78 35

SWING
www.anunciox.com/swing/
91 519 45 68

ANGELS
www.escortsangels.com
696 52 68 68

www.chaletprivado.com
91 415 08 40
91 515 20 48

AGENCIA SOMBRAS
www.sombras.tv/
902 44 88 68

PLACER VIP
www.placeresvip.com
637 10 56 05
676 48 95 52

ORTENBACH
www.ortenbach.com
625 95 56 77
PLAY MODELS
www.play-models.com
620 17 83 03

LA LUNA
www.pub-laluna.com
Ctra. Coruña-Madrid, km. 18
Guisamo. La Coruña
981 79 51 55
981 79 57 51

CASA BLANCA
www.blancaplacer.com
607 44 97 83

PISO MUÑECAS
www.pisomunecas.com
981 13 74 75
981 22 39 16

CASA PRISCILA
www.casapriscila.com
c/ Adelaida Muro, 82
A Coruña
981 22 36 43

CLUB TRITON
www.tritonshowclub.com
Ctra. Nacional VI, km. 420
Corgo. Lugo
982 30 01 38
982 30 03 95

NIGTH STAR
www.nighstarclub.com
Ctra. Nacional 301, km. 190
Casas de los Pinos. Cuenca
969 38 50 64

CASA ELENA
www.lacasitadeelena.com
986 47 22 08
986 47 22 56

CASA PRINCESAS
www.princesas.info
986 42 34 10

LADY EROTIK
www.ladyerotik.com
952 60 41 72
626 44 70 88

TRASTEVERE
www.trastevereweb.com/
c/ Autonomía, 36
Baracaldo. Bilbao

AGENCIA WORLD CANARIAS
www.agenciaworld.com
636 43 19 44
667 26 59 23
609 10 85 20

AGENCIA CARLA
www.sexelsa.com/carla
922 26 26 10

AGENCIA THIARA
www.chicas-thiara.com
922 24 16 71
670 32 16 38

AGENCIA CACHET'S
www.rociocachet.com
928 26 44 55

CASA JOSEFA
www.telefonica.net/web/casajosefa
928 27 06 20

SALÓN CLAUDINE
www.salon-claudine.com
Shoppping Center San Agustín, sótano
Las Palmas de Gran Canaria
928 76 74 58

EL JARDÍN DE LOS PLACERES
www.el-jardin-de-los-placeres.com
630 74 01 69

EL RINCÓN DE SENA
www.rincondesena.com
948 18 79 54

AGENCIA XENA
www.agenciaxena.com
629 88 88 02

SEX PARADE
www.zaragoza-ciudad.com/aragonfine
976 48 61 95

INTERELAX
www.interelax.com
Páginas personales (ESCORTS)

KARLA
www.karlaescort.com
645 385 345

ALYS
www.alyslove.com
620 624 174

KARLA
www.karlalc.hpg.com.br
636 29 52 22

INMA
www.destack.com.br/INMA.HT
M
649 02 50 17

SANDRA
www.sandrabela.com
661 28 14 88

ROCÍO
http://usuarios.lycos.es/fantasias-
rocio
652 33 06 11

DIANA
www.zaragoza-ciudad.com/diana
620 35 10 40

SONIA
www.zaragoza-ciudad.com/sonia
639 32 77 24

STA. YANIS
www.gratisweb.com/yanis_
bcn/
678 38 38 32

TRAVESTI CAROLINA
www.travesticarolina.com
660 96 35 00

SUSANA ESCORT
www.susanaescort.com
627 78 29 00

SABRYNA
www.sabryna.com
650 28 31 87

LAURA
www.lauritabcn.com
635 91 36 99

MARISSA
www.marissaweb.com
96 391 55 29
608 56 17 27

ANNI
www.lasfantasiasdeanni.com
627 23 20 04

SONIA
www.soniabcn.com/
679 01 69 41

AIDA
www.alfin.net/aida/
607 85 71 71

ALICIA
www.depicospardos.com/web/ali
cia.htm
620 62 41 74.

PATRICIA
www.milcontactos.com/patricia-

escort/castellano.htm
699 02 86 23

MARÍA
www.mariaescort.com/

CRISTINA
www.cristinaescort.com/

VERÓNICA
www.relaxveronica.com/veronica-escort/castellano.htm
600 09 09 20

LILIANA
www.milcontactos.com/liliana.htm

VERO
www.milcontactos.com/vero.htm

ANAIS
http://welcome.to/anais
636 86 12 83

JARA y ADRIANA
www.jaramodels.net
630 50 93 00

EVELIN
www.milcontactos.com/evelin.htm

LINA
www.linalc.hpg.ig.com.br/

MAR
www.nice.com.ar/demos/mar/index.htm

Servicios para damas
www.neron-dalila.com
c/ Consell de Cent, 185, 3, 2ª
Barcelona
93 451 22 59

AMERICAN GIGOLO
www.americangigolo.net
c/ Diputación, 294, entresuelo, 2ª.
Barcelona
93 317 07 92

STAUS CHICOS
www.stauschicos.com
93 458 85 78

AMERICAN BOYS
www.chicosbcn.com
Ronda Universitat, 23, 3ª, 2ª
Barcelona
93 412 412 75 / 33

KORPUS
www.korpus-delirio.net
93 532 48 02

WOMANS INTERNATIONAL
www.womans-international.com/fparasenoras.htm

MARBELLA SCORT
www.marbella-scort.com

INTERNATIONAL SM
www.international-sm.com
95 259 08 18 – 95 248 58 19

Una vez elaborado el directorio, sólo quedaba armarse de paciencia y comparar a las supuestas prostitutas anunciadas en esas páginas con las modelos eróticas y pornográficas que pueblan el universo del sexo profesional internacional. Durante los meses siguientes examiné cientos de publicaciones, miles de páginas y quizá millones de imágenes pornográficas. El porno es una industria que crece a un ritmo inimaginable, en algunos casos estrechamente vinculada con la prostitución.

Lesbianismo, sadismo, sexo anal, eyaculaciones faciales, coprofilia, travestismo, sexo adolescente, orgías, embarazadas, masoquismo, doble y triple penetración, gerontofilia, lluvia dorada, voyeurismo, pedofilia, fetichismo y un largo etcétera. El universo de la pornografía no conoce más límite que la imaginación. Pero a medida que profundizaba en ese mundo, sintiendo cómo mi propia sexualidad se pervertía cuanto más me sumergía en ese pozo sin fondo, comprendía cuál era el origen en la evolución de las fantasías sexuales solicitadas por los clientes a las prostitutas. Primero experimenté sorpresa, después vértigo y finalmente asco por el género masculino. Las sensaciones que me embargaban según iba descendiendo peldaños en el submundo del sexo de pago eran cada vez más tenebrosas. Oscuras. Sucias. Malolientes... En definitiva, humanas.

Pero si yo me escandalizaba y me asqueaba al descubrir las perversiones que muchos varones exigen a las prostitutas, ¿qué sentirían ellas al tener que experimentarlas en su propia carne? La pornografía es el mejor baremo para calibrar las fantasías sexuales de una sociedad, y la prostitución el lugar donde materializarlas. Carmen, la empleada de ALECRIN que ejerció como prostituta de lujo en Galicia desde que tenía sólo diecisiete años, había sido la primera en alertarme sobre un fenómeno que luego me confirmarían otras muchas rameras:

—Yo estuve con muchos clientes que sólo querían lo normal: o sea un «francés» y penetración, y al cabo de seis meses o un año, volvía a repetir con el mismo cliente y ya quería otras cosas: tríos, darte por el culo, correrse en tu cara... Y si volvía a repetir con él un año después, ya quería cosas más raras: vibradores, que le mearas o le cagaras, que le pegases... y la mayoría, al final, cuando ya ha hecho de todo con chicas, buscan travestis...

Me consta que algunos de los rostros conocidos de la televisión, el deporte o la política han terminado acudiendo a travestis y transexuales después de una dilatada experiencia con prostitutas. Entre ellos se incluye algún compañero e íntimo amigo mío, cuyas perversiones descubrí, casualmente, al encontrarme con el travesti al que acuden muchos famosos en Barcelona. Confieso que resultó traumatizante, cuando entrevistaba a dicho travesti, escuchar de sus labios los nombres de íntimos amigos y compañeros de cadena que habían sido sus clientes más viciosos. Sólo en un momento de la investigación mi sorpresa fue mayor: cuando descubrí que la esposa de otro íntimo amigo mío ejercía la prostitución. Era en esos momentos cuando me arrepentía de haber profundizado tanto. Prefería no haber averiguado eso.

Ahora no me cabe duda de que esas fantasías sexuales de los puteros están motivadas, o al menos condicionadas, por la oferta pornográfica que satura diariamente el mercado del sexo. Desde los zapatos de tacón de aguja y la lencería fina hasta las eyaculaciones faciales y las orgías: los clientes piden a las furcias lo que ven en los vídeos, revistas y páginas porno, y que desean imitar. En ocasiones los proxenetas o los encargados del burdel exigen a las meretrices que satisfagan esas peticiones, por sórdidas y denigrantes que resulten, bajo la amenaza de ser expulsadas del prostíbulo, y eso en el mejor de los casos. Debería haberme dado cuenta en ese momento de que ninguna mente puede resistir por mucho tiempo un castigo tan atroz y continuado sin acusar trastornos psicológicos tarde o temprano.

Poco a poco, y tras invertir todas las horas muertas de mi tiempo en visitar las páginas pornográficas de la red que me habían marcado Néstor o Valérie, comenzaron a aparecer los primeros resultados. Afortunadamente mis amigos son comprensivos y ya están acostumbrados a mis rarezas. Por eso se limitaban a mirarme con una sonrisa tolerante, cuando inundaba el ordenador de sus oficinas o sus domicilios con cientos de páginas web pornográficas, aprovechando que sus equipos informáticos son más rápidos y potentes que el mío.

De esta forma empecé a localizar, poco a poco, día a día, foto a foto, las imágenes originales, hurtadas de las webs eróticas o porno por los responsables de los ciberburdeles, haciéndolas pasar por sus prostitutas. Para darle un toque de realismo, los diseñadores de la página manipulan la fotografía original, ocultándole el rostro, como si de verdad se tratase de una fulana localizable en ese club que desea mantener el anonimato. A continuación añaden una descripción completa, y totalmente falsa, de la joven, detallando sus supuestas fantasías eróticas: «Tengo diecinueve añitos. Mi altura es 1,78 y mis medidas, 90-60-90. Me encanta hacerlo por detrás…». Los serrallos más audaces con su presencia en Internet, como la malagueña www.ladyerotik.com, tienen la osadía de añadir las palabras «foto real», sobreimpresionada en esas imágenes robadas de páginas pornográficas.

En otros casos, como la madrileña www.ladymaryan.com, incluso se atreven a ofrecer a alguna *pornostar* internacional, como Brandy Smith. Esta actriz, que pertenece a la factoría Private, jamás ha trabajado en un prostíbulo español. Así me lo confirmaron en su sede central de Barcelona, regentada por Natalia Kim, al ver las fotos expuestas por el burdel madrileño en su página web. Y es que la chica que Lady Maryan ofrece como «Lorena: estudiante de Medicina, de veinte añitos, nacida en Madrid, con medidas 90-60-90 y dispuesta a cualquier juego erótico», es en realidad una de las actrices porno más reputadas del mundo, que ni ha estudiado Medicina ni tiene veinte años ni ha pisado Madrid en su vida.

Ya sólo me quedaba comprobar por mí mismo si las afirmaciones de Valérie Tasso eran tan precisas como siempre. Decidí averiguar cómo reaccionaban los encargados del burdel cuando un cliente solicitaba a alguna de las chicas que aparecen en sus páginas web. Para el siguiente experimento escogí uno de los locales que presentan la placa de garantía de calidad de ANELA. Según la asociación de empresarios de prostíbulos españoles, esa placa avala los servicios de sus ramerías. Así que, según ANELA, sin duda la página web www.help.arrakis.es reflejaba solamente la oferta de los honrados empresarios del conocido prostíbulo valenciano.

El Help, ubicado en la calle Dr. Vila Barberá, nº 20, bajo, ingresó en ANELA el 30 de octubre de hace dos años, momento en que la placa que garantiza la calidad del prostíbulo era colocada en la entrada del burdel. ¿Y quién fue la persona encargada de realizar la solemne entrega de esta placa ANELA? Pues nada más y nada menos que mi viejo «camarada» D. José Luis Roberto, fundador de la asociación de puticlubs, director de Levantina de Seguridad, y presidente del partido político de extrema derecha España2000.

Antes de acudir al burdel, marqué su número de teléfono, el 96 380..., y expresé claramente mi deseo de tener relaciones sexuales con una de las chicas que aparecían en su página web: Miriam. Según la encargada, no había ningún problema. Sólo tenía que acercarme al prostíbulo y allí podría disfrutar de los encantos de la estilizada rubia que había visto en su sitio de Internet. Aparqué el coche a un par de manzanas del local y preparé la cámara oculta. No me hacía gracia pensar que los vigilantes/porteros del burdel muy probablemente habrían salido de Levantina de Seguridad, pero era una de esas situaciones en las que no hay alternativas: o asumía el riesgo y entraba, o me volvía al hotel. Finalmente opté por lo primero. Activé la cámara y acudí a la mancebía de ANELA como un cliente más, completamente solo y sin cobertura, como casi siempre.

Para entrar en el Help hay que llamar a un telefonillo y esperar a que te abran. Esos segundos, con uno de los vigilantes del lupanar a mi espalda, resultaron incómodos y no pude evitar ocultarme la cara lo más posible.

Por fin me abrió la encargada, una rubia madurita de pelo corto, que me acompañó hasta el bar del club, atravesando una serie de salas lujosamente decoradas. Tardaría algunas semanas en averiguar, gracias a uno de mis «camaradas» skinhead de Levantina de Seguridad, que la rubia madurita era Raquel, cuyo marido, por cierto, también fue uno de los capos de las empresas de seguridad en Valencia: concretamente de Nauper, con una curiosa historia personal. Le pedí una copa a Raquel y pregunté por Miriam, la chica de Internet. Como me esperaba, la mujer me dio evasivas.

—Miriam ahora está en un servicio, pero te voy a pasar a otras chicas muy guapas que tenemos.

Dicho y hecho. Varias jóvenes fueron desfilando frente a mi cámara oculta, mostrándome sus encantos. Ninguna de ellas aparecía en la página web del Help. Y aunque, por supuesto, eran jóvenes y agraciadas, distaban mucho de las exuberantes modelos que aparecían en la red.

—¿Y bien?, ¿cuál te gusta? —me dice la señora, una vez ha desaparecido la última de las rameras que me ha mostrado como si fuesen ganado en una feria bovina.

—Pues la verdad es que me gusta Miriam —respondo conteniendo la sonrisa.

—Ya te he dicho que Miriam está ocupada —replica ella, que empieza a enfadarse.

—Vale, pues la esperaré.

Con la mejor de mis sonrisas me acomodé en la barra del club y continué tomando mi copa, bajo la mirada atónita de la *madame*. Parecía evidente que no se esperaba mi reacción y permaneció unos minutos sin saber qué decir.

—Es que va a tardar. Está haciendo un servicio en un hotel.

—No importa, no tengo prisa —y seguí con mi copa reprimiendo la sonrisa maliciosa que intentaba asomar a mis labios.

Según el minutado de la cinta de mi cámara oculta, sólo tardó cuatro minutos en volver a preguntarme:

—¿Bueno, qué, te lo has pensado mejor?

—Sí, claro.

—¿Y? ¿Con cuál te quedas?

—Con Miriam.

Lógicamente, la mujer se enfadó de verdad y me dijo que Miriam ya no trabajaba allí, y que no iba a volver, así que o elegía a otra chica o no pintaba nada en el burdel de ANELA. Era más que suficiente. Evidentemente Miriam no se llama Miriam sino Julia —si no estoy equivocado—, no era prostituta, sino una modelo erótica rusa —ni siquiera porno— y por supuesto jamás ha estado en España ni en Valencia ni en el Help ni en ningún otro burdel de ANELA.

No soy abogado, pero imagino que los puteros habituales que acudan al Help con la intención de utilizar a alguna de las chicas que aparecen en su página web podrían acusar al prestigioso prostíbulo, en el mejor de los casos, de utilizar publicidad engañosa. Con o sin placa de ANELA, con o sin garantía de calidad, si quieren alcanzar el orgasmo con alguna de las chicas que se anuncian en la web del Help, como la ficticia Miriam, tendrán que hacerlo a mano.

La trastienda del burdel

A pocos kilómetros de Valencia, en la localidad de Silla, se encuentra el primer burdel que recibió la honorable placa de ANELA: El Cisne, que por cierto también cuenta con página web, www.complejoelcisne.com, aunque, todo hay que decirlo, al menos no incluye fotos de sus prostitutas.

Llegué ya bien entrada la madrugada y conecté la cámara oculta justo antes de cruzarme con Nacho, el encargado de la seguridad, con el que terminé haciendo buenas migas. Nunca me atreví a preguntarle si pertenecía a los skinheads de Levantina de Seguridad ni si había estado en la manifestación contra la inmigración, organizada por José Luis Roberto y su partido ultraderechista. Sería tentar demasiado a la suerte, y sólo me faltaba que un grupo de porteros y vigilantes de burdel pillasen a Tiger88 solo y grabándoles con una cámara oculta en el interior de un prostíbulo. Afortunadamente todos los skins de Levantina de Seguridad frecuentaban las páginas nazis en que se le habían atribuido otras identidades a Tiger88, y buscaban a los supuestos Antonios Salas que circulaban por la red y no a mí.

El Cisne fue, desde su fundación, uno de los arietes de ANELA, de cara a los medios de comunicación. Adrián Espejo, gerente del prostíbulo, siempre con una sonrisa en los labios, respondía pacientemente a las inquisitivas preguntas de la prensa, para quien abrió las puertas de su local.

Confieso que me habría gustado haber encontrado trapos sucios en El Cisne, por eso, cuando Diana, una dominicana mulata de grandes pechos, me dio conversación, desplegué todos mis encantos para ganármela. Conozco relativamente bien la República Dominicana. En su día recorrí toda su geografía, desde Puerto Plata a Elías Piñas y desde Gemaní a Santo Domingo, pasando por Neibar, Bani, San Cristóbal, Santiago, etc., incluyendo el pueblo de donde era originaria Lucrecia Pérez, la inmigrante asesinada a tiros en Madrid por un guardia civil neonazi y varios miembros de Ultrassur. La pobre Diana no sabía que los asesinos de su paisana era «primos idelógicos» del fundador de la asociación empresarial que vivía de su esfuerzo y sacrificio. Siempre me he preguntado qué pensarían los asesinos de Lucrecia Pérez y los miles de neonazis subnormales que les aplaudieron si supiesen que algunos de sus ideólogos políticos, como José Luis Roberto, se lucran de otras inmigrantes ilegales como ella. En el fondo no demuestran ser más que una pandilla de pardillos que se han pasado con la maquinilla de afeitar, rapándose el cerebro. Y las skingirls que enérgicamente exigen la expulsión de las inmigrantes por quitar los puestos de trabajo a las «verdaderas» españolas blancas tal vez deberían ocupar su lugar en los burdeles de ANELA, así todo quedaría en casa.

No fue difícil convencer a la dominicana para vernos a las cuatro de la madrugada, cuando concluía su horario en el serrallo. Ella vivía en Valencia y me ofrecí a acompañarla. Se ahorraría el dinero del taxi y yo tendría la oportunidad de conseguir una nueva fuente de información. Al día siguiente, y durante varios de mis viajes a Valencia, volvería a verme con Diana, que me facilitaría mucha información sobre El Cisne y otros locales en los que había trabajado antes, y en los que ha trabajado después.

Diana fue quien me explicó que, aunque ella no dormía en El Cisne, tenía que pagar 42 euros todos los días para poder buscar clientes en el burdel. La misma suma que pagan las busconas alojadas en el local 24 horas al día. Ella sabe que no puede elegir: o acepta las condiciones del prostíbulo o se larga. Además debía abonar una multa, de 6 euros por fracción, cada vez que se excedía en el tiempo contratado por el cliente para el servicio sexual. Ella vivía en Valencia y podía comprarse la ropa, zapatos, perfumes y demás «herramientas de trabajo» en las tiendas normales, pero las chicas que estaban día y noche en El Cisne recibían periódicamente la visita de «representantes comerciales» que les vendían vestidos, joyas, etc., a precios abusivos aprovechándose de que no podían comprarlos en ningún otro lugar. Ella se quejaba de que, hiciesen lo que hiciesen y se esforzasen cuanto se esforzasen, quienes siempre salían ganando eran los empresarios.

—Yo puedo entender que cobren a las chicas que viven aquí como si fuese un hotel pero ¿por qué nos cobran lo mismo a las que no estamos aquí más que el tiempo que dura el alterne? Tampoco entiendo por qué, por ejemplo, cuando yo hago un strip-tease en una despedida de soltero y cobro 180 euros, tengo que darles a ellos 80, si soy yo la que hago todo el trabajo…

Fue Diana la que me contó que al menos las chicas que vivían en El Cisne tenían piscina y otras comodidades, aunque por eso no deja de ser una cárcel con barrotes de oro en la que de vez en cuando se producían pequeños robos, como en todos los lupanares de España. Ellas saben que podrían estar peor, pero ninguna ejerce la prostitución libre y voluntariamente como creen los responsables de ANELA, sino porque, como Diana, carecen de documentos legales y prefieren vender su cuerpo que regresar a un país donde sólo les espera una vida de miseria.

Una de esas noches, mientras estaba en El Cisne se produjo un incidente muy curioso. Aparecieron cuatro individuos jóvenes, fuertes y que, por su acento, parecían rumanos. Al otro lado de la barra, Antonio y otros trabajadores del local manifestaban un claro nerviosismo. Los rumanos hablaban por sus móviles con alguien sin decidirse a pedir una consumición, por lo que Antonio les llamó la atención. Entonces volvieron a utilizar el móvil y, poco después, otros cuatro o cinco rumanos llegaron a El Cisne. Ni Nacho ni toda la guardia pretoriana de José Luis Roberto se habría atrevido a chistarles a los rumanos y la tensión era patente en el burdel. No es lo mismo apalear a un vagabundo negro con media docena de camaradas skins, que enfrentarse a varios rumanos armados. Ahí es donde los guerreros arios se acojonan.

Entonces pidieron alcohol y chicas en cantidad, y yo consideré que era el mejor momento para batirme en retirada. Sólo me faltaba verme involucrado en un tiroteo. Diana fue una de las escogidas para subir con los rumanos y al día siguiente me relataría con detalle su episodio. Pese a que Levantina de Seguridad teóricamente garantiza la seguridad de las chicas en los burdeles de ANELA, ni Diana ni ninguna de sus amigas se sintió segura.

Y eso me llevó a pensar que diga lo que diga ANELA, el mundo de la prostitución está ligado a la noche, las mafias y la violencia. Todas las rameras de sus locales, que en ningún caso son furcias por vocación, forman parte de lo que el profesor de Justicia Criminal en la Universidad de Illinois, Steven A. Egger, llama «los menos muertos», en relación a que son las víctimas más accesibles para todo tipo de violencia homicida. El agente Juan simplemente las definiría como «carne de cañón».

Sumergidas en un pozo del que resulta muy difícil salir, sus días —más bien sus noches— se suceden sin ninguna expectativa de futuro, inmersas en el mundo de las drogas, las bandas de crimen organizado, el alcohol, etc. Pese a sus vestidos caros, a sus zapatos de tacón de aguja, a su lencería fina, a los neones luminosos y a las bebidas y drogas de calidad, en las vidas de esas chicas no hay glamour, lujos ni sofisticación. La mayoría de las veces, ni siquiera hay sonrisas.

Capítulo 11

Books: famosas a la carta

Estas libertades tienen su límite en el respeto a los derechos reconocidos en este Título, en los preceptos de las leyes que lo desarrollen y, especialmente, en el derecho al honor, a la intimidad, a la propia imagen y a la protección de la juventud y de la infancia.

Constitución Española, art., 20, 4.

De regreso a Barcelona, Manuel acudió puntual. Nos habíamos citado en un importante restaurante de la Ronda de San Jordi. Semanas atrás, en nuestra entrevista con Priscila, la compañera de burdel de Malena Gracia y de otros rostros conocidos de la pequeña y de la gran pantalla, había prometido introducirme en el circuito de las mesalinas famosas. Me inventé una reunión con importantes empresarios, vinculados al mundo de la prostitución y las drogas, para justificar mi viaje a Barcelona y mi supuesta holgura económica. Lo que en el fondo era verdad, ya que todos mis viajes durante esta investigación estaban motivados por traficantes de drogas, armas o mujeres.

—Manuel, estoy cachondo y me apetece un montón tirarme a una famosa. Tú me habías dicho que podrías presentarme alguna, ¿no?, ¿o sólo querías presumir?

—Claro. Te voy a llevar a una agencia, de aquí, de Barcelona, que lleva famosas. Ahí me he tirado yo a más de una.

—¿Cuándo?

—Mañana.

Esa tarde me gasté un dineral en el *atrezzo* de mi nuevo personaje. Me compré un par de camisas Pierre Cardin, unos zapatos de piel, pantalones de marca, corbatas de seda y un llavero de Mercedes que, junto con un cigarro habano, marca Cohiba, debería darme el aspecto de un empresario adinerado con un capricho sexual.

La existencia de catálogos fotográficos donde poderosos empresarios, políticos y famosos habituales en la prensa rosa o en las pantallas de televisión escogen a las prostitutas de gran lujo con las que desean tener relaciones, es una especie de leyenda urbana que circula en todas las redacciones de prensa, radio y TV del país. Todas las fuentes que había consultado me habían advertido de que, de existir, resultaría muy difícil acceder a los catálogos de las famosas del cine, la moda o la televisión que se dedican a la prostitución, y mucho menos grabar con cámara oculta esas negociaciones. Todas coincidían en que, para poder ver los supuestos books o álbumes de fotos de esas rameras de gran lujo, era necesario ser un cliente conocido por la agencia y haber contratado antes los servicios de otras escorts. Sin embargo yo no podía hacer eso, así que Manuel era mi única posibilidad de burlar las desconfianzas de las *madames* para poder ver esos legendarios catálogos de prostitutas de alto standing y grabarlos con mi cámara oculta. Y así ocurrió. Al día siguiente acudimos a una de las agencias de lujo en la que, según mi inconsciente cómplice, podía gestionarse un servicio sexual con famosas actrices, modelos y presentadoras de televisión.

La agencia Standing-BCN se encontraba en un lujoso apartamento de la calle Pau Claris. Justo antes de entrar en el portal del edificio, me excusé diciendo que tenía una necesidad urgente de ir al servicio y me refugié en un bar cercano para, escondido en su lavabo, encender mi cámara oculta sin que Manuel pudiese verme.

Al salir del ascensor, una especie de doble puerta, que separaba ambas alas del piso en el pasillo, convirtió aquella agencia en un lugar especialmente discreto. Nos abrió una señorita con mucha clase que, en cuanto vio a Manuel, nos recibió con cordialidad.

—¡Hola!

—¿Qué tal? ¡Adelante!

—Éste es Toni. Toni, María.

—Encantada. Pasad, pasad.

Enseguida la señorita nos invitó a entrar en una elegante sala de espera. Manuel le explicó mi intención de conocer a alguna de sus señoritas. Con la excusa de que quería organizar una fiesta de empresa, con dos o tres de sus escorts, solicité examinar su catálogo.

—Muy bien, os traigo el book para que veáis primeramente, y entonces ya sobre eso, me decís las chicas que queréis... Yo necesito saber un poco el presupuesto, las chicas que queréis y el tiempo.

—Muy bien.

—Y bueno, comentadme un poquito: ¿qué es, una despedida o...?

—No, abrimos una delegación de una empresa en Barcelona y queremos hacer una fiesta...

—¡Ah, muy bien! Pues tenemos chicas de mucho nivel, ¿eh? Así que vais a quedar bien, sin ningún problema. Venga, pues os traigo el book, os lo enseña mi compañera. ¿Queréis alguna cosita?, ¿os apetece tomar algo?

Manuel pidió una schweppes de naranja. Yo necesitaba algo más fuerte y pedí un vodka. Lo bueno de la cámara oculta es que graba todo lo que ocurre, incluido el tiempo que transcurre entre cada episodio. Por eso puedo decir que, exactamente dos minutos y diez segundos después, una segunda señorita llamada Mery, entró en la sala con un álbum de fotos lujosamente encuadernado. Eran fotografías ampliadas, así como páginas de revista recortadas y plastificadas con una presentación impecable. La primera de las señoritas que aparecía en ese book era una famosa modelo, habitual en las pasarelas Gaudí, Cibeles, Milán, París, etc., que había sido elegida modelo del año no hacía mucho tiempo. No precisaré cuándo. Manuel sonrió y me explicó que ésa era la primera con la que él había mantenido relaciones en esa agencia. Incluso me relató, con pelos y señales, sus habilidades sexuales, confesándome que aquella famosa modelo, a la que yo había visto hacía poco en los programas del corazón supuestamente relacionada con un famoso cubano, archiconocido por su relación con otra famosa española, le había facilitado su teléfono para que pudiesen tener nuevos encuentros sexuales, ya al margen de la agencia. Esto lo hacen muchas prostitutas, sean rostros populares o no, para poder embolsarse íntegramente el importe del servicio y no tener que entregar a los proxenetas su porcentaje, cosa que me parece estupenda. Todo lo que sea estafar a los proxenetas, sean mafiosos nigerianos, honrados empresarios o sofisticadas encargadas de agencias de lujo, me parece bien. Al fin y al cabo todos ellos viven de explotar el sexo de sus rameras, ellas son las que hacen el trabajo sucio y, según el cliente, muy, pero que muy, sucio.

—Ésta me contó que quería ser modelo desde los seis años —me explicaría Manuel, que parece conocer muy bien a la chica de la foto— y me dijo que a ella la descubrió la directora de una agencia de modelos de Gerona y, después de ganar un concurso de belleza, la ficharon y empezó su carrera hacia la fama. Con sólo veinte añitos ya ha desfilado en las pasarelas más importantes del mundo, y no veas cómo folla... A mí me calienta cada vez que la veo en la tele.

Al contemplar aquella primera fotografía, que por supuesto no aparece en la página de Internet, reconozco que sentí una morbosa satisfacción. A través de Manuel estaba accediendo a un mundo secreto, limitado a los poderosos que disfrutan de una situación económica que les permite gastarse, en una hora de placer, cifras equivalentes o superiores al sueldo mensual de muchas familias españolas. Es cierto. Por un instante yo también me sentí poderoso. A partir de aquella primera página, en el primero de los books que podría examinar desde ese momento, conocería los rostros de las fulanas más caras de España. Muchas de ellas aparecen recortadas y pegadas en las carpetas escolares de los adolescentes o decoran sus habitaciones desde un póster desplegable adherido a la pared o se cuelan en nuestros comedores a través de las pantallas de televisión, excitando la imaginación y el deseo de todos los varones, y de algunas mujeres, del país. ¿Cuántas noches miles de adolescentes han explorado sus cuerpos, amparados por la fantasía de aquellas mujeres perfectas? Yo no puedo excluirme. Pero ahora estaba descubriendo que muchas de ellas no eran sólo una fantasía utópica e inalcanzable. Cualquiera podía acceder a sus caricias y a sus besos —aunque fuesen tan falsos como los del Iscariote—. Tan sólo había que disponer del dinero suficiente para comprarlos.

Tras la top model, comenzó a desfilar ante mis ojos todo un elenco de mujeres espectaculares. Muchas de ellas eran portada de importantes revistas o ilustraban anuncios publicitarios de las firmas más prestigiosas. Sin embargo en aquel catálogo no encontré lo que buscaba. No existían fotos de las famosas, famosas con mayúsculas, que Rodríguez Menéndez había acusado en su revista *Dígame* de ejercer la prostitución.

—Algunas de estas fotos están en Internet —le digo a Mery.

—Sí, en nuestra página web: www.standing-bcn.com

—Sí, porque yo he visto ya alguna de estas fotos, ¿son todas españolas?

—Unas sí y otras no.

—Y las españolas, ¿hablan más idiomas?

—Sí.

—Lo que pasa es que no sé si es exactamente esto lo que estamos buscando…

—¿Y qué estáis buscando?

—Pues, nos habían hablado de señoritas más… conocidas —respondí.

—¡Ah, señoritas famosas!

—Sí. Es que eso da mucho más morbo… De eso no tenéis nada, ¿no?

—Voy a hablar con María, porque hay algo más, pero como son muy exclusivas no las sacamos en el book… Voy a hablar con María, ahora vengo.

¡Bingo! La agencia llevaba prostitutas más «exclusivas» que las ofrecidas en el book y en Internet. Aquello sonaba prometedor y exactamente cinco minutos y diez segundos después, Mery regresó con la información.

—Pues nada, es que mi jefa estaba ocupada… Me ha dicho que las hay, pero que están en Madrid y que si podéis llamar dentro de unos días, os dirá qué puede hacer. Pero os aviso de que la hora de estas señoritas no bajará de 5.000 euros.

—Pero la fiesta la queremos hacer en Barcelona —insistí para no levantar sospechas.

—Sí, sí, pero los contactos están allí. Pero que sepáis que son 5.000 o 10.000 euros la hora, pues porque son señoritas… que cobran eso…

Mientras las chicas del catálogo cobraban 150 euros por servicio, las «exclusivas» de las que me hablaba Mery multiplicaban por treinta y por sesenta esa cantidad…

Evidentemente estaba en el buen camino. Prometí llamar unos días después —cosa que hice—, y salí con Manuel de la agencia, aparentemente contrariado.

De *La isla de los famosos* al *Hotel Glam*

En el fondo tuve mucha suerte. Si hubiese encontrado en aquel primer book a las supuestas famosas dedicadas a la prostitución, no habría tenido sentido que Manuel me descubriese otras agencias, tanto en Madrid como en Barcelona, dedicadas al proxenetismo de alto standing. Por eso aproveché su malestar ante el hecho de no haber encontrado lo que yo buscaba. El empresario quería impresionarme y aunque la promesa de María de hacer gestiones en Madrid sonaba prometedora, yo puse, intencionadamente, en tela de juicio su pretendido conocimiento del tema para provocar al empresario.

—¿Y a esto le llamas tú famosas? Pues vaya mierda. Porque salgan en una portada enseñando las tetas o porque hagan un anuncio de joyería no se las puede llamar famosas, joder. Para eso ya tengo yo a las tías de mis garitos, que están tan buenas como éstas, o más.

—Me cago en la puta —respondió el empresario, tocado en su amor propio—, si te digo que te tiras a una famosa, te tiras a una famosa. Vamos a ir a la agencia de Angie que lleva a muchas famosas.

El empresario había mordido el anzuelo. El orgullo es un instrumento muy útil que tiende a perder a los vanidosos si sabes utilizarlo. Inmediatamente Manuel marcó un número que tenía archivado en su móvil, lo que me hace deducir que posiblemente lo utilizaba con cierta frecuencia. Tras hablar unos minutos por teléfono entramos en mi coche y nos dirigimos a la calle Numancia. Esta vez tuve que poner la excusa de que necesitaba sacar dinero para poder meterme en un cajero y activar la cámara oculta sin que Manuel me viese hacerlo. Después entramos en el número 85 y subimos al piso clandestino donde se oculta la agencia Numancia.

Nos abrió una mujer que aparentaba unos cincuenta años de edad, y estaba a años luz de la sofisticación, la clase y el estilo de la agencia Standing-BCN. El piso tampoco tenía el mismo nivel y se parecía más a cualquier casa de citas clandestina que a una agencia de prostitutas de lujo. Sin embargo, tras saludar a Manuel, la *madame*, que tiene toda la pinta de eso, me examinó de arriba abajo con la mirada. Me alegré de la inversión que había hecho en la ropa, los gemelos y el llavero del inexistente Mercedes que completaban mi disfraz. Por fin la celestina sonrió y nos invitó a pasar. Había olido dinero.

Madame Angie nos condujo a una gran sala, donde nos invitó a sentarnos. Inmediatamente expresé mi interés por ver el book de sus señoritas y, para mi sorpresa, la *madame* me pidió una «señal» económica por el mero derecho a examinar su catálogo de meretrices. Es una forma de filtrar a los clientes que verdaderamente tienen dinero y no les importa gastar.

—He montado una empresa, bueno, una delegación de la empresa aquí en Barcelona y queremos hacer una fiesta, bueno, más bien una cena, para celebrarlo. Entonces quería tres señoritas, pero que al menos una de ellas fuese, bueno, conocida. Conozco otras agencias en Madrid, pero aquí en Barcelona no conozco nada y mi amigo me ha dicho que sois muy serios y eso...

—Bueno, nosotros llevamos aquí seis años y la verdad nos va bien...

—Y queríamos ver el catálogo de señoritas.

—Pero sabes que tienes que dejar un depósito para verlo.

—No hay problema.

—Son 60 euros, que tienes que dejar en depósito. Luego [ininteligible] (...) las chicas, algunas de las que están ahí famosas, según para qué cosa y según lo que paguéis no van a venir. Eso os lo garantizo antes de que... no quiero que os sintáis estafados para nada.

—A algunas ya las conocemos y alguna nos conocerá —improvisé marcándome un farol para que Angie se relajara—. Y somos gente muy seria, así que no andamos con mariconadas...

—Vale, pues bueno, yo os enseño y más o menos os digo las que están aquí en Barcelona y las que están en Madrid.

En ese momento imaginé que algunos clientes de esas famosas les habrán pedido las aberraciones sexuales que tantas prostitutas me han descrito durante mi investigación. «...Según para qué cosa y según lo que paguéis...», sin embargo, sonaba a que todas esas perversiones podrían ser negociables.

Madame Angie se levantó del sofá y tomó de una estantería no uno, sino dos, catálogos muy similares a los que ya habíamos examinado en la agencia Standing-BCN. Sin embargo, en esta ocasión, sí aparecían rostros conocidos entre aquellas meretrices de lujo. Los 60 euros que entregué a la *madame* no podían estar mejor invertidos.

—¿De qué precio estamos hablando? Yo te explico: sería una cena, noche de sábado a domingo y luego un servicio completo.

—A ver, mira, normalmente, cuando es una noche, cobramos 1.800 euros. Pero estoy hablando de una chica normal. Pero si es una chica conocida ya es más, estamos hablando de un millón de pesetas.

—Pero supongo que dependerá del momento profesional...

—Es que es eso.

—Y Malena, ¿tú no sabes si cuando salga del *Hotel Glam*...?

—No lo sé, son rachas. Ahora está en el *Hotel Glam* y no... Bueno, sabes lo que pasa, ella cuando viene aquí, aquello, si da la casualidad de que está en Barcelona y algún cliente la quiere, pues sí, pero tiene que coincidir que esté aquí. O que pague lo que ella quiere. Si paga lo que ella quiere sí que viene, claro.

—¿Y de cuánto estamos hablando?

—¿Ella? Un millón.

Mientras iba pasando las páginas del catálogo, iba descubriendo con sorpresa la vida secreta de algunos rostros que he visto en infinidad de ocasiones en la pantalla del cine o de la televisión, en las portadas de revistas tan prestigiosas como *Cosmopolitan*, *Elle*, *Woman*, *Primera Línea*, *Interviú*, *Man*, etc. Y entre ellas reconozco a Malena Gracia, a su amiga la ex guardia civil Ana María B. —que en este book aparece en el desnudo que vendió a *Interviú*—, etc. Angie habla con total seguridad sobre el precio de cada una de ellas. Una de dos: o bien la *madame* está utilizando ilícitamente la imagen de esas famosas, lo que también sería denunciable, o esas famosas ejercen la prostitución.

A medida que pasaba las páginas, Angie me iba haciendo indicaciones sobre algunas de ellas: «A ésta hay que avisarla con un poco de tiempo», «ésta también hace strip-tease», «ésta acaba de hacer una película con Santiago Segura», «mira, ésta estaba en *Confianza ciega*, y es aún más guapa en persona», «ésta salió esta semana pasada en *Interviú*», etc. Muchas de aquellas chicas habían sido misses en sus respectivas ciudades, que después no habían alcanzado la corona en el certamen de Miss España, pero no se habían resignado a regresar a su vida anterior tras catar las mieles del éxito y el glamour. Reconozco que me excité. Pero no sé si mi excitación se debía a los cuerpos esculturales y los rostros perfectos que estaba contemplando o al mundo secreto que estaba descubriendo desde mi falsa identidad como narcotraficante y proxeneta millonario y vicioso.

—Imagina que yo quiero tres chicas. Una muy famosa, y dos chicas normales. ¿En cuánto me puede salir?

—La famosa es mínimo un millón, millón y medio. Yo hablo en pesetas. Y las otras unas 300.000.

—En cualquiera de los casos, menos de dos millones.

—Sí.

—Perfecto.

—¿Podríamos sugerir nombres que no estén en el book?

—A ver, sugiéreme.

En ese momento me permití pronunciar algunos nombres de famosas que, reconozco, me habían hecho fantasear más de una vez. Alguna de ellas estaba en el segundo book.

—Por ejemplo, Sonia...

—Sonia está, mira, es ésta. Pero Sonia pide dos millones... Pero me han dicho que es bastante sosita —me responde la *madame* para mi sorpresa.

Otras famosas que comenté, según Angie, habían dejado momentáneamente la prostitución al casarse, pero la *madame* me confirmó las informaciones de *Dígame*.

—La putada es que muchas chicas que he conocido ahora están en *La isla de los famosos* o en *Hotel Glam*...

Algunas de esas famosas, que ahora están en el punto más álgido de su popularidad, han aumentado las tarifas de sus servicios de forma desproporcionada. Según Angie, algunos clientes, que ahora las veían cada noche en las pantallas de televisión, estarían dispuestos a pagar lo que sea. «Pero igual después se les pasa la fama y ya no pueden cobrar lo mismo.» Algunas de ellas pueden ser contratadas sólo para un strip-tease, por el morbo de algunos empresarios que lo único que quieren es poder contar a sus amigos que han hecho desnudarse a tal o cual famosa. Esos servicios, sin sexo, se quedan en torno a las 100.000 pesetas.

—Vale. Yo te daré unos nombres y tú me dices si sería factible contar con alguna de las que no están en los catálogos.

—Tú dímelos, que yo esta noche hablo con mi jefa… Porque nosotros tenemos una persona que es relaciones públicas, que se encarga, y nos dice: «Pues ésta sí, ésta no, ésta cobra esto, cobra lo otro…».

—Estoy pensando que si cogemos una muy famosa y luego dos más normales, son un millón, y seiscientas mil. Angie, y si lo hacemos así, igual nos regalas el strip-tease…

Hablé con seguridad y relajado y Angie me siguió la corriente sonriendo mis gracias. Se había creído completamente mi interpretación y estaba dispuesta a regalarme, en el pack de la orgía, el strip-tease de una famosa. Lo más duro de mi conversación con la *madame* fue que estaba convencida de que algunas de sus famosas, aunque en ese momento estaban en la cresta de su popularidad, volverían a la prostitución en cuanto pasara su efímero momento de gloria…

—Porque claro, Malena está ahora en el *Hotel Glam,* y claro…

—Pero ¿volverá?

—Tardará, tardará, pero volverá… Además Malena trabaja… todo el mundo que ha estado con ella dice *cha-*

peau... La primera vez que yo vi a Malena aquí, dije: «Joder, qué tía más guapa... qué clase...».

Aquella convicción de Angie tiene mucha más relevancia que la superficialidad del morbo rosa. Una *madame* con gran experiencia en el mundo de la prostitución sabe lo difícil que resulta, para la mayoría de las chicas, salir de él. Independientemente de que sean famosas, escorts de alto standing o rameras callejeras. El dinero que se mueve en este negocio es incalculable. Las chicas se acostumbran a un ritmo de vida inimaginable en ningún tipo de oficio. Sin embargo las secuelas psicológicas que inflige esa forma de vida suelen ser terribles. Y poco a poco, a medida que iba conociendo más y más meretrices, intuía que todas terminaban padeciendo serios trastornos psicológicos. La culpabilidad, la doble vida, los secretos, las mentiras, el desprecio social, la humillación y demás sentimientos tormentosos que son intrínsecos de la prostitución deterioran progresivamente la mente y el alma de las fulanas. No es cierto que sólo comercien con su cuerpo.

Mientras yo continuaba grabando los books, Manuel y Angie hablaban de alguna de las chicas con las que él se había acostado en esa agencia. Y cada minuto que pasaba yo me sorprendía más y más con los nombres que surgían en la conversación. Pero he decidido no reproducir esos nombres, aun teniendo en mi poder las grabaciones de la cámara oculta, por un respeto a las prostitutas que quizá ni ellas sientan hacia sí mismas. Si oculto los nombres reales de lumis callejeras, como Susy, o rameras de burdel, como Andrea o Mery, ¿por qué no voy a conceder el mismo trato discreto a las fulanas de alto standing? Todas tienen amigos, vecinos, padres y algunas hasta hijos, que sufrirían al descubrir su doble vida. Y el objeto de mi investigación son los proxenetas, no sus víctimas. Si Malena Gracia no hubiese reconocido públicamente su relación con este mundo, yo habría omitido su nombre como he omitido el de sus compañeras. Quizá porque no soy tan cruel como Emilio Rodríguez Menéndez, ni un putero resentido.

Antes de marcharnos de la agencia Numancia, Angie se ofreció a enseñarnos a algunas de las chicas que en ese momento estaban disponibles en la casa, esperando en una habitación contigua. Y aunque el objeto de mi visita a aquel piso clandestino era únicamente investigar hasta qué punto era cierta la leyenda de los catálogos de famosas, Manuel se había excitado sexualmente con la conversación y quería ver «el ganado» que había en la agencia. Así que finalmente ante nosotros desfilaron varias señoritas muy atractivas que quedaron inmortalizadas en la cinta de vídeo.

Como ocurre en miles de pisos similares, en todas las ciudades de España, las fulanas pasan una por una, dándonos su nombre, y permitiéndonos que escojamos a la que más nos apetezca. Afortunadamente ninguna resultó del agrado del exigente empresario catalán a pesar de ser chicas verdaderamente exuberantes, y Manuel decidió acudir a otro burdel de lujo, para buscar mejor «mercancía». Casualmente se dirigió a la agencia en la que, años atrás, trabajaba la escritora Valérie Tasso. Al despedirnos, Angie, convencida de que se le avecinaba un gran negocio, me entregó su tarjeta. Sobre la dirección y teléfono de aquel burdel de lujo, sólo una escueta línea: «Asesoría Numancia».

Ya no tenía ninguna duda. Al menos en buena medida, y al menos en lo referente a algunas de las acusadas, lo expuesto por Rodríguez Menéndez en la revista *Dígame* era cierto. No sólo Malena Gracia se dedicaba a la prostitución de alto standing.

Y si conocidas actrices, presentadoras y modelos se dedicaban a la prostitución de lujo, ¿por qué no iba a ser cierto que alguna de ellas diese un paso más allá y participase más activamente del negocio? ¿Por qué no iba a ser propietario de un burdel alguien relacionado con el famoso programa *Gran Hermano*? En ese momento, más que nunca, creí a Ruth, la chica del Riviera que afirmaba haber reconocido, en el plató de *Gran Hermano*, al propietario del burdel en el que había trabajado, al que sus rameras conocían como El Suizo. Decidí poner dirección hacia Galicia por última vez y telefonear a Paulino. Si existe alguien que conozca todos los burdeles del noroeste mejor que su propia casa, ése es Paulino. Y en este caso se convertiría en el sabueso que olfatearía el rastro de El Suizo. Dos horas después de que yo le hubiese telefoneado, interrogándolo al respecto, me devolvió la llamada.

—¿Toni? Me debes un polvo. Tu *Suizo* se llama Ulises A. Y el puticlub La Paloma está en Ponte do Porto, entre Vimianzo y Camariñas, o sea, a tomar por culo. Según me ha dicho un amigo mío, que es camarero en el Mont Blanc, está en la calle Curros, nº 99, de Ponte do Porto. ¿Vamos hoy?

Tomé un avión y viajé por última vez al encuentro del veterano putero. Esa misma noche nos dirigíamos a la población de Ponte do Porto, a poco más de una hora de camino desde A Coruña. El local no es demasiado grande. Regentado por una ex prostituta tailandesa llamada Sariya T. U., no había nada que pudiese relacionar aquel serrallo con ninguno de los concursantes del programa más famoso en la historia de la televisión. O casi nada...

El programa *Gran Hermano* ya había sufrido el escándalo, cuando la revista *Interviú* desveló que dos de sus primeras concursantes, la sevillana María José Galera, de veintinueve años, y la mallorquina Mónica Ruiz, de veinticinco, habían ejercido la prostitución. También todo tipo de rumores rodearon a la pintoresca Aida, primera expulsada en la última edición, en cuanto salió de la popular casa. Pero mi investigación iba por otros derroteros.

Al entrar en La Paloma, antes conocido como Club Yaqui, no conté más de una docena de busconas, entre latinoamericanas y africanas, y preferí distanciarme de estas últimas por recordarme demasiado a Susy, a la que había telefoneado esa misma noche desde mi hotel. Las noticias no podían haber sido peores. Según me había explicado Sunny, alguien había disparado contra Susy desde un coche y se había dado a la fuga.

Desde mi anterior viaje a Murcia, Sunny me había dejado muy claro que cada vez que desease hablar con su protegida tenía que telefonearle a él y no a las amigas del Eroski, a las que llamaba anteriormente cuando quería charlar con la nigeriana. En cada llamada aprovechaba para intimar con el proxeneta, ganándome poco a poco su confianza. Naturalmente, quien esto escribe sabe que debe tener pruebas de todo lo que dice, por eso grababa todas las conversaciones telefónicas, lo que me permite ahora reproducirlas exactamente:

—¿Dígame?

—¿Prince Sunny?

—¿Quién es?

—Soy Toni.

—¡Ahhh! Hola.

—¿Cómo está Susy?

—Alguien le ha pegado el sábado por la noche con una pistola…

—¿Cómo?

—Sí, con una pistola. Allí debajo de su….

—¿Que le han disparado? ¿A Susy? ¿Pero qué dices?

—A Susy. Pero está bien ahora. No es muy grave. Ya está en la casa.

—¡Hostia, qué fuerte! ¿Que le han disparado a Susy con una pistola?

—Ella te ha llamado esa misma noche, pero tú no coges el teléfono.

—Claro, es que estuve en Portugal, estuve fuera, pero me funciona muy mal, se me corta. Yo te llamé el otro día porque llamé a una amiga suya que me dijo que estaba en el hospital, y te llamé a ti pero no me cogías.

—Yo sé eso. Cuando tú me has llamado, yo dejé el teléfono en casa y estaba abajo hablando con alguien.

—Pero ¿cómo está ella?

—Ella está bien.

—Pero ¿cómo fue?, ¿quién la ha disparado?

—Yo fui con ella al hospital esta mañana, pero los médicos dicen que tiene que volver otra vez mañana por la mañana. Ella está bien. No tiene ningún problema.

—Pero ¿quién fue, Sunny, quién hizo eso?

—No lo sé. Ella salió de la casa a las 10.00, y a las 11.30 me ha llamado diciendo que alguien le había pegado con pistola…

—Con pistola.

—Hombre, sí. Pero pistola de esa de… [ininteligible]

—¿De balines?

—Sí, sí.

—Ahh, me estabas asustando ya. Pensé que era una pistola de verdad.

—No, no es pistola de verdad.

—¿Y ella está contigo ahora? ¿Puedo hablar con ella?

—No, yo estoy en Alicante, haciendo una cosa ahora. A qué hora... Cuando llegue a casa te llamo.

Supongo que es una estupidez, pero cada día que transcurría me sentía más responsable del destino de aquella nigeriana, y de alguna manera la culpabilidad me atormentaba, por no haber estado en Murcia cuando algún malnacido, probablemente xenófobo, había decidido distraerse disparando a las busconas negras del Eroski desde un coche, y dándose a la fuga. Cuando convivía con los skinheads más de una vez planeamos acciones similares. Los muy imbéciles no sospechan que tiroteando a las putas, están interfiriendo en el negocio de sus propios ideólogos, como José Luis Roberto, fundador de ANELA y candidato a la alcaldía por España2000.

Me sentía culpable. Por esa razón preferí no acercarme a las africanas de La Paloma y probar suerte con una colombiana que me miraba fijamente desde la barra. La cosa no pudo haber salido mejor. Mientras Paulino multiplicaba sus manos, como Jesús los panes y los peces, recorriendo todo el cuerpo de una mulata, emulando los mil brazos de la diosa Kali, yo intentaba sacar a la colombiana alguna información sobre el propietario del lupanar. En ese momento me di cuenta de mi debilidad. Lo habitual en los burdeles de carretera, una vez se inicia la conversación con una fulana, es que el cliente aproveche para magrear sus pechos, nalgas o directamente su sexo. Mil veces presencié cómo a mi lado los puteros exploraban la anatomía de las féminas como puntillosos ginecólogos. Sin embargo yo nunca pude hacerlo. Nunca fui capaz de imitar el comportamiento soez y grosero de mis compañeros de correrías como Paulino. Sabía que nadie iba a mirarme mal si lo hacía. Ni siquiera las busconas, habituadas a soportar los toqueteos lascivos de los clientes. Sin embargo era superior a mí. Y aun siendo consciente de que mi personaje, un chulo y proxeneta acostumbrado a traficar con zorras, debía estar a años luz de esos prejuicios morales, nunca fui capaz de hacerlo. Me parecía que aquellas personas, por prostitutas que fueran, merecían un poco de respeto y dignidad. Pero sé que para un infiltrado esto es un síntoma de debilidad que podría haber levantado sospechas en más de una ocasión. Y aquella noche era un buen ejemplo.

Mientras Paulino introducía sin pudor la mano bajo el vestido y las braguitas de la ramera, me miraba con una sonrisa de complicidad. Yo, como siempre, me tragaba el asco y respondía a su sonrisa. Pero al ver que yo no terminaba de atacar a mi furcia, empezó a fruncir el entrecejo: ¿qué pasa?, ¿no te gusta?

Esquivé el interrogatorio como pude y decidí alejarme un poco con la colombiana para intentar entrevistarla sin interferencias del putero. Ante mis preguntas sobre quién era el propietario del garito, ella me remitía una y otra vez a la encargada, pero mi experiencia me había enseñado que los responsables de este tipo de negocios tienen muchas más tablas, y son más difíciles de burlar, que sus empleadas. Y más cuando, como en este caso, se trataba de una tailandesa que había ejercido el oficio antes de dirigirlo y que por su pinta podía deducir que conocía todos los trucos. Justo es reconocer que tanto la encargada, a la que investigaría a fondo posteriormente, como las fulanas de La Paloma hablaban con agradecimiento del misterioso Suizo. Según me relató un camarero más tarde, el empresario propietario del burdel no sólo había ayudado mucho a la tailandesa, permitiéndole dejar el oficio de ramera, para controlar a otras que aún lo ejercían, sino que iba a ser el padrino del bebé que estaba a punto de tener.

Y así fue. El Suizo y su mujer asistirían meses antes al bautismo del bebé de su encargada, nacido el 25 de agosto del año 2002, y al que llamaron Nicolás T. U. El lector perspicaz ya se habrá dado cuenta de que las iniciales de los apellidos del niño coinciden con las de la madre, eso se debe a que el padre de Nicolás renegó de su hijo, lo que desembocó en un sangrante proceso judicial. Un juicio en cuya vista oral Sariya tuvo que soportar que el padre de su hijo, Jesús T. V., y varios testigos aportados por él, todos ellos puteros clientes de La Paloma, describiesen con todo lujo de detalles las «habilidades profesionales» de Sariya. Para ellos la tailandesa era una puta y, como se había acostado con muchos hombres, Jesús T. V. no se reconocía padre del pequeño Nicolás. Como diría el agente Juan, Sariya era una «disminuida social» y, a pesar de haber dejado de ejercer la prostitución años atrás para ocuparse sólo de llevar el burdel como encargada, el estigma de la ramera la acompañará siempre, como constató en el juicio por la paternidad de su hijo.

Tras considerar probado que, al margen de los encuentros en La Paloma, Sariya y Jesús habían mantenido una relación sentimental finalmente un juez valiente, don Francisco Javier Collazo Lugo, responsable del caso *Prestige* en Galicia, falló a favor de la tailandesa, reconociendo a Jesús T. V. como padre de Nicolás y condenándolo a pagar una manutención de 120 euros mensuales y a dar su apellido al pequeño. La sentencia de este juicio también obra en mi poder.

Sariya estaba curtida en la escuela de la vida y cuanto más la observaba, más astuta me parecía. Así que me concentré en lo que pudiera decirme la buscona, que parecía tener tantas manos sobre mi cuerpo como Paulino sobre el de su acompañante. En un momento de la conversación, la colombiana me explicaría que el dueño de La Paloma sólo va una vez por semana, los martes, para hacer caja. «Él está muy ocupado con la cafetería que tiene en A Coruña y que es muy famosa.» Al decir eso, la meretriz latina señaló inconscientemente hacia los posavasos que había en la barra del prostíbulo, y que no llevaban impreso el nombre del club, como sería lo lógico, si no el de otro local: Planeta Esspresso.

No podía dar crédito. Si aquello era lo que parecía, había tenido mucha suerte. Según la colombiana, el propietario de La Paloma era también el propietario del Planeta Esspresso, y el muy torpe utilizaba los posavasos de su famosa cafetería en el burdel de su propiedad. Esa muestra de racanería lo había delatado. El siguiente paso estaba claro. Le corté el rollo a Paulino y lo arrastré hasta el coche para poner rumbo de nuevo a A Coruña. Ahora faltaba localizar la cafetería del propietario de La Paloma. Tal vez ahí tuviese más suerte para comprender qué vinculación podía existir entre aquel burdel y el programa *Gran Hermano*.

No fue difícil dar con el Planeta Esspresso, en la zona más céntrica y turística de A Coruña: la Dársena de la Marina. Todo el mundo en la ciudad parecía conocer aquel local. Entendí el porqué en cuanto puse un pie en la cafetería. No menos de una decena de fotografías de la finalista en la última edición de *Gran Hermano*, decoraban las paredes. Efectivamente, D. Ulises A., alias *El Suizo*, propietario del burdel La Paloma, era su padre y supongo que algún día ella podría llegar a heredar los negocios de su padre, incluyendo el prostíbulo.

Ruth, la ramera del Riviera, no me había mentido. Ulises, como los familiares de los demás concursantes de *Gran Hermano*, había acudido a los platós de Tele 5 o había aparecido en diferentes programas de la cadena para apoyar a su hija, y eso había hecho que algunas de sus fulanas lo reconocieran. Yo mismo me lo había cruzado en el plató de *A tu lado* o de *Gran Hermano* en alguna ocasión.

En la página web de Tele 5 todavía, a la hora de escribir estas líneas, se conserva el vídeo de promoción de ella, donde aparece su padre, El Suizo, explicando las maravillas de su hija. Lo que no cuenta en ese vídeo es que algún día, si ella lo quiere así, la finalista de *Gran Hermano* podría heredar uno de los negocios más rentables de su padre: el burdel La Paloma.

Sonia Monroy, madrina de prostíbulo

Pero esa noche me deparaba todavía una sorpresa. Paulino se empeñó en terminar la velada en La Luna, el club de ANELA en la Nacional VI, situado a escasos metros de La Fuente. Yo le había chafado el polvo bruscamente en La Paloma, y necesitaba una dosis de sexo urgentemente. Le debía una, así que accedí a acompañarlo hasta el club más emblemático de Galicia. Para mi sorpresa, y como si de una broma macabra se tratase, el propietario de La Luna había ordenado que se colgase en la pared de sus mancebías un absurdo cartel que ordenaba: «EN ESTE LOCAL ESTÁ PROHIBIDO EL ALTERNE». Está claro que El Baretta es un cachondo e imagino que con ese absurdo papel, al que nadie hacía caso, creía que podría protegerse legalmente en el caso de una redada. Pero tanto La Luna como La Fuente son un pedazo de casas de putas, digan lo que digan los cartelitos.

Una vez allí, y por enésima vez, Paulino se empeñó en pagarme las copas y un servicio, y yo naturalmente acepté. Él subió con una aniñada brasileña llamada Valeria, que me pareció que alcanzaba los dieciocho años muy justamente y que, para mi asombro, lucía sobre el pecho el amuleto de la vidente Vera que Andrea me había enseñado antes de partir hacia Italia. Me las apañé para conseguir el teléfono de aquella *garota*, con la excusa de que yo era un poderoso brujo y podía hacerle su carta astral, así confirmé —para fortuna de ANELA— que no era una menor de edad, ya que obtuve su fecha y lugar de nacimiento para el supuesto mapa natal: había nacido en Curitiba el 30 de enero de 1981. Además, anteriormente, y al igual que Andrea, había trabajado en el burdel Olimpo, propiedad del hermano de Baretta. Me pregunto si entre los hermanos Crego es habitual intercambiarse a las busconas entre sus respectivos prostíbulos. Tomé nota de su número y apunté en mi lista de tareas pendientes la necesidad de llamarla para obtener más información sobre la meiga de las fulanas.

Yo subí con una despampanante rumana llamada Danna. Paulino pagó las dos habitaciones y, como tantas otras veces, me escudé en mi supuesta timidez para eludir la pretensión del putero de que hiciésemos una orgía intercambiándonos a las rameras. Finalmente fuimos a dormitorios diferentes.

Al entrar, y como en tantas otras ocasiones, la chica siguió el protocolo habitual. Colocó sobre la cama una sábana desechable, dejó el preservativo sobre la mesilla de noche y bajó la luz de la habitación. Pero en esta ocasión no me dio tiempo a decirle que yo no quería sexo sino hablar. Con un gesto certero dejó que los finos tirantes de su vestido se deslizaran por sus hombros, y después cayó el resto de la tenue tela hasta el suelo. Y sin ningún pudor se quedó completamente desnuda ante mí.

Era preciosa. Y su cuerpo perfecto. Hice verdaderos esfuerzos, titánicos esfuerzos, para apartar la mirada de aquellos pechos maravillosos, aquellas caderas rotundas, aquellas piernas perfectas, aquella cintura de avispa... Sólo otro hombre podrá comprender de cuánta fuerza de voluntad tuve que echar mano en aquel momento. ¿Qué importaría si yo consumía el servicio como un cliente más? ¿Quién se iba a enterar? ¿Qué más le daría a aquella valkiria nórdica acostarse con un putero más o menos esa noche? Eran mis propios prejuicios y mi propio sentido de lo moral lo que se interponía entre aquella belleza rumana y yo.

La deseaba, lo reconozco. Era pura lujuria. Pero una vez más recordé los consejos del agente Juan, mi mentor, y de alguna manera conseguí volver a controlar mis instintos. A pesar de explicarle a aquella diosa del norte que no quería sexo, no tuvo la deferencia de volver a vestirse, y permaneció a mi lado, desnuda sobre la cama, durante la media hora de su tiempo que Paulino había pagado.

Gracias a Odín conseguí resistir la tentación, y prometo solemnemente que no toqué ni un pelo de la rumana, que resultó ser originaria de Tirgóviste, ciudad que conozco bien. Y aquella contención seminal me supuso una nueva dosis de información a cambio de mi respeto. Pocos días antes un incendio se había desatado en La Luna y, durante unos minutos aterradores, el pánico se había apoderado de las chicas. Sin embargo, los daños en cuatro habitaciones del burdel de ANELA no impidieron que siguiese adelante la celebración del XIV aniversario del prostíbulo más veterano de Galicia, que se conmemoraba precisamente al día siguiente. Si me hubiese acostado con aquella espectacular mujer, sin duda no me habría dejado su número de teléfono, no me habría hablado sobre Andrei, un proxeneta que trae chicas desde Rumanía, y que era el propietario de casi una decena de rumanas que vivían hacinadas en un piso de A Coruña, que yo llegaría a visitar posteriormente, y lo que es más sorprendente, no me habría adelantado que la televisiva Sonia Monroy estaría al día siguiente en La Luna.

Volví a la barra del burdel mucho antes que Paulino y pedí otra copa para hacer tiempo. Tardó en bajar y cuando lo hizo me di cuenta de que algo iba mal, al verlo dando traspiés por las escaleras y apoyándose en las paredes. Lo que sigue —por increíble que parezca— es la transcripción veraz y exacta de los hechos:

—¿Qué te pasa?, ¿estás bien? —le pregunté al putero ofreciéndole mi brazo para que se apoyase en él mientras nos acercábamos a un sofá.

—Joder, tío, no te imaginas lo que me ha pasado, qué fuerte.

—¿Qué ha pasado?

—Joder, pues que pagué media hora más, porque la puta estaba muy buena y me ponía a mil. Y como me ponía tanto, me bajé al pilón y me puse a comerle el coño, pero con tanto movimiento se me cayó una lentilla dentro y, claro, me puse a buscarla con el dedo…

—Me estás vacilando.

—Que no, Toni, que no. Le metí el dedo para buscar la lentilla, y la tía, que ya estaba más caliente que yo, se movía como una perra, hasta que pillé la jodida lentilla y, claro, me levanté para guardarla en el botecillo. Pero la tía se debió de pensar que le había robado un pelo, o yo qué sé, y me echó a hostias de la habitación… y ahora no veo una mierda. Espérate que me voy al baño a lavarla y a ponérmela…

Ocurrió así. Y es sólo una de las tragicómicas anécdotas de burdel que podrían constituir todo un volumen monográfico. Prolongué mi estancia en Galicia unos días para volver a La Luna a la noche siguiente, esta vez armado con la cámara oculta, para comprobar si efectivamente la exuberante Sonia Monroy amadrinaba el burdel de ANELA en su XIV aniversario. La hermosísima rumana no había mentido, ni en eso ni en lo demás. El 3 de diciembre de 2003 actuaban varias strippers y go-gos en el prostíbulo más veterano del noroeste. Y la actuación estrella era la de Sonia Monroy.

Antes de su actuación, la líder de las Sex-Boom anunció que estaría a disposición de los presentes para firmar autógrafos, así que aproveché la oportunidad para acercarme a ella, confiando en que mi disfraz fuese elocuente. Y digo disfraz porque yo había conocido a Sonia, años atrás, en el plató de *Esta noche cruzamos el Mississippi*. Después volvimos a ser presentados en otro programa de Tele 5 en el que yo trabajaba y donde ella hizo una breve colaboración. Así que por enésima vez salté sin paracaídas, con la fe de que mi ridículo bigote y mi aspecto de macarra impidiesen que Sonia recordase mi cara.

Coló. Me dedicó cariñosamente una fotografía: «Para Toni, con mucho cariño, besitos. Sonia Monroy», y me explicó, cuando le dije que tenía un club como aquél y que estaba interesado en contratar sus servicios, que el importe eran 3.000 euros. A continuación me presentó a su representante, que también estaba allí, que me entregó una tarjeta: José Luis Díez, Agencia de Contratación de Espectáculos y Servicios.

Después me acomodé en una mesa y disfruté de los dos pases que hizo Sonia, ante mi cámara oculta, en la misma barra del burdel, donde cada noche se desarrollan los espectáculos eróticos. Bailó y cantó y tuvo el detalle de dedicar uno de sus temas a las rameras que contemplaban con envidia y admiración a la famosa. Esa noche, y gracias a que la Monroy consiguió subir la libido de los varones que atestaban el local, las rameras de La Luna trabajaron más de lo normal y el burdel hizo una de las mejores cajas de su historia. Manuel Crego, alias *Baretta,* se acostó un poco más rico aquella noche.

Capítulo 12

El traficante de niñas

El que induzca, promueva, favorezca o facilite la prostitución de una persona menor de edad o incapaz será castigado con las penas de prisión de uno a cuatro años y multa de doce a veinticuatro meses.

Código Penal, art. 187, 1.

A estas alturas de la investigación Manuel estaba convencido de que yo era un delincuente transnacional, implicado en la trata de blancas, narcotráfico, falsificación de documentos, etc. Sin embargo nunca pude imaginar a qué me iba a enfrentar cuando me telefoneó, aquella mañana, para invitarme a comer en Madrid. «Quiero que conozcas a un amigo mío de confianza, creo que podéis hacer negocios juntos. Él está metido en los mismos negocios que tú.»

Nos citamos en un céntrico restaurante madrileño, en un recodo de la calle Princesa conocido popularmente como Plaza de los Cubos. Y Manuel y su acompañante me demostraron que no son unos delincuentes aficionados como yo. El enclave de la cita estaba perfectamente escogido. La llamada Plaza de los Cubos es uno de los lugares más estratégicos en Madrid para reuniones «discretas». Todos los servicios secretos del mundo lo saben. Y también muchos componentes del crimen organizado. Lo que no saben es que la Plaza de los Cubos ha sido, históricamente, uno de los puntos de encuentro de los skinheads neonazis madrileños. Una vez más tendría que tentar a mi estrella.

Los subterráneos de la Plaza de los Cubos tienen salidas a varias calles diferentes. Algunos están conectados por pasadizos y salidas de emergencia, y es bastante complicado controlar todas las rutas de huida posibles. Por eso es un lugar perfecto para reunirse lejos de miradas indiscretas. Sobre todo si lo que se pretende es iniciar un negocio ilegal, de tráfico de drogas y de mujeres.

Sabía que tenía que ser el último en llegar ya que, de lo contrario, correría el riesgo de malgastar muchos minutos de cinta y batería con la cámara activada sin grabar nada útil, mientras esperaba a mis contertulios. Esto ocurre porque, lógicamente, no puedo conectar la cámara delante de ellos. Así que tengo que hacerlo en algún lugar discreto; un cajero automático, una cabina telefónica, un WC... Si soy el primero en llegar a la cita debo activar la cámara y esperar. A partir de ese momento estará gastando batería y vídeo, y si mi objetivo se retrasa demasiado, para cuando llegue puede que ya no tenga suficiente energía o cinta para grabarle. Por esa razón dejé que pasasen diez minutos de la hora acordada y a continuación telefoneé a mi contacto para preguntarle dónde estaban. A última hora habían cambiado el lugar del encuentro a otro restaurante de la misma plaza, nueva muestra de su profesionalidad, y ya me esperaban en otro restaurante: «Ya estamos dentro, en una mesa del fondo» —me dijo—. Le respondí que yo estaba llegando. Me parapeté en un cajero automático cercano y simulé sacar dinero con mi tarjeta, mientras me acomodé la cámara oculta bajo la chaqueta, y la fijé con cinta americana. Pero estaba demasiado nervioso. Jamás había intentado grabar con una cámara oculta a un narcotraficante internacional, y eso es lo que me había dado a entender Manuel de su amigo. Además, poco antes, estuve a punto de recibir un tiro en la rodilla, de forma aparentemente casual. El proyectil de aquel disparo, que ahora utilizo como amuleto, me recordó que estaba tentando demasiado mi suerte, y los traficantes eran tipos mucho más peligrosos que los cabezas rapadas. El pulso me temblaba demasiado y en ese momento no era consciente de haber cometido un error fatal al fijar el micrófono, las baterías y la cámara a mi cuerpo. Tan excitado como asustado activé la cámara de vídeo e inmediatamente entré en el local.

Presentaciones de rigor: «Mario, éste es Toni. Toni, éste es Mario», y un flácido apretón de manos. Mario no apretaba al chocar los cinco, pero mientras su diestra se dejaba estrechar por la mía, con su izquierda me palmeaba la espalda a la altura de la cintura sin dejar de sonreír. A ojos de un profano podría parecer un semiabrazo cordial, pero ya me habían advertido que muchos mafiosos y traficantes saludan de esta forma tan aparentemente amable para cachear a su interlocutor por si fuera armado. Gracias a Dios y por pura suerte, no llevaba la cámara en el flanco izquierdo de la cintura, que es donde cualquier policía diestro llevaría su arma, y no la detectó. No pude evitar recordar el atronador sonido del disparo que días atrás pasó rozándome la rodilla.

Sin dejar de sonreír hipócritamente, los tres nos sentamos e iniciamos una conversación intrascendente para romper el hielo. Mario pidió una manzanilla. Yo, café. Su rostro me sonaba, pero tardaría en recordar que me había tropezado con él, cuando conocí a Manuel, en un burdel catalán.

—Buena comida y buenas mujeres en tu pueblo.

—¡No chingues!, ¿conoces México?

—Claro que sí. He estado en D.F., Veracruz, Cancún, Puebla, Catemaco, Chiapas... Hay mucho dinero y muchos negocios en México, y a nosotros nos gusta el dinero, ¿no?

Intentaba aparentar que era algo parecido a un traficante experto, pero no tenía ni idea. Improvisaba. Medía cada palabra, cada sílaba, cada fonema. Intenté que mi forma de hablar pareciera la de alguien que domina un tema, pero quiere ser discreto. Cuando en realidad era un ignorante sobre esta materia, que intentaba aparentar que la dominaba. Si el narco supiese que su interlocutor había confundido un chino de heroína con una china de hachís, meses atrás, me habría pegado un tiro allí mismo. Y con razón.

—¿Y qué negocios tenían allá, güey?

—Ya sabes cómo es esto. De todo un poco. Todo lo que dé dinero. Nada de pendejadas. Cosas serias, ¿y tú?

—No, yo llevo poco allá. Antes vivía en EE. UU., y allá sí que hay *bisnes*. Mucho dinero. Ahora estamos abriendo mercado en México, porque la gente está loca por nuestro producto. Es lo último. Antes llevábamos éxtasis, e hicimos mucho dinero con el éxtasis, ¿acá, saben qué es éxtasis?

—Claro. Nosotros lo trabajamos mucho en la zona de Valencia. No sólo éxtasis. Todas las pastillas funcionan bien con la gente joven. Es un *bisnes* que te deja menos porcentaje, pero que se vende mucho, y al final te deja mucho dinero. Cada fin de semana se mueven muchas pastillas y muchos euros...

Me sorprendí a mí mismo con mi capacidad de inventiva. Jamás había pisado una discoteca valenciana y no sabía nada del mundo de las pastillas y las drogas de diseño, pero de pronto recordé que María y Alfonso, dos de mis compañeros del Equipo de Investigación en Tele 5, habían dedicado casi un año a investigar el mundo de los pastilleros, y forcé mi memoria para recordar algunos de los comentarios sobre este mundo que les había escuchado en la redacción y hacerlos míos. De la misma forma, intenté utilizar la jerga del traficante, que en ningún momento, salvo «éxtasis», pronunciaba el nombre de las drogas. Siempre hablaba del «producto». Palabras como heroína o cocaína parecen estar censuradas.

—Los chavales empiezan con el éxtasis y las pastillas mucho antes que con ningún otro producto. Empiezan por ahí y luego van probando otras cosas. Yo los he visto con catorce y quince años poniéndose hasta el culo de pastillas. Y lo bueno es que los chavales de ahora mueven mucho dinero, y ese dinero se lo dejan en nuestros productos.

—¡Hey, pues ustedes tienen que conocer nuestro producto! Es lo último. Acá saben lo que es el «cristal», ¿no? Era lo que estaba de moda en EE. UU. No mames, eso sí es *bisnes*.

—Ya, sí, claro. Pero no se mueve mucho aquí —respondí sin tener idea de qué demonios es el «cristal».

—Ok. Pues el «cristal» era lo último, pero nuestro producto ha chingado el mercado y está arrasando en México. Todo el mundo lo pide. Y tarde o temprano llegará acá. Nosotros no estamos en las ligas mayores, sólo queremos sacar nuestra parte sin chingar a nadie. Hay muchos patrones allá que no quieren pendejadas.

No tenía ninguna noticia sobre las sustancias ilegales de las que me hablaba el traficante, pero intentaba aparentar lo contrario. Me resultaba imposible predecir cómo reaccionaría si sospechase que el supuesto traficante español con que creía estar reunido era un periodista que le estaba grabando con una cámara oculta. Y, para colmo, yo no le palmeé la espalda al estrechar su mano, y no tenía la seguridad de que no estuviera armado. Conozco México, y también la fama de violentos y pendencieros que tienen sus narcotraficantes, dispuestos a desenfundar y vaciarte el cargador en la cabeza primero, para hacer las preguntas después.

—Hazme caso, cabrón, éste es un *bisnes* muy bueno para todos. Hay mucho dinero para ganar acá.

—Bien, hablemos de negocios. Yo controlo España y tú, México. Hablemos.

En ese instante el mexicano, que no había dejado de mirar a nuestro alrededor mientras charlábamos, se levantó y nos hizo un gesto con la mano para que lo siguiéramos. La pareja de la mesa de al lado, que parecía estar discutiendo de qué color iban a pintar el techo del salón, ajenos a nuestra conversación, habían terminado de mosquear al traficante. Mejor vamos a una mesa más discreta, dijo el mexicano mientras llamaba al camarero para pedirle que nos acomodara en un rincón más apartado del local. Los tres nos dirigimos a otra mesa, y yo me vi obligado a hacer un movimiento un poco forzado para colocarme entre Mario y Manuel. Necesitaba ver dónde se iba a sentar el mexicano antes de situarme yo, porque si Manuel se sentase justo enfrente de él o de mí, me habría estropeado el tiro de cámara y habría necesitado forzar demasiado mi posición para lograr que Mario entrase en el plano. Así que en cuanto Mario eligió silla, yo me senté inmediatamente en la de enfrente, al otro lado de la mesa. Eso hizo que estuviera justo delante del objetivo de mi cámara. En cuanto el camarero se alejó, decidí ir al grano sin más demora. Supongo que los verdaderos traficantes no pierden el tiempo con zarandajas y llegados a este punto atacan la cuestión directamente. Y eso hice.

—Vale, vamos a hablar claro. A nosotros nos interesa el dinero y nada más. Háblame de los porcentajes. Cuánto sacaríamos en este negocio.

—Ok, cabrón. Éste es un negocio perfecto. Nosotros empacamos en latas. ¿Sabes lo que es una lata?

—¡Claro! —mentí. No tengo ni la menor idea de lo que es una lata.

—Pues puedes sacarte tranquilamente 60 dólares de beneficio por lata con este producto.

Intenté sonreír con ironía mientras asentía con la cabeza, como si ese porcentaje me satisficiese. Vamos, como si realmente supiese de qué demonios me estaba hablando el mexicano.

—Con una inversión mínima, pueden estar sacando 18.000 dólares limpios por empaque, güey. Y nosotros tenemos todos los contactos para entrarlo en México y distribuirlo. Y sin meternos en ligas mayores. Sólo para empezar.

—Suena bien —volví a mentir. No sabía si era una cantidad razonable o no en el negocio del narcotráfico.

Durante un buen rato Mario intentó convencerme de las ventajas económicas del «producto» que pretendían comercializar y poco a poco fui descifrando, más bien deduciendo, de qué me hablaba. Mario buscaba inversores españoles dispuestos a patrocinar la compra en Europa, y el envío a México, de una sustancia legal llamada «Ephedrina», que una vez en el país azteca sería procesada y convertida en una lucrativa droga, hábilmente comercializada por los socios del traficante. Mis bravatas ante Manuel, haciéndome pasar por un poderoso empresario dispuesto a gastarse tres o cuatro millones de pesetas en «tirarme» a famosas, habían terminado por convencerlo de mis supuestos contactos con las mafias españolas. Y éste era el resultado.

—Pero, ojito, cabrón, no vale cualquier tipo de Ephedrina. Necesitamos una muy concreta. No nos sirve la de uso animal, tiene que ser la de uso humano y además con estas características específicas. No chingues. Esto es de lo que te estoy hablando.

En ese instante Mario me entregó un documento. Se trataba de un «Certificado de Análisis» en el que se detallan todas las características químicas de la «Ephedrine Hydrochloride Ip». El análisis estaba fechado el 20 de abril de 2003, y especificaba todos los compuestos y componentes del «producto». El hecho de que el traficante me entregase este documento, una prueba al fin y al cabo de sus intenciones delictivas, me hizo ganar confianza. Parecía que mi interpretación había resultado convincente, y el traficante entró al trapo, mordiendo un anzuelo que yo había tendido a Manuel.

—Me dijo este pendejo que ustedes tuvieron problemas con otros productos en Cuba. A lo mejor podemos ayudarnos mutuamente...

Este quiebro en la conversación me cogió desprevenido. Tardé un segundo en recordar que, mientras intentaba convencer a Manuel de que yo era un millonario relacionado con las mafias, sin mentirle más que lo estrictamente necesario, había echado mano de todo mi arsenal imaginativo. Y uno de los recursos a los que había acudido fue el reportaje «Narcotráfico en La Habana» que mis compañeros del Equipo de Investigación habían realizado, justo antes del mío sobre los skinheads. El objetivo de aquel programa, rodado con cámara oculta en Cuba, era demostrar que la isla de la Revolución, y por mucho que lo niegue Fidel Castro, se había convertido en un país de tránsito de grandes alijos de droga desde América a Europa. Durante uno de nuestros encuentros, copa arriba, copa abajo, había utilizado toda la información de aquel reportaje, contándole las cosas para que pareciera que los «amigos» inexistentes de los que hablaba fuesen algunos de los inversores en el narcotráfico cubano. Manuel le había transmitido al mexicano aquella historia y algo debía de saber el traficante, porque entró a saco en la cuestión.

—¿Me oyó, güey?, ¿que si tuvieron problemas en Cuba...?

—Sí. Tenemos una mercancía parada allí desde el año pasado. Ya sabes que al zorro de Castro últimamente le da por fusilar a gente, y está muy cabreado con Aznar. Nosotros teníamos buenos contactos en el gobierno cubano, pero se nos jodieron y el material se quedó dentro sin poder salir.

—¿De qué cantidad hablamos? Igual a mis amigos les puede interesar ayudarles por un porcentaje.

—De mucha.

Estaba aterrado. No tenía ni idea de qué cantidad podía ser razonable para un envío de droga. Para mí sonaba igual de disparatado hablar de una tonelada que de mil. Es un tema sobre el que no sabía nada, y me sentía terriblemente inseguro. Sólo me concentré en mantener la calma y sostener la mirada al mexicano como si no tuviese nada que ocultar. Sin embargo volvía el sonido del disparo, resonaba una y otra vez en mi cerebro.

—Pero ¿de cuánta? ¿20 toneladas? ¿30?

—De mucha. No te preocupes que a tus amigos les va a interesar.

—Pero ¿de cuánto, güey?, ¿de 100?

Sólo se me ocurrió sonreír haciéndome el interesante. Como si no quisiese darle datos precisos. Y realmente no quería, porque no tenía ni la menor idea de qué datos inventarme.

—Tú sólo diles que les interesa el negocio. Es mucha cantidad y ellos saldrían satisfechos. Pero ¿cómo coño van a sacarla? ¿Conocen a alguien en el gobierno?

—De Cuba no sé. Alguien habrá. Pero tenemos gente cercana a Fox y para sacarla de Cuba a México podríamos, después ustedes la traen para acá, o la distribuyen en México, como prefieran.

No daba crédito. Tal vez fuera un farol pero el narco mexicano me estaba confesando que su organización tenía contactos en las altas esferas políticas de su país. Después de esta revelación decidí entrar a muerte con el verdadero tema que me había llevado a esta reunión: el tráfico de seres humanos. Al fin y al cabo en ese instante estaba realizando una investigación sobre las mafias de la prostitución, y no sobre el narcotráfico, que eso merecería o merecerá toda una infiltración aparte... Había llegado el momento de poner a prueba todo lo que había aprendido durante los meses anteriores, y de ver si realmente podía pasar por un veterano traficante de mujeres. Mis noches de burdel en burdel, mis coqueteos con traficantes, chulos y proxenetas, mi proceso de aprendizaje sobre el crimen organizado, debían ser sometidos a examen, y en ese momento ni siquiera sospechaba lo estricto de mi examinador.

—Oye, me dijo Manuel que también trabajabas con chicas. A mí me interesa mucho ese negocio.

—Claro, no mames. Yo en México tenía 3 *tables*, y movía muchas chicas. Pero mi parienta se me ponía celosa... es que uno no es de piedra... Da dinero también ese negocio.

—Lo sé. Aquí nosotros movemos muchas chicas. Ahora hay mucha argentina. Cuando se cae un país las chicas salen para buscarse la vida y eso nos alegra el negocio, pero últimamente nos piden chicas mexicanas.

Todos mis conocimientos sobre trata de blancas adquiridos durante los meses anteriores me estaban resultando útiles entonces. Repetí al mexicano las cosas que había escuchado, de los auténticos traficantes de mujeres, sobre la falsificación de pasaportes, el espacio Schengen, los rituales vudú, las falsas liberianas, los *sponsor*, *connection-man* y los *masters*, de las redes de burdeles de ANELA, de las *plazas*, de las escorts... Supongo que resulté convincente.

—Pues claro que sí, yo puedo ayudarte. Yo sé cómo funciona eso. Yo movía muchas chicas.

—¿Jovencitas?

—Claro. Y muy lindas. Yo puedo conseguirte desde dieciséis años. Bailarinas, modelos… niñas muy lindas.

Dieciséis años. Al escuchar esa cifra no pude evitar recordar a mi prima pequeña. Todos tenemos una prima, una hija, una hermana, una pariente, amiga o vecina de dieciséis años, y podemos imaginar cómo nos sentiríamos si fuese vendida para ser prostituida en un burdel extranjero. Sentí de nuevo las lágrimas agolpadas que se me querían escapar por la comisura de los ojos.

De pronto la tristeza se convirtió en rabia, azuzando mi imaginación con una furia abrasadora. Me sorprendí a mí mismo fantaseando con la idea de asesinar al mexicano. Verdaderamente estaba estudiando la posibilidad de ponerme en pie, coger el vaso de agua que tenía sobre la mesa y romperlo por el canto para rebanarle el pescuezo al hijo de puta. Pensaba que si era lo bastante rápido podía hacerlo antes de que desenfundara. Fantaseaba imaginando la satisfacción que me habría producido escuchar sus estertores mientras se ahogaba en su propia sangre. Y entonces me aterré de mis propios pensamientos. A medida que profundizaba en el mundo de la prostitución notaba que mi mente se estaba infectando y a veces me costaba verdaderos esfuerzos no ser fagocitado por mi personaje. Me mordí la lengua y me limité a apretar los puños, estrujando un paquete de cigarrillos, aún sin terminar, hasta entumecerme los dedos. Y en vez de partirle la cara hice una mueca que intentaba parecer una sonrisa de complicidad. No podía desfallecer en ese momento. Tenía que seguir tirándole de la lengua para ver adónde podía llegar.

—Hummm. De dieciséis… ¿De dónde?, ¿de la capital?

—De todos lados. De Cancún, de D.F., no sé... Y espérate. Más al sur, en Chiapas y por allá, los padres te las dan con trece y catorce añitos, por un par de barriles de cerveza y una vaca. Yo conozco un pueblo allá donde se consiguen sin problemas. Las de allá son más nativas, no son tan lindas, pero son jovencitas. ¿Cuántas querríais?

Quería vomitar. El estómago se me había revuelto y con las tripas se me revuelve el alma. Todos conocemos también a alguna niña de trece años; una hija, una hermana, una nieta, una vecina... Yo recordé a Patricia, la hija de mi ex cuñada, y por un instante me la imaginé a ella en las garras de una red como la del mexicano. Me la imaginé vendida como una muñeca humana y puesta a trabajar en cualquier burdel de lujo para clientes exigentes. La visualicé siendo manoseada por un empresario baboso, sudoroso y seboso como Manuel. Y apenas pude contener mi ira. Por un momento consideré la posibilidad de abalanzarme sobre el mexicano para intentar desnucarlo con el respaldo de la silla. «Seguro que si lo cojo por sorpresa puedo romperle el cuello antes de que reaccione» —pensé—. Gracias a Dios el arrebato me duró sólo unos instantes. Soy un investigador y no un piquete de linchamiento, pero la investigación me estaba desbordando. Resulta difícil entrar en el papel de un malnacido sin escrúpulos, como se presupone a todo traficante de seres humanos y drogas, y evitar que la representación te devore.

Volví a la realidad. Debía aparentar que realizaba negocios como éste a diario. Debía parecer un traficante de mujeres habituado a negociar con reses humanas. Debía simular que la compraventa de hembras, como si fuesen ganado, era algo rutinario para mí. Así que me comí la rabia, me tragué la ira, me guardé la frustración, aunque se me indigestara, y concentré toda la atención en mis mandíbulas, para mantener la sonrisa a pesar de apretar los dientes con todas mis fuerzas. De lo contrario iba a vomitar sobre la mesa del restaurante.

—No sé. ¿Qué tal media docena para empezar?

—Ok. Las que queráis.

A partir de ese instante asistí al resto de la reunión como un zombi. Los nervios me estaban venciendo. No conseguía controlar esa mezcla de rabia, asco, vergüenza, ira y miedo que me rodeaba y comencé a asfixiarme. Creo que había sobrevalorado mi capacidad de improvisación y mi resistencia a la miseria humana, pero no podía sentarme a negociar con un narcotraficante —posiblemente armado— la compra de niñas de trece años para ser colocadas en prostíbulos españoles, y esperar que no me afectara. Había somatizado el odio que me inspiraba aquel personaje y sospechaba que se había dado cuenta. De repente me miró frunciendo el entrecejo y me preguntó si me encontraba bien. Improvisé una excusa, algo sobre una cena con marisco en mal estado la noche anterior, pero ni a mí me sonaba convincente. Pese a ello nos despedimos cordialmente. Quedamos en que yo consultaría a mis contactos sobre el negocio de la Ephedrina, y él a los suyos sobre la «mercancía» retenida en Cuba. Del negocio de las niñas indígenas vendidas a los prostíbulos europeos, parecía que no había nada que consultar. Lo tenía muy claro.

Acordamos que me llamara en unos días para concretar los precios por cada niña, y nos despedimos con otro flácido apretón de manos. Esta vez no me palmeó la espalda. En cuanto torcí la primera esquina y los perdí de vista, no aguanté más y vomité en plena acera salpicándome los pantalones. A pesar de echar todo lo que tenía en el estómago, no conseguí desprenderme de la vergüenza y el asco, que aún hoy continúan dentro de mí. Vergüenza y asco por el género humano. Especialmente por el masculino. Desde entonces sé que las redes de prostitución infantil son una realidad. He estado negociando con uno de sus representantes. Y estoy absolutamente seguro de que los consumidores de ese «producto», niñas de trece años, son respetables empresarios, políticos e influyentes nombres de la cultura española que disponen del suficiente dinero como para costearse estos «pequeños bocados de lujo» en el negocio de la trata de blancas. Al alejarme de la Plaza de los Cubos, comienzo a considerar la castración indiscriminada de niños varones, como una alternativa razonable al negocio de la prostitución.

Cuando volví al hotel, para comprobar la cinta, se me cayó el mundo encima. Toda la angustia, el miedo y el asco que había soportado para grabar aquella conversación, para demostrar que la prostitución infantil y el tráfico de menores es una realidad en la España del año 2003, había sido completamente inútil. Con los nervios, al fijarme al cuerpo el cable del micrófono, había roto una de las patillas, y aunque la imagen del vídeo era perfecta, no se escuchaba absolutamente nada.

Me sentí fracasado, rabioso, frustrado, estúpido, incompetente. Podía reproducir toda la conversación de memoria, pero no tenía ni una maldita prueba de lo que acababa de ocurrir. No podría demostrar que estos diabólicos negocios se estaban desarrollando en la civilizada Europa del siglo XXI, y todo aquel esfuerzo no había valido de nada.

Y en ese momento me telefoneó Manuel. Parecía entusiasmado, y quería preguntarme qué me había parecido su contacto, que utilizaba el nombre de Mario Torres Torres. Al parecer el mexicano había detectado la ira rabiosa que me brotaba del alma mientras discutíamos la compra de las niñas, pero lejos de intuir que yo era un infiltrado, había interpretado aquel brillo en mis ojos de una forma insospechada. «Lo has impresionado —me dijo Manuel—, me ha preguntado si tú eras el que limpiaba el negocio aquí, si habías matado a alguien, porque dice que tienes ojos de diablo.»

Había vuelto a tener suerte. Mi mirada de odio y desprecio había sido interpretada por el narco, como la mirada de un criminal como él. Supongo que, en el fondo, tras tanto tiempo revolcándome en la mierda me había convertido en parte de esos excrementos. Y los mierdas, entre nosotros, nos reconocemos.

Volver a reunirme con el narcotraficante mexicano me apetecía tanto como una operación de fimosis, pero era la única forma de conseguir pruebas de que en España se trafica con menores de edad. Así que me tragué la rabia y el orgullo, y le dije al putero que su amigo me parecía un tipo legal, y que en una semana volveríamos a reunirnos para ultimar los detalles de nuestro negocio. Después vacié el minibar del hotel, y conseguí dormirme completamente borracho. Pero el alcohol no consiguió evitar que Patricia, la hija de mi ex cuñada, me visitase en sueños. En la atroz pesadilla veía su cuerpo, en el que empiezan a dibujarse ahora las formas de una adolescente, completamente desnudo, expuesto en la barra de uno de los puticlubs que frecuentaba durante mi investigación, mientras un grupo de viejos gordos y sudorosos, pujaban por ser el primero en cobrarse su virginidad, tanto vaginal como anal. Esa pesadilla se repetiría muchas otras noches, acompañada de otras aún peores...

A la mañana siguiente telefoneé al subteniente José Luis C., jefe de una unidad de la Policía Judicial de la Guardia Civil, para pedirle un favor. Necesitaba saber si la INTERPOL tenía alguna información sobre un mexicano llamado Mario Torres Torres. Sin embargo no le expliqué por qué necesitaba ese dato. Desde que un malnacido jefe de grupo de la Policía Nacional sopló a los neonazis de Ultrassur que tenían un infiltrado grabándoles con cámara oculta, no me fío demasiado de la Policía. Y aunque mi intención era denunciar al narcotraficante, antes quería tener pruebas de su delito, no fuese a ocurrir que otro policía corrupto le soplase al narco que yo era un infiltrado. Y para eso tendría que volver a reunirme con él y grabar la conversación con todos los detalles. Así que, gracias a ese mando de la Policía Nacional que me delató a los cabezas rapadas, prefería asumir solo y sin apoyo los riesgos de la infiltración, antes que confiar en nuestros Cuerpos de Seguridad del Estado. Una pena, ¿verdad?

El subteniente prometió hacer la gestión y telefonearme en cuanto supiese algo de INTERPOL. Y aprovechando que me encontraba en Madrid, opté por retomar el asunto de las famosas. Me quedaba una puerta a la que llamar.

Tal y como habíamos acordado durante mi ultima estancia en Barcelona unos días antes, telefoneé a la agencia Standing-BCN, y por supuesto grabé la conversación. La señorita María me explicó que en ese momento no podía garantizarme ninguna famosa, ya que las que trabajaban con esa agencia, como Malena Gracia —que parece haber trabajado con un buen número de agencias distintas—, no estaban disponibles en ese momento por razones obvias. Hice partícipe de la noticia a Manuel, quien, ante mi insistencia por acostarme con una famosa, y tras explicarle que la sede central de mi empresa estaba en Madrid, me puso en contacto con la agencia Double-Star. Según él, el mejor lugar para encontrar en Madrid una famosa que se prostituyera.

Double-Star publica todos los días un anuncio muy elocuente en diarios como *El Mundo* o *El País*. Sin embargo me insistió en la extrema desconfianza de su *madame*, María José de M., y me sugirió que telefonease de parte de él si quería ser recibido. Manuel era un buen cliente de María José y a través de su agencia había tenido la oportunidad de acostarse con varias chicas que habían sido portada de *Man*, de *Interviú* y de otras revistas, incluyendo a la presentadora de televisión M. S., que ha llegado a cobrar 6.000.000 de pesetas por un servicio sexual. El empresario se quedó corto en lo de la extrema desconfianza de la *madame*. La susodicha María José de M. resultó ser mucho más que suspicaz.

Antes de marcar su número de teléfono, el 91 571 12... preparé el magnetófono. Me había propuesto grabar todas las conversaciones que mantuviese con esta y con las demás *madames* de famosas, con objeto de poder probar, dado el caso, las afirmaciones de este libro. Y así lo hice. La grabación de todas esas conversaciones está a buen recaudo.

Después de varios intentos infructuosos en el teléfono fijo, y de dejar un mensaje en su contestador, consigo hablar con María José de M., llamándola a su teléfono móvil, el 629 35 80..., que también me facilitó Manuel. Lo que sigue es la transcripción literal de nuestra primera conversación:

—Sí, ¿dígame?

—¿María, por favor?

—Hola, soy yo.

—Hola, María, soy Toni, Antonio Salas. Te dejé un mensaje, no sé si lo habrás escuchado. Llamo de parte de Manuel, de Barcelona.

—Ajá…

—Porque él me ha contado que quizá pueda encontrar lo que busco en vuestra agencia, y quería pasarme a ver el book.

—Vale, de acuerdo, cuando tú quieras. ¿Tú dónde estás? ¿Estás aquí en Madrid?

—Sí.

—Vale, pues, ¿sobre qué hora te gustaría pasarte por la agencia?

—No sé, tendría que hacerme una escapadita… ¿Por qué zona estáis?

—Vamos a ver. Mi agencia es muy privada, lo sabes, ¿no? Yo trabajo con actrices, modelos y tal. Y yo solamente recibo con cita previa. Entonces, si tú me dices: «Mira, María, yo quiero pasar hoy a las diez de la noche», yo te espero, y la agencia se abre para ti, y cuando llegas a la agencia se cierra para ti, y hasta que tú no te vas, no pasa nadie. Es muy privado.

—Bien, perfecto, mejor así. Pues, ¿qué tal esta tarde a las ocho?

—¿Esta tarde? Fenomenal.

—Dame la dirección.

Y me la dio. Asegurándome que a las ocho de la tarde abriría su agencia sólo para atenderme a mí. Sin embargo no era cierto. Tras embutirme en la Pierre Cardin, la corbata de seda y los demás elementos de *atrezzo* que deberían hacerme parecer un adinerado empresario, llegué al Paseo de la Castellana, nº 173 cinco minutos antes de las 20:00 h. El portero me interrogó nada más entrar en el edificio. Le dije el piso al que iba y asintió con la cabeza sonriendo. «Muy bien, pase.» Me dio la impresión de que sabía perfectamente cuál era el negocio de ese piso.

Al salir del ascensor mi cámara oculta ya estaba conectada. Lo primero que grabé fue un rótulo que ponía: «WOMAN & MEN» en la puerta del apartamento en cuestión, así que ya sabía cuál era la tapadera de aquel burdel de gran lujo: una agencia de modelos. Me abrió la puerta una atractiva mujer de mediana edad. Su perro, un pequinés hipercuidado, hizo buenas migas conmigo —se me dan bien los animales—, y pareció que esto dio confianza a la mujer que me invitó a sentarme para esperar a María. Ella era sólo su ayudante.

Acepté una copa y esperé mientras el pequinés no dejaba de juguetear con mi llavero del inexistente Mercedes. Así transcurrieron unos minutos sin que María diera señales de vida. Exactamente once y medio, según el minutado de la grabación. Y por fin sonó el teléfono. La *madame* había llamado diciendo que se iba a retrasar, y le pedía a su ayudante que fuera enseñándome el book.

Este catálogo de fulanas de lujo estaba mucho mejor encuadernado que los otros que había examinado en Barcelona, aunque me di cuenta de que se repetían algunas de las portadas de *Playboy*, *Interviú*, *Man*, etc., que había visto en la Ciudad Condal. Enseguida reconocí muchos de aquellos rostros y de esos cuerpos. Desfilaron ante mí actrices, modelos, cantantes, e incluso seudofamosas que lo eran tan sólo por haber tenido una relación con tal o cual famoso. A la luz de esta información me pregunté cuántas páginas de la prensa rosa, divulgando supuestos romances entre un famoso y una chica espectacular, no eran más que la crónica de un polvo de pago. Y me consoló pensar que cualquiera con el dinero suficiente podría disfrutar de las mismas caricias que han gozado jugadores de fútbol, miembros del gobierno, famosos actores y cantantes... Y es que ante las rameras, todos los hombres somos iguales. Tan sólo hay que pagar su precio. Es una divertida forma de democracia sexual.

Por fin llegó María, que resultó ser una mujer de mediana edad, extremadamente atractiva. Su apariencia delataba que manejaba mucho dinero, e invertía buena parte del mismo en cuidar su aspecto. Se mostró simpática pero distante. Dijo que hacía sólo seis meses que tenía este negocio. También mintió en eso. Poco después me dijo que en realidad sólo se fiaba de los clientes a los que conocía hace mucho y, aunque aseguraba que no necesitaba anunciarse, me confesó que tenía un anuncio en la prensa «para los clientes que pudiesen haber perdido el teléfono».

Cuando expuse directamente que lo que quería era acostarme con una famosa se puso a la defensiva. Alegó que tenía «clientes muy, muy importantes y muy, muy poderosos», y que debía «preservar a toda costa la seguridad de mis chicas, porque son mujeres muy conocidas; actrices, presentadoras de televisión, modelos, etc.». A pesar de que había examinado su catálogo, me dijo que había otras señoritas, aun más famosas, y que no podía darme sus nombres hasta comprobar mi identidad. De pronto, sacó a colación el asunto que más tememos los reporteros infiltrados: «...Es que últimamente hay muchos periodistas y mucha cámara oculta, y perdóname pero me estoy mosqueando mucho con tus gafas, ¿podrías quitártelas?». Por un instante creí que me había descubierto, pero no fue así. Evidentemente no llevaba nada en las gafas de sol, pero mi cámara oculta seguía grabando todos sus movimientos, desde el maletín de ejecutivo que completaba mi disfraz. Si lees esto, María, la próxima vez que desconfíes de un cliente, busca mejor.

La *madame* me aseguró que haría unas gestiones para

comprobar quién era yo realmente. Sabía que no tenía opción. Iba a hacerlo de todas formas, así que la animé enérgicamente a que tomara todas las precauciones que considerara oportunas. Como cliente, me tranquilizaba su prudencia, o eso la hice creer. Quedó en llamarme en cuanto confirmara mi coartada para decirme, si todo estaba en orden, a qué famosa podía ofrecerme. Sin embargo tan sólo tardó unas horas en telefonearme, lo que resultó un contratiempo para mi investigación.

Como he dicho antes, mi intención era grabar todas las conversaciones con las *madames* de famosas, pero sólo puedo conectar mi teléfono al equipo de grabación si sé que esa llamada va a producirse. Por eso, cuando fue María la que me telefoneó, sólo unas pocas horas después de nuestro encuentro, tuve que reaccionar sobre la marcha. Su llamada me pilló en un taxi en el centro de Madrid y, lógicamente, no podía ponerme a grabar allí. Así que en cuanto escuché su voz, me disculpé diciendo que me había pillado en una reunión importante, y que yo la llamaría a ella en un instante. Inmediatamente pedí al taxista que parase el coche y me metí en el primer bar que vi. En el cuarto de baño improvisé el sistema de grabación y telefoneé a María.

—Sí, ¿dígame?

—¿María? Soy Toni. Perdóname, pero estaba en una reunión de empresa importante.

—Hola, mira, Toni... perdone...

Como esperaba, María había telefoneado a Manuel para confirmar mi identidad. Y el empresario catalán debió de decirle maravillas sobre mí, porque la *madame* se disculpó sentidamente por haber sospechado por un momento que yo pudiese ser un periodista de cámara oculta... ¿Cómo podía haber pensado algo tan absurdo?

—No te preocupes. Ya me imagino que tenéis que tomar precauciones. Mejor así. También yo me quedo más tranquilo al ver que sois serios.

—Sí, ya sabes… Bueno, te cuento. ¿Te interesa C…?

Y seguidamente me reveló su mejor «mercancía de lujo». A partir de ese momento, y ya completamente confiada, María José de M. me propuso algunas famosas, que no aparecían en ninguno de los books que había grabado en Madrid y Barcelona. Alguna de esas superfamosas ilustraban las portadas de la revista *Dígame*, señaladas por Rodríguez Menéndez como prostitutas de lujo. Otras no. La *madame* de Double-Star me ofreció a una famosísima presentadora de televisión, a una actriz y modelo archiconocida, y la ganadora de uno de los concursos más populares de la historia de la televisión… El precio de esas prostitutas de altísimo standing oscilaba entre los 3 y los 7 millones de pesetas por servicio. Es decir, en una noche, cualquiera de esas rameras de lujo ganará una suma mayor a la que deberían abonar a los mafiosos las mujeres traficadas como Susy para poder recuperar su alma. Pero Susy deberá pasar años prostituyéndose, en las calles de Murcia, a 30 euros el polvo, para poder comprar su libertad a proxenetas como Prince Sunny, mientras que otras fulanas, famosas por salir en televisión, cobrarán en una sola noche más de lo que cuesta la libertad de una puta callejera. No es justo.

Para acabar de alegrarme el día, poco después recibí la llamada del subteniente José Luis C.: «Toni, efectivamente en los archivos de INTERPOL aparece un tal Mario Torres Torres, que está en orden de busca y captura por un homicidio en México. ¿No estarás metiéndote en ningún lío?». Perra suerte la mía. Narco, proxeneta, traficante de menores y ahora presunto asesino… no podía buscarme mejor compañía para disfrutar de una cena… Esa noche, y muchas más, reviviría en sueños aquella detonación de la bala que pasó rozándome la rodilla. Sólo que en las pesadillas no me rozaba, sino que varios proxenetas y mafiosos me destrozaban las rodillas y los brazos a tiros, después de descubrir que les había estado grabando con una cámara oculta. Esa semana tomé la decisión de visitar a un psiquiatra, en Madrid, y pedirle que me recetara un tratamiento para dormir. A partir de entonces tomaría dos tipos de pastillas cada noche, para conciliar el sueño. Desgraciadamente los fármacos no podían impedir que soñase.

Mi chulo mató a mi amiga y yo le maté a él

Nunca volví a ver a Danna, la escultural rumana que conocí en La Luna, sin embargo, gracias a ella, sí pude conocer a otras jóvenes traficadas, como ella, por las mafias del Este. Y una de esas pistas me llevó en varias ocasiones a Zaragoza. Allí entablé buena amistad con Lara, una joven no menos hermosa que Danna e igual de exuberante. Con Lara hubo un *feeling* especial, y por alguna razón vio en mí a un discreto confesor para todas sus miserias. En la Nochebuena de 2003 me tocó trabajar. Aunque no pude explicar a mi familia por qué, los días 24 y 25 de diciembre simplemente desaparecí.

Aunque la mayoría de los burdeles cerraron esa noche, los pisos clandestinos continuaban abiertos, y sorprendentemente había clientes. Al filo de las doce de la noche recibí una llamada de Lara. Estaba llorando. Acababa de dejar a un cliente, que a saber qué tipo de perversiones le había demandado en esa noche navideña. Sólo me dijo que la había mordido en la cara. A pesar de sus veintiún años de vida, la joven rumana, que aparenta más, había pasado ya por todo. Recientemente le extirparon un ovario. Trabajaba mucho y muy bien, y muchos clientes no controlan la potencia de sus miembros al golpear una y otra vez, putero tras putero, pene tras pene, la vagina de la joven. Con el tiempo tuvo complicaciones a causa del exceso de uso. Los ginecólogos están cansados de ver casos similares.

Lara, como todas las demás meretrices que trabajan en pisos clandestinos, sufre trastornos del sueño. Se pasa el día en el apartamento, dormitando o viendo la televisión, y teniendo que despejarse y acicalarse cada vez que llega un cliente. Después hará «el paseíllo» ante el putero y, en el caso de no ser la escogida para el servicio sexual, volverá a tumbarse en el sofá para esperar al próximo cliente. Nunca puede dormir más de dos o tres horas seguidas. Como todas las demás.

Esa noche Lara estaba especialmente triste. Necesitaba hablar, y naturalmente me puse a su disposición. Y así grabé uno de los testimonios más escalofriantes de esta investigación. En Rumanía, el chulo que había iniciado a Lara y a una amiga, ambas originarias de un pueblecito muy cercano a Bucarest, le había pegado un tiro en la nuca a su compañera. Al parecer la buscona había intentado escapar de la red que la había vendido en España. Una noche Lara se armó de valor y, según confesó ante mi cámara, le pegó un tiro al chulo en la garganta. «Él le disparó a mi amiga por detrás y yo le disparé por delante.»

Fueron unas navidades tristes y también soprendentes. En este oficio, cuando crees que ya lo has visto y escuchado todo, cuando piensas, pedantemente, que ya no puede sorprenderte nada en el mundo de la prostitución, cuando bajas la guardia, va el destino y te encaja un directo a la mandíbula. Y volví a descubrir algo nuevo e inesperado. Una vez más sentía el vértigo de mi cordura. Como si me asomase a un abismo oscuro e impenetrable cada vez que conocía a una nueva ramera y las brutales historias personales que marcan sus terribles existencias.

Lara me contó cómo asesinó a sangre fría a su proxeneta, y lo terrible es que no pude condenar su actitud. Sé que nada justifica un asesinato. Nada puede anteponerse a la vida de otro ser humano. Pero ¿cómo podía reprochar a aquella rumana de veinte años algo que yo mismo había llegado a plantearme con los mafiosos que estaba conociendo? Y yo no había tenido que sufrir en mis carnes la humillación, la frustración y la vergüenza que padecen todas y cada una de las muchachas que se prostituyen en cualquier país del mundo. Digan lo que digan los de ANELA. Decidí pasar la noche de fin de año con ella, para que se tomase un par de días de vacaciones, hoy es una de mis mejores fuentes de información.

Lara me puso en la pista de otra red, la del tal Andrei, de la que ya me había hablado Danna. Así que abrí nuevos frentes de investigación, pero confieso que a esas alturas ya empezaban a faltarme las fuerzas, y mi agotamiento psicológico era cada vez mayor.

Conseguí convencer a una de las chicas traficadas por Andrei para que me contase su historia, y así pude grabar nuevos testimonios espeluznantes. Sobre todo dos conversaciones que me afectaron especialmente. En una ocasión aquella rumana de diecinueve años llamada Clara me explicó que, para ellas, era mucho más difícil ejercer la prostitución que para otras chicas, como las brasileñas o las cubanas, más abiertas al sexo.

—Dios nos dio la boca para comer, el culo para cagar y el coño para follar. Por eso nosotras no gustar chupar ni follar por culo. Cuando yo subir con cliente yo lavar la polla con agua caliente y hacer una paja para que se le ponga dura y no tener que chupar. Así sólo follar por coño correr y marcharse.

Son testimonios brutales y soeces que prefiero transcribir literalmente de las cintas de vídeo, tal y como me fueron relatados. Porque no encuentro glamour, atractivo ni sofisticación en estos relatos. Son sucios, duros y groseros, como la prostitución. Y aun a riesgo de poder escandalizar al lector, no voy a maquillarlos para hacerlos más literarios ni elegantes.

—El otro día un cliente decir a mí en club que quería dar por culo, y yo decir que no hacer ese servicio, que hay otras chicas que hacer. Él decir que no discutir y que subir con él a habitación, pero yo decir que no por culo. Pero cuando subir a la habitación él cogió mis piernas y levantó así y metió por culo. Hizo mucho daño y yo lloraba pero él seguía. ¿A quién puedo quejar yo? Yo soy una puta, y a nadie importa que cliente violar a mí…

Clara también trabaja en uno de los clubes de un vocal de ANELA, lo que garantiza —supuestamente— que el cliente va a quedar satisfecho con los servicios y la calidad que encontrará en el local. Pero ¿quién garantiza a las fulanas que ellas también van a quedar satisfechas?

La placa de garantía de ANELA certifica a los clientes que sus rameras han sido sometidas a análisis y están sanas, pero ¿quién analiza a los puteros para garantizar a las chicas que no portan ninguna enfermedad? Claro, olvidaba que a nadie le importa que las rameras puedan contagiarse con cualquier cliente. Lo esencial es que el putero quede satisfecho, aunque sea violando analmente a una joven de diecinueve años que todavía no es consciente de en qué mundo se ha metido.

A diario encuentro en los titulares de prensa noticias relativas a las denuncias por malos tratos que presentan muchas mujeres en España, pero ¿alguna comisaría de Policía tomaría en serio la denuncia presentada por una prostituta contra un cliente que la ha violado en el burdel? Harta de aquella vida, y Clara llevaba muy poco tiempo ejerciendo la prostitución, una noche me planteó que la comprase a su proxeneta. Su precio eran 8.000 euros.

—Si tú comprar en Rumanía yo valer 400 o 500 euros. Pero aquí más cara porque aquí yo tener chulo. Si tú querer comprar a mí pagar 8.000 euros y soy tuya.

—Pero ¿y si te compro, qué vas a hacer?

—Lo que tú querer. Yo trabajar para ti o hacer lo que tú querer.

—No, para mí no. Pero, vamos a ver: si yo te compro ya eres libre, ya puedes volver a tu país.

—¿Volver a mi país? ¿Para qué? En mi país no hay dinero. Yo venir a España para ganar dinero. No poder volver a mi país con manos vacías…

Todavía no lo había comprendido. Las cosas no son tan sencillas como podemos creer quienes no vivimos desde dentro el mundo de la prostitución. No se trata de bueno o malo, blanco o negro, sino de una difusa y entramada gama de grises. Para muchas mujeres traficadas, los mafiosos no son simplemente criminales despiadados y avariciosos que se lucran con su humillación, sino que también son la única esperanza en un futuro mejor.

Para la *garota* de una favela brasileña, la negrita de una aldea africana o la adolescente de un pueblucho ruso, la perspectiva del futuro en su país se limita a la miseria, el hambre, la pobreza o la muerte. Para ellas los traficantes de mujeres son un rayo de esperanza. La única oportunidad para escapar de la indigencia y soñar con un futuro mejor en la rica Europa. Dejando al margen los casos de jóvenes secuestradas, como la moldava Nadia, o transportadas a países europeos con engaños, muchísimas de las prostitutas que he conocido, la mayoría, sabían que venían a España para ejercer de rameras.

Es cierto que los traficantes les mienten sobre el dinero que van a ganar y sobre las condiciones de vida que van a soportar, pero ellas eligen prostituirse como la única forma de escapar a la muerte en vida que sufren en su país, y consideran, para mi horror, a sus traficantes como una especie de salvadores. Al menos, en una vida de pesadilla, ellos les ofrecen un sueño. El sueño de una vida mejor en Europa. Aunque para soñar tengan que hipotecar su dignidad. Y casi siempre el sueño termine convertido en pesadilla. Desgraciadamente la mayoría no llegan a despertar nunca.

Capítulo 13

Operación vudú

Será castigado con las mismas penas el que directa o indirectamente favorezca la entrada, estancia o salida del territorio nacional de personas, con el propósito de su explotación sexual empleando violencia, intimidación o engaño, o abusando de una situación de superioridad o de necesidad o vulnerabilidad de la víctima.

Código Penal, art. 188, 2 (Sólo incluye las reformas de la Ley Orgánica 11/99 y Ley Orgánica 4/2000)

—¿Tú crees que este collar me protege del *yu-yú*? —me interrogó Susy cuando volví a Murcia.

—Te prometo que ningún vudú que te hayan hecho tiene más influencia sobre ti que este collar.

Susy me había hecho esa pregunta en muchas ocasiones, y yo siempre le respondía lo mismo, intentando reafirmar su seguridad en sí misma a través de la sugestión. Pero cuando, a continuación, intentaba sonsacarla sobre quién le había hecho vudú; si había sido Sunny: si se lo continuaban haciendo, si a su hijo también le habían hecho vudú... la nigeriana se cerraba en banda y no había forma de sacarle una sola palabra más.

Cada vez que veía alguno de mis «trucos mágicos», en realidad efectos de mentalismo e ilusionismo, los ojos se le salían de las órbitas, exactamente igual que ocurría con docenas de nigerianas y latinoamericanas, a las que también había asombrado con mis supuestos poderes esotéricos. Algunas de ellas sufrían auténticos brotes de pánico, a pesar de que mis trucos eran absolutamente inocentes. De ahí deduje el terror que inflige en sus mentes supersticiosas, la utilización de sangrientos rituales de vudú por parte de las mafias.

Por supuesto Sunny no sabía nada de mis intentos por sacar información a una de sus rameras. Nuestras conversaciones iban dirigidas a ganarme su confianza y sólo de vez en cuando, muy poco a poco, dejaba caer algunas indirectas sutiles, sobre mi supuesta relación con el mundo de la prostitución y el crimen organizado. En el caso de Sunny, de Harry y de otros miembros de la comunidad delictiva africana en Murcia, hice correr el rumor de que yo podía ser un experto en *skimming*, y el colaborador imprescindible para sus estafas con tarjetas de crédito.

Skimming y nuevos delitos tecnológicos

Una sonrisa maliciosa y la exhibición de un mazo de tarjetas de crédito, mientras tomábamos una ginebra en cualquier terraza murciana, fueron suficiente cebo. No hacía falta más. Las bandas criminales de origen nigeriano son, probablemente, los mejores falsificadores del mundo. Y el *skimming* es una de sus especialidades.

Sólo la empresa VISA, en el primer año del nuevo milenio y sólo en Europa, perdió más de 390 millones de euros a través del fraude de las tarjetas de crédito. La suma total, de todas las empresas y a nivel mundial, es incalculable. En España, esta dimensión del crimen organizado comenzó a detectarse hace más de quince años, cuando bandas de delincuentes latinoamericanos se las apañaban para conseguir duplicar las tarjetas de crédito de muchos usuarios. Durante el periodo estival los robos con tarjeta de crédito aumentan en casi un 5 por ciento. El 60 por ciento de las denuncias se refieren a sustracciones de tarjetas en bolsos y carteras. De las supuestamente extraviadas, el 18 por ciento fueron utilizadas fraudulentamente.

Existen infinidad de variantes en estas estafas, como el «lazo libanés», que consiste en la captura de la tarjeta de crédito de la víctima a través de un dispositivo que se coloca en el cajero automático. Cuando el cliente está intentando recuperarla, aparece un amable transeúnte, que le explica que a él le había ocurrido lo mismo el día anterior. «Marqué dos veces el número secreto y pulsé cancelar, a mí me salió así.» Y el estafador memoriza el número, que luego utilizará con la tarjeta, que evidentemente no sale del dispositivo. Otros ofrecen su teléfono móvil para que el estafado llamé al número de atención al cliente de ese sistema, que no es otro que un compinche al otro lado de la línea, que se ocupará de averiguar el número clave de la víctima.

Pero no sólo se usan tarjetas hurtadas. Fue la Policía británica, hacia 1987, la primera en alertar sobre esta nueva especialidad delictiva de las bandas nigerianas conocida como «planchado», «clonación» o más popularmente *skimming*. Al detener algunos delincuentes nigerianos, implicados muchas veces también en el tráfico de mujeres, descubrieron que muchas de las tarjetas de crédito incautadas no habían sido robadas, sino que eran duplicados con una banda magnética idéntica a la de una tarjeta real.

Para duplicar las tarjetas se utilizan ingeniosos sistemas tecnológicos, como falsos lectores instalados en la puerta de los cajeros, cámaras ocultas con las que se graba el número secreto que utiliza el cliente, «bacaladeras» y grabadores del código magnético utilizadas por prostitutas, empleados del peaje de las autopistas, etc. Una vez grabada la banda original de la tarjeta auténtica, se duplica utilizando tarjetas plásticas en blanco, sobre las que se impresiona la copia magnética de la banda original, y a continuación se realizan compras millonarias. Para ello son imprescindibles, en muchos casos, los cómplices. Empleados de comercios legales que, en colaboración con los estafadores, permiten que realicen las compras desde sus terminales informáticas llamadas TPV (Terminal Punto de Venta) repartiéndose a medias los beneficios.

Además del narcotráfico, el tráfico de mujeres, la falsificación de documentos, etc., Sunny era un presunto veterano en el ejercicio del *skimming*. Traficaba con tarjetas de crédito falsas y tenía varios colaboradores españoles, propietarios de negocios en toda Murcia, que ponían a su disposición las TPV para poder ejecutar las estafas. Uno de ellos, que terminaría siendo detenido precisamente por este tipo de fraudes, era Francisco, el propietario de una tienda de bicicletas de Alcantarilla.

A estas alturas llevaba meses infiltrado entre traficantes de drogas, de armas, de mujeres o de documentos falsos. Al añadir el *skimming* a mi supuesto currículum delictivo sólo pretendía reforzar la credibilidad de mi personaje, en la última fase de esta investigación. Me había propuesto intentar comprar a Susy y a su hijo.

Pero antes de tentar a la suerte una vez más, necesitaba comprobar si existían otras opciones para liberar de sus proxenetas a una mujer traficada. Así que me reuní con Susy en la cafetería de la gasolinera situada junto al Eroski, punto de encuentro de las prostitutas y sus proxenetas. No podía imaginar que ésa sería la última vez en mi vida que iba a ver a la joven. Ella tampoco. Pero casualmente esa noche me regaló una foto de su hijo y eso me encogió el alma. Conecté la cámara oculta en el lavabo de la gasolinera y pasé al local, dispuesto a entrar a matar.

Necesitaba plantearle a Susy mi intención de comprar su deuda, antes de enfrentarme a la negociación con su «dueño».

—Me dijo Sunny… tú tienes que llevarle el dinero, ¿no? Que no soy tonto, que he viajado mucho, que soy medio africano… ¿Cuánto dinero tienes que pagar? Si yo quisiera que tú te vinieses conmigo… ¿Cuánto dinero cuestas?

Duda. Esquiva mi mirada. Remueve la limonada sin saber qué decir. Jamás ha hablado con un blanco de estas cuestiones, consideradas secretos mortales por las redes de crimen organizado, y me cuesta verdaderos esfuerzos que por fin responda a mis preguntas.

—¿Cuánto has pagado ya? ¿Cuánto le debes? No me engañes, ¿eh? Que lo voy a hablar con él.

—Yo no sabe… mucho.

—¿Cuánto es mucho? Llevas dos años aquí, ya tienes que haberle pagado mucho.

—35.000 o así.

—¡Le debes 35.000 dólares! ¡Pero si eso es lo que debes por venir por la ruta terrestre! Eso es mucho. Tienes que haberle pagado ya parte. ¿Cuánto dinero tengo que darle a Sunny para que te deje ir? ¿Tú quieres estar con él?

—No, yo no quiero estar con él. No sé cuánto dinero.

—Piensa con cuánto dinero te dejaría irte, con el niño. Si no me ayudas no te puedo ayudar.

La nigeriana estaba confusa. Sabía que estaba profanando una ley escrita con magia y sangre. Estaba compartiendo con un blanco los secretos de negros del negocio del que era víctima, pero mi trabajo con ella, durante los últimos cuatro meses, por fin daba frutos. De alguna manera sabía que intentaba ayudarla.

—Imagina, sólo imagina. Si un día vas a Torrevieja, coges el niño y te vas… ¿qué pasa?

—No, no, no. Mejor pregunta Sunny... sin Sunny, ufff...

—No quiero meter la pata, pero, joder, si cogemos al niño y nos escapamos, él no te va a encontrar en Madrid...

—No, no, no...él puede... mi familia en Nigeria...

—¿Qué le pasa a tu familia? ¿Va a ir él a Nigeria?

—No, no, por favor, Antonio... Yo no tengo miedo para mí, pero para mi familia seguro...

Susy me confirma que, antes de salir de Nigeria, le hicieron un ritual de brujería. De ahí venía su terror al vudú y su fe en el collar que le había regalado. Sin embargo teme al boxeador y también a la Policía.

—¿Y si hablas con la Policía? Te protegerían...

—¡No, no, no! Por favor, Antonio, no...

—Ok. ¿Tú crees que si le pongo sobre la mesa 15.000 dólares, así, en montoncitos, él te dejaría a ti y al niño? ¿O me va a pedir 15.000 por cada uno?

—No, 15.000 está bien.

Madre e hijo por 17.000 dólares

Ya tenía una idea aproximada del precio, pero ahora llegaba lo más difícil. Sólo existía una forma de averiguar si tras todos mis viajes a Murcia, y mi integración en el mundo de la trata de blancas y el crimen organizado, Sunny confiaba en mí. Sólo había una manera de averiguar si el boxeador nigeriano estaría dispuesto a venderme a una de sus furcias y a su hijo, o intuiría que yo era un infiltrado, obrando en consecuencia. Tendría que reunirme con él, a solas, y plantearle abiertamente el negocio. Cogí el teléfono y me cité con él en la plaza de la Catedral de Murcia a la mañana siguiente.

Sentí la tentación de avisar al subteniente José Luis C.,

de la Policía Judicial, o al inspector José G., de la Brigada de Extranjería, para pedirles ayuda. Me sentiría más tranquilo, aunque yo asumiese todo el riesgo, si supiera que un par de oficiales armados me cubrían las espaldas. Pero recordé al malnacido jefe de Policía que me delató ante los cabezas rapadas mientras estaba infiltrado entre los neonazis. Así que decidí continuar solo la investigación hasta el final. Y únicamente si conseguía mi objetivo, comprar a una mujer en la España del siglo XXI, pondría mi investigación en conocimiento del juez y la Policía, para que ellos realizasen las detenciones pertinentes. No obstante, en esta ocasión Alfonso, compañero en el Equipo de Investigación de Atlas-Tele 5, y con el que he compartido muchas aventuras como infiltrado, acudió a Murcia para grabar, desde la distancia, mi reunión con el traficante.

Sunny llegó puntual. Me parecía mucho más grande y corpulento que nunca. Pedimos dos ginebras y entramos en materia sin demasiados preámbulos. Mientras hablamos recibió varias llamadas telefónicas. Hablaba con sus interlocutores en inglés y en yoruba. En una de las llamadas pidió a su interlocutor que le telefoneara a otro número, por si la Policía pudiese estar escuchándole. No tenía ni idea de que mi cámara estaba grabándole en ese momento.

—¿Qué tal, Antonio?

—Hola, Sunny. Tenemos que hablar…

Tomé un par de tragos de ginebra intentando envalentonarme con el alcohol, o acaso anestesiarme en caso de recibir una inminente paliza. Sabía que no le iba a hacer gracia que un blanco le propusiera un negocio que habitualmente era cosa de negros, y un delito grave. Instintivamente acaricié la bala que llevaba colgada al cuello, cual supersticioso talismán. Iba a necesitar más que nunca a mi ángel de la guarda, esta vez enfrentado a todos los espíritus del panteón yoruba que hábilmente utilizaba el africano.

—Ok, Sunny. No quiero que te enfades, ¿vale? No te enfades con Susy. Si te enfadas que sea conmigo... Yo he estado en África y sé cómo funciona esto. Yo sé que hay una deuda... No quiero que me engañes, ¿vale? No quiero que haya problemas. Supongo que en dos años ya habrá pagado una parte. ¿Cuánto dinero puede deberte Susy?

Las cartas estaban sobre la mesa. Ya no había vuelta atrás. Sunny se quedó en silencio unos instantes interminables. Me miró a los ojos muy serio, como intentando adivinar cuáles eran mis verdaderas intenciones. El corazón aporreaba mi pecho con tantas ganas de salir corriendo de mi cuerpo como yo las tenía de escapar de aquella plaza. El boxeador nigeriano no se fiaba aún de mí, sin embargo no quería dejar escapar ese negocio millonario. Así que decidió tantearme, pero sin reconocer su implicación en el delito y responsabilizó a una tercera persona.

—El dueño de esta chica... está en Cádiz. Pero yo hablo con ella...

—Pero me dijo que te pagaba a ti.

—Ella a mí y yo a ella, yo sólo testigo...

—Ya.

—Si dar 20, se puede dejar ir.

—¿20.000 dólares?

—Sí.

Había mordido el anzuelo. Mi cámara oculta estaba registrando la negociación para comprar a una chica y a su hijo en la España del siglo XXI, digan lo que digan los libros de historia sobre la abolición de la esclavitud. El boxeador nigeriano acababa de ponerse la soga al cuello. Su implicación en el tráfico de mujeres era ya irrefutable. A pesar de su intento por cubrirse las espaldas en el asunto, dejaba muy claro que él era quien decidía lo que se hacía o no con la chica, sintetizándolo todo en una frase:

—Si tú hablas con padre de Susy, él va a decir. Tú habla con Sunny. Sunny es su padre ahora. Yo tengo el mando.

Iniciamos el regateo. Él pedía 20.000 dólares. Pero yo ofrecí 15.000. Finalmente pactamos el precio de la chica y de su hijo en 17.000 dólares. El boxeador estaba contento, olía casi 3 millones de pesetas que creía que iban a engrosar su cuenta bancaria, y no tuvo problema en hablar sobre sus negocios. Confesó, ante el objetivo de mi cámara, que también enviaba coches desde Alemania a África, e incluso me invitó a viajar con él a Nigeria. Tal vez estaba pensando que yo podría ser su nuevo socio en el negocio. Lo que no imaginaba era que, en realidad, estaba con un infiltrado que le estaba grabando con una cámara oculta.

El siguiente paso era obvio. Había conseguido mi objetivo y ya no existía el riesgo de que ningún policía infame me estropease la investigación. Ahora, y no antes, sí podía poner en conocimiento de las autoridades judiciales y policiales la historia de Susy y mi negociación con Sunny para su compra.

En realidad no descubrí nada nuevo a los oficiales de la Brigada de Extranjería cuando me reuní con ellos en la comisaría. Ya tenían referencias de Prince Sunny y de sus turbios negocios. Sin embargo, acogieron con entusiasmo mi testimonio y sobre todo las grabaciones de cámara oculta, que inmediatamente pusieron a disposición judicial. Desde Madrid pacté con Sunny por teléfono los detalles de la compra y también grabé esas conversaciones telefónicas. Volvería a Murcia días después. Necesitaba más imágenes para el reportaje y tendría que hablar con Susy para confesarle la verdad e invitarla a denunciar a

Sunny. Así podía convertirse en testigo protegido y con ello conseguir los papeles legales. Pero el destino todavía me reservaba un quiebro imprevisto en esta historia.

No obstante, antes de volver a Murcia por última vez, tenía que cerrar otro negocio. Media docena de niñas de trece años estaban en venta y mi otro yo había reservado aquella carne fresca y jugosa para mis ficticios burdeles. Mario Torres Torres, el presunto asesino, narcotraficante y proxeneta, me convocaba a una nueva reunión entre traficantes.

Niñas de trece años a 25.000 dólares

Mario, convencido de que mi «mirada de diablo» era una garantía de mi naturaleza criminal, quedó de nuevo conmigo para cerrar el precio de las niñas. Esta vez el punto de encuentro sería el VIPS de Sor Ángela de la Cruz de Madrid. Según pude averiguar posteriormente, gracias al registro de llamadas realizadas por el mexicano desde su habitación en el hotel en el que se alojaba, el Gran Vía, Mario llamaba con cierta frecuencia a Guadalajara, en el estado de Jalisco (México), y a teléfonos eróticos 906. Y también recibía la visita de prostitutas. Los movimientos bancarios de su tarjeta de crédito también aportaron una información golosa sobre los negocios millonarios a los que se dedicaba...

Esta vez Manuel y Mario habían escogido estratégicamente la mesa, que estaba situada en el extremo más discreto del restaurante. Yo, previniendo que pudiese volver a cachearme, había colocado la cámara en una pequeña mochila que llevaba conmigo. Ahora tenía que concentrarme en lograr que repitiese todo lo que me había dicho en nuestra reunión anterior, y más, para grabarlo fielmente.

Mis contertulios pidieron algo de comer, pero yo opté sólo por café. No podía arriesgarme a que se me revolviese de nuevo el estómago y terminase vomitando otra vez. En la cinta de vídeo se aprecia cómo, mientras ellos comen con buen apetito, yo me limito a tomar café con vodka y a fumar unos imponentes Cohiba de casi 12 euros el cigarro.

Había aprovechado aquella semana para empollar todo lo que pude sobre narcotráfico, e intenté prever todas las preguntas embarazosas que el mexicano podía hacerme para adelantarme a ellas.

Mario Torres Torres vestía una camisa blanca muy holgada y, por alguna razón, tuve la firme convicción de que iba armado. Me habían explicado que entre los traficantes mexicanos era costumbre llevar un arma de pequeño calibre escondida en el brazo, fijada a la altura del bíceps con una funda de tobillera. Eso hacía que, incluso siendo cacheados, no les descubriesen el arma. Sobre su pecho lucía una gran cruz de plata, que se me antojó un sacrilegio. Más tarde me confesaría que tanto él como otros muchos narcotraficantes mexicanos practicaban la brujería, porque creían que, a través de ella, podían protegerse de la Policía. Algunos delincuentes resultan ser tan supersticiosos como las rameras nigerianas.

Posteriormente descubriría, navegando por Internet, la increíble historia de Adolfo de Jesús Costazgo, líder de una banda de narcotraficantes mexicanos, que había sacrificado a catorce personas en el transcurso de ritos satánicos, que tenían por objeto proteger a sus compinches de la DEA. La historia de Costazgo, y más concretamente de su compañera Sara Aldrette, inspiró al director Alex de la Iglesia la película *Perdita Durango*.

Pero aquello no era una película, sino el mundo real. Y no podía cometer errores, así que decidí tomar la iniciativa. Lo que más temía en aquella nueva reunión con el narco era que hubiese hecho preguntas sobre mí en el mundo del narcotráfico español donde, evidentemente, nadie me conocería. Y si nadie en el gremio de las drogas conocía al tal Toni Salas, sólo podía ser un infiltrado, o de la Policía o un periodista. Así que me propuse adelantarme al azteca. Si, como me había dicho Manuel, Mario había interpretado el brote de locura en mi mirada como la garantía de mi pertenencia a una mafia criminal, aprovecharía esa baza a mi favor. Mientras encendía otro cigarro habano, con la intención de que mi aspecto fuese el de un adinerado mafioso, miré fijamente a los ojos del mexicano, intentando clavar en sus pupilas toda la rabia, el desprecio y el odio que me inspiraba.

—Hay un problema... He hablado con mis amigos de México, que no te conocen...

Touché. Mi estocada lo alcanzó directo al corazón. Herido en su orgullo de delincuente, el narco soltó ante mi cámara oculta todo su currículum como traficante. Mencionó los nombres de alguna de las familias más importantes del narcotráfico mexicano de Sonora, Yucatán, Sinaloa, etc., y me detalló su relación con todos y cada uno de sus integrantes. Aquella confesión, en toda regla, supone la mejor garantía, porque si los mexicanos supiesen que su compinche ha soltado ante un periodista todo aquello, probablemente la vida de Mario no valga un centavo. Claro que la mía tampoco. (Así que, dado el caso, tú verás, Mario, cómo zanjamos el tema...)

Con las cartas boca arriba, sin más preámbulos ni concesiones, el mexicano me soltó a quemarropa la temida pregunta: cuánta droga queríamos enviar a México, yo y la ficticia organización de narcotraficantes que representaba. Así que me dispuse a hacer la mejor interpretación de mi vida. Si cometía un error, la escena no se detendría con una plaqueta cinematográfica y un «¡corten!» del director, sino con el cañón de un 9 corto en mi cabeza. Y esta vez la bala no se conformaría con rozarme.

—Espera, tenemos ese tema por un lado y las mujeres por otro. Vamos por partes. Mujeres.

Con todo el tacto del mundo, volví a tocar los temas que ya habíamos tratado en nuestra primera reunión, con objeto de que esta vez se grabara correctamente sus respuestas, en mi cámara oculta. Curiosamente, de pronto Mario pretende tener escrúpulos, y alega que su interés fundamental es el narcotráfico, y que en México está muy mal vista la compraventa de niñas. Sin embargo sus aparentes reparos apenas duran un minuto. Es astuto y quiere encarecer el precio de las niñas.

—A muchos extranjeros, y a mucha gente en México, la han detenido por eso. Y les arman un rollo, ¿sabes?, hasta salen en televisión. Que andas comerciando mujeres, ¿sabes? Yo te lo hago como una atención. ¿Cuántas quieres? ¿Unas cinco o seis?

—Sí.

—Hay unos gastos, ¿sabes? Yo llegaré con el presidente de la comunidad, porque si hay algún pedo me lo quita él. Entonces convocar alguna fiesta o algo, para que yo pueda observarlas y que el presidente me diga cuáles. Obviamente ya con tu respaldo de atrás, que yo le diga, va a ir una persona porque necesitamos unas niñas... Mira, en Chiapas ya hay niñas jóvenes que trabajan de prostitutas. Pero yo creo que tú quieres algo más sano, ¿no? Porque en Chiapas ya trabajan niñas de doce años de prostitutas.

—Lo sé. Estuve en Chiapas y por todo México. El problema de esas niñas es que están muy quemadas ya. Es como las brasileñas. Empiezan a darle al pegamento y traen muchos problemas después. Si las puedes coger nuevas en esto mejor.

—Yo sí las puedo agarrar. Pero establecer un precio no sé. Yo no sé qué tanto por ciento le sacas tú a todo esto.

—Eso es problema nuestro. Tú pide el precio que quieras, y nosotros luego intentamos amortizarlo.

—¿Tú vas y te las traes?

—Despreocúpate por los gastos de viaje. Con eso corremos nosotros. Tú pon precio.

—Yo no sé. Porque por ejemplo allí están en su comunidad, que se conocen de toda la vida. Allí va el ranchero, ésta me gusta. Se conocen y allí se va a quedar la niña. Ahora esto es diferente, te la vas a chingar y te la traes. Ahora la cosa es diferente… ¿ellas van a poder aportarle a su familia dinero?

—Claro. Eso hacen todas. Ellas con el dinero que ganan hacen lo que les da la gana.

—Si te pregunto por eso, para comentar yo, ellas van a ser un aporte económico para la familia…

—¿Cómo te crees que se está manteniendo la economía de Moldavia, de Nigeria, de Rumanía o de Cuba? Por sus chicas.

—Yo en México tenía tres o cuatro *tables* y yo sé… Bueno, no sé, unos 20.000 o 25.000 por cada niña…

Sabía que no podía aceptar su oferta a la primera. Se suponía que era un profesional del tráfico de mujeres y debía negociar. Me preparé para regatear el precio.

—Depende de las niñas. El problema, lo que me asusta a mí, es que las niñas de Chiapas no son como las de D.F. Son más indígenas.

—Claro que sí… Pero si te voy a mandar algo, te voy a mandar algo que sea agradable. Si te mando una pincha de niña…

—Depende de la edad. Si es jovencita no importa tanto, ¿de qué edad hablamos?

—¿Qué quieres de diez, doce...?

Creo que pegué un brinco. El narco había bajado la edad de las menores. Me estaba ofreciendo niñas de hasta diez años para ser prostituidas en los burdeles españoles.

—No. Me habías hablado de trece, catorce, ¿no?

—Lo que tú quieras. Tú dime. Porque acá él sabe, que hay quien quiere hasta de diez. Diez, once, doce... está enfermo.

—Joder, pero si no tienen tetas todavía...

—No, hay algunas que sí, eh, hay algunas que sí.

—Él lo sabe que ya las ha probado —interviene Manuel señalando a Mario.

En ese instante asistí alucinado y asqueado a una discusión entre el empresario y el traficante en torno al placer de follarse niñas vírgenes menores de catorce años.

—No, yo lo más que he chingado es de catorce.

—¿Pero nuevecitas o ya usadas?

—No, nuevecitas, yo las quiero nuevecitas. No, mira, casi te digo una cosa, que lo que te voy a mandar va a ser todo nuevecito. Te lo digo en serio. Ésta es una de las cosas que te voy a dar, que sea todo nuevecito... Posiblemente te voy a lograr algunas de las que yo conozco, que viven como animales a las afueras de la ciudad... Yo conozco mucha ranchería. Yo he mirado algunas niñas ya que son muy pobres, y será cosa de una labor verbal. Es que, tú sabes cuál es el problema, que igual lo pueden tomar así para adelante, por la necesidad económica, como, güey, igual te mandan arrestar... Es muy complicado el pedo, güey ...

—Pero allá habrá gente que se dedique a ese negocio, que te puedan apoyar.

—Yo en la única en que me puedo apoyar, pero es hija de su puta madre, es en la vieja que le dicen La Vaca en Guadalajara. ¿Escuchaste de La Vaca? —al decir eso Mario se volvió hacia mí.

—Puede que sí —mentí, interviniendo de nuevo en la conversación.

—Es la que controla todo el tráfico en Guadalajara, pero el problema con ella es que si se entera de que aquí hay gente metida extranjera va a decir... —al decir esto Mario realiza un gesto con la mano, como si estuviese empuñando una pistola. Imaginé que intentaba referirse a que la traficante de Guadalajara podría ejecutarlo si descubre que interfería en su negocio—. ¿Tú me entiendes? Porque sabe todo el pedo...

—A lo mejor le interesa...

—A lo mejor yo me puedo valer de ella. Yo la verdad, ahora que vuelva para allá llevo un chingo de trabajo...

—Vas a llevarte mucho trabajo.

—Sí, de hecho, hay un problema de trabajo muy fuerte. Hay muchas cosas que van a arrancar, me entiendes. Pero yo sí te prometo, Toni, y cuenta con mi palabra, que sí lo voy a hacer... Si tengo que hablar con La Vaca y me recargo en ella, a lo mejor te conecto directamente con ella, y te puede estar proveyendo periódicamente, porque ella conoce a todo el mundo. Y lo mejor, honestamente, es que las mismas bailarinas tienen hermanas, me entiendes...

—Así funciona. Hermanas, primas, vecinas...

Empecé a notar cómo el sudor caía por mi frente, y tuve la sensación de que la gomina de mi pelo estaba manchándome la cara. Me quité las gafas de sol, que llevaba sobre la frente, y me sequé el sudor con una servilleta de papel. Mientras, Mario continuaba ofreciéndome adolescentes y niñas mexicanas para mis burdeles.

—Yo conozco un par de niñas, que son hermanas de algunas bailarinas... son muy jóvenes pero tienen una hermana, que tiene entre doce y trece años, que está buenísima ya, y está nuevecita. Y como yo tengo una amistad muy chingona con ellas, a lo mejor yo podía hacer... Esas tres niñas soy muy, muy bonitas...

—¿Y se lo montan juntas? —intervino Manuel.

—No son tan enfermas, cabrón, son hermanas.

—Da igual, se lo pueden montar juntas...

—Cuando hablabas de 20.000... o de 15, a lo mejor... —dije yo, volviendo a la negociación sobre el precio.

—No, 15 no. Porque yo sé que me van a tumbar 10 por lo menos.

—¿Y 100 por seis?

—No.

—Eres duro, cabrón.

—Eres inteligente. Es más, yo te quiero tumbar 125 por cinco. Mira, a mí me va a tumbar mínimo 100.000 pesos, que son 10.000 dólares. Yo sé que menos no puede ser. Porque yo vengo de fuera, ¿entiendes? Si yo me valgo de La Vaca, ella me va a decir: «Yo quiero tanto para mí».

La camarera ya les había servido la comida, y mientras los escuchaba, miré hechizado el cuchillo con el que el mexicano troceaba su filete. Empecé a sentir la tentación de arrebatárselo para clavárselo en el corazón. Pensé que si era lo bastante rápido podría arrancárselo de la mano y hundírselo en el pecho antes de que pudiese desenfundar la pistola que imaginaba oculta bajo su camisa. Pero inspiré un par de veces y bebí un trago para intentar volver a la realidad. Me repetí a mí mismo: «No soy un criminal ni pertenezco a ninguna mafia. Sólo estoy interpretando ese papel y no puedo permitir que el personaje devore a la persona».

—Yo tengo que hablar con el presidente, porque si me hacen un pedo, él me saca. Porque han sacado a mucha gente...

—¿El presidente?

—El presidente de la comunidad, porque son comunidades pequeñas... y nosotros ya tenemos un hombre ahí. Entonces por ahí yo le puedo decir que ando buscando niñas, y ya cogemos una de aquí, dos de acá, otra de allá... Igual yo me chingo una...

—Entonces quedamos en 100 por seis, ¿no? —insisto en la cuestión del precio, que se supone es lo que me interesa como comprador.

—No, 125.

—Qué cabrón. Pero, joder, si me dices 20 por cada una, no me salen las cuentas.

—No, yo dije entre 20 o 25 por cada una. Yo sé lo que significa para ti eso, cabrón, la vas a explotar de a madre, cabrón. O te crees que soy tonto. Yo ya evalué todas las situaciones. A ti si te sale a 25 cada niña, estas recuperándolo en dos o tres palos. Tan sólo con que esté virgen tú puedes cobrar lo que quieras.

—Ése es el negocio.

—Entonces no me regatees.

Entre carcajadas me aclaró que de las cinco o seis niñas, una no iba a llegar virgen, porque él tenía que «catar la mercancía». A continuación nos centramos en la negociación sobre las drogas, nuestro segundo *bisnes*. Quería la Ephedrina en pastilla o en polvo. El trato era que yo enviaba la mercancía y él la distribuía. Hablamos también del cargamento de Cuba, de la situación del negocio en EE. UU. y de cómo la DEA les iba pisando los talones. Lo más increíble es que me confesó que tenía hijos y esposa y que acababa «de nacer una niña mía en México y no he estado en el parto». Y no consigo comprender cómo podía estar comerciando con la vida de niñas, iguales que sus hijas, y encima presumir de acostarse con crías de catorce años. Si yo hubiese pedido algo sólido en aquella comida, sin duda habría vuelto a vomitar.

Justo antes de despedirnos, y tras haber cerrado el

precio de las niñas para mis prostíbulos en 25.000 dólares cada una, le comenté que el negocio del sexo estaba en auge en España.

—Tú sabes la cantidad de tías que están entrando en España, es una locura. Y hay trabajo para todas —digo yo.

—Porque hay clientes para todas...

Y el narcotraficante mexicano tenía razón. Sin saberlo me había dado la clave. El verdadero motor del negocio de las mafias no es la proliferación de mujeres dispuestas a prostituirse por salir de la miseria ni tampoco los proxenetas, chulos y traficantes, ni siquiera los «honrados empresarios» que se lucran con los burdeles... El verdadero motor del negocio del sexo son los clientes. Los prostituidores. Los demandantes del producto, que generan la oferta. Los millones de Paulinos, Juanes y Manueles, que mantienen el negocio de las mafias desde el anonimato y la impunidad. Mientras las rameras y sus proxenetas son criminalizados socialmente, ellos continúan sosteniendo desde las sombras la nueva trata de esclavos. Ellos son los auténticos responsables de que, en la civilizada España del siglo XXI, yo pudiese comprar niñas de trece años, para comercializar su virginidad. O pudiese adquirir una chica de veintitrés años, y a su hijo de dos, para disponer de su vida o de su muerte, como se me antojase. Porque, a pesar de mantener abiertos diferentes frentes, en esta investigación, en ningún momento me olvidé de Susy y de su propietario, el boxeador nigeriano. Y había llegado el momento de terminar lo que había empezado meses atrás. A esas alturas, ya me había implicado demasiado en el tema y la historia de Susy era algo más que un reportaje. Si después de haberme infiltrado en su vida, la existencia de aquella joven continuaba exactamente igual que antes de haberla conocido, me sentiría tan inhumano como el cerdo que interpretaba. Así que tenía que hacer algo para evitar que Sunny continuase extorsionándola con su hijo y con la amenaza del vudú. Lo que fuese. O de lo contrario sabía que ni las pastillas que me había recetado el psiquiatra podrían anestesiar mi culpabilidad. Sacar a una, por lo menos sacar a una… ésa era mi obsesión en aquellos momentos… Volví a Murcia con la intención de confesar toda la verdad a Susy y sacarla de allí, pero llegué tarde. Demasiado tarde.

Una mafia menos

Unos días después José Ángel, el jefe de grupo de la Brigada de Extranjería, me telefoneaba desde la comisaría para darme la buena noticia: el juez había admitido mis cintas y había autorizado los pinchazos telefónicos y el seguimiento de Sunny. Su detención era inminente, ya sólo era cuestión de días.

Y el día de la caída de Prince Sunny yo estaba en Murcia. Contra todo pronóstico la investigación había dado un nuevo giro pocos días antes. Susy se había escapado del control del nigeriano. Parece ser que, finalmente, la fe en el poder protector del collar mágico que le había regalado había sido superior al temor a los maleficios vudú de Sunny. Así que, un buen día, decidió escapar de Rincón de Seca para vivir con su hijo. Y las amenazas mágicas del proxeneta hechicero no pudieron detenerla. Nadie podía haber imaginado que la fe que mis trucos de ilusionismo inspiraron en Susy y en los poderes de mi collar le iba a dar el valor suficiente para huir del hechicero traficante. Continuaba vendiendo su cuerpo, pero ahora el dinero que conseguía no le era incautado. No me parece recomendable que ninguna mujer se prostituya, pero si lo hace, que el dinero sea para ella y no para un chulo, para un proxeneta, o para un «honrado empresario».

Ni la Policía ni yo conseguimos localizarla, afortunadamente el boxeador tampoco. Y aquella mañana me encontraba haciendo guardia frente a la casa de Sunny, en Rincón de Seca, por si ella aparecía, cuando, de pronto, la calle, normalmente desierta, se llenó de policías. Unos iban de paisano y otros de uniforme. Mi cámara registró cómo los efectivos policiales entraban en el edificio y salían poco después con un par de señoritas de raza negra y con el boxeador nigeriano, debidamente esposado. Cuando me vio, grabándole con una cámara de vídeo desde mi coche, me fulminó con la mirada. Creo que en ese momento supo que había sido víctima de un infiltrado. Y si no lo estuviesen rodeando una docena de policías armados, pienso que me habría arrancado el corazón allí mismo. La mejor garantía de que sus poderes mágicos eran un fraude es que no caí muerto en el acto, a pesar del odio que destilaba su mirada. Su «mal de ojo» no funcionó conmigo, pero si no hubieran estado los policías, seguro que sus puños sí habrían surtido efecto.

Según el comunicado que emitió ese mismo día el Ministerio del Interior, Sunny era la cúspide de la pirámide de una organización criminal en la que fueron detenidas diecisiete personas de nacionalidad nigeriana, rumana y española. Sus colaboradores Omone A. y Superior N., este último sobrino de Sunny, también cayeron.

Fueron registrados varios pisos relacionados con la organización. En la casa de Superior, en la calle Comandante Ernesto González Bans, nº 2, además del sobrino de Sunny fue detenida su novia, Silvia, y dos chicas más. En una casa de la calle Poniente, nº 21, en Los Garres, fue arrestado otro de los colaboradores de Sunny, con drogas y tarjetas falsas, tres inmigrantes ilegales y dos chicas más.

En la Era Alta, concretamente en el Camino Hondo, fueron detenidos el resto de los implicados, tres de ellos ilegales, e incautadas más tarjetas de crédito. En la tienda de bicicletas de Alcantarilla, se detuvo a su propietario, acusado de colaborar en el *skimming* pasando las tarjetas de crédito falsas por el TPV de su tienda. Y por último, en el domicilio de Sunny, además de detener a las dos nigerianas, se procedió a un meticuloso registro del inmueble. Junto con tarjetas de crédito, pasaportes y otros documentos falsos, drogas, dos terminales para cobro de tarjetas, trece teléfonos móviles, cuadernos con notas sobre el dinero que le entregaban sus rameras, etc., se descubrieron los altares y fetiches vudú, con los que, presuntamente, Sunny aterrorizaba a Susy y a sus compañeras para que ejerciesen la prostitución y no le denunciasen a la Policía. Aquellos siniestros fetiches no tuvieron tanto poder como mi collar mágico. En este caso, la magia del blanco superó a la del negro...

Visité todos aquellos pisos de la organización para grabarlos, mientras la Policía realizaba las detenciones. Sin embargo, no sentí la alegría que esperaba, al ver cómo los agentes esposaban y detenían a los componentes de aquella mafia. No sentí euforia ni orgullo profesional al ser el único periodista que había conseguido llegar tan lejos en una infiltración en las redes de la prostitución en España. No había risas ni gozo ni siquiera vanidad. Sólo una profunda, siniestra y agobiante sensación de vacío. Quizá porque era consciente de que aquellos meses de esfuerzo únicamente habían servido para extraer un grano de arena en la inmensa playa. Una red de tráfico de mujeres desmantelada es una ridícula gota en un inmenso océano. Un elemento más en la estadística policial.

Susy se convirtió en un número. Un gráfico en el ordenador. Un expediente archivado en una comisaría.

Pero detrás de aquel dato estadístico, detrás de aquella gráfica en la pantalla del ordenador, detrás de aquella carpeta polvorienta, hay un ser humano real. Una mujer y un niño de dos años con una vida tan rica y llena de matices como la de cualquier lector de este libro. Lo terrible es que todas y cada una de las estadísticas policiales, todas las gráficas de ordenador, encierran historias personales tan crueles y despiadadas como la de Susy.

En este mismo instante cientos de Sunnys están haciendo cruzar las fronteras a miles de Susys, que enfermarán o morirán por el camino. Las más afortunadas sobrevivirán a las pateras, a los autobuses o a los aviones, para ser violadas y humilladas en un campo de refugiados de Ceuta o de Albania, o en cualquiera de los países de tránsito como Turquía o Argelia. Al final, después de un viaje siniestro, acabarán exhibiendo sus carnes en la Casa de Campo de Madrid, en el Grao de Valencia, o en cualquiera de los burdeles de ANELA, para el goce y disfrute de los honrados y respetables ciudadanos europeos.

Ellos, nosotros, somos el último eslabón de la cadena, y los verdaderos responsables de la demanda que genera la oferta. Sin nosotros no existirían las mafias del tráfico de mujeres ni tampoco las respetables *anelas*. A pesar de ser, de alguna manera, cómplices e inductores del delito, nunca seremos procesados judicialmente. Sin embargo, quiero pensar que, algún día, nuestras propias conciencias serán el jurado, el juez y el verdugo que ejecute la sentencia. El veredicto, obviamente, «culpables».

Epílogo

Los extranjeros gozarán en España de los derechos y libertades reconocidos en el Título I de la Constitución en los términos establecidos en los Tratados internacionales, en esta Ley y en las que regulen el ejercicio de cada uno de ellos. Como criterio interpretativo general, se entenderá que los extranjeros ejercitan los derechos que les reconoce esta Ley en condiciones de igualdad con los españoles.

Ley de Extranjería, art. 3, 1.

«De hecho, siempre he pensado que la infidelidad no existe. Pensaba que se puede ser fiel, aun teniendo relaciones sexuales con otras personas. El cuerpo se puede compartir, pero el alma, definitivamente no», escribe Valérie Tasso en la página 263 de *Diario de una ninfómana*. Ella cree que las profesionales del sexo tan sólo trafican con su cuerpo. Pero yo no estoy tan seguro.

A medida que he conocido prostitutas de todas las razas, nacionalidades, clase social, formación y credo que uno pueda imaginarse, empecé a detectar comportamientos similares en muchas de mis entrevistadas. Esa mirada huidiza, esa ansiedad, esos cambios de humor bruscos e impredecibles... No soy psiquiatra y mi opinión no tiene ninguna validez académica, pero basándome sólo en la experiencia personal adquirida, he llegado a la conclusión de que las mujeres prostituidas terminan desarrollando todo tipo de trastornos psíquicos.

Era sólo una intuición, una percepción tan subjetiva como instintiva, pero que se desprendía de las innumerables horas de conversación con infinidad de meretrices de todo tipo. Parece como si algo se hubiera roto dentro de ellas —quizá ya estaba roto en las que decidieron por voluntad propia aventurarse en este sórdido mundo— y al final las prostitutas comparten y comercian con algo más que con su cuerpo. Al final terminan hipotecando su alma y su mente.

Es más, cuando abandoné el trabajo de campo, para sentarme a escribir, y contrasté mi investigación personal con otros estudios teóricos sobre la prostitución, encontré datos empíricos que venían a confirmar mis deducciones. Recientemente, la *Revista Nacional de Criminología* publicaba un estudio realizado en Egipto en el que se aplicaba el test de las «diez manchas de tinta» —test de Rorschard— a un grupo de prostitutas. Los criminólogos y los psiquiatras concluyeron que

> *1. Dichas mujeres eran incapaces de representar seres humanos enteros. Incluso cuando llegaban a conseguirlo, la imagen estaba más próxima a la de una persona muerta que a la de una viva. O incluso, cuando la imagen parecía de una persona viva, presentaba un cuerpo deforme o se dedicaba a actividades extrañas análogas a las de fantasmas, demonios o feroces animales salvajes.*
>
> *2. Los movimientos mecánicos predominaban sobre los movimientos espontáneos.*
>
> *3. Las reacciones y las respuestas de las mujeres se referían a menudo a un violento desgarramiento del cuerpo o de sus órganos.*
>
> *4. Predominaban las reacciones que expresan sentimientos agresivos y violentos contra el sujeto mismo o contra objetos exteriores.*

En otras palabras, las prostitutas encuestadas en este estudio terminan desarrollando una visión aberrante y distorsionada de los seres humanos, y por lo tanto, de ellas mismas. No me extraña: sólo he compartido su mundo durante un año —y nunca he tenido que soportar lo que ellas—, y siento un profundo desprecio por el género humano, especialmente por los varones. Lara, la rumana de Zaragoza que ejecutó a su proxeneta, me lo había dicho muchas veces: «Tú no puedes imaginarte, Toni, el asco que me dais los hombres». A mí también.

Otro de los estudios, esta vez desarrollado en España en el año 1985 con un universo de cincuenta mujeres prostituidas en Madrid y Barcelona, fue incluido en un informe de la Escuela de Criminología de Cataluña, cuyas conclusiones son las siguientes:

> —*Han abandonado el domicilio familiar a una edad muy temprana.*
>
> —*Ante estímulos afectivos presentan un bloqueo sentimental e incluso rechazo y en ocasiones fobias.*
>
> —*Mantienen unas relaciones interpersonales superficiales y cambiantes por temor a la frustración y al abandono.*
>
> —*La depresión, junto con la ansiedad son los trastornos afectivos más frecuentes.*
>
> —*Presentan reacciones emocionales inadecuadas (duelo complicado), culpa y hostilidad hacia el objeto perdido (los padres).*
>
> —*La adolescencia aparece dominada por la falta de seguridad y protección.*
>
> —*Los niveles de ansiedad registrados son tan elevados que se traducen en desorganización de la acción y alteraciones fisiológicas (deficiencias de los rit-*

mos del sueño, alteraciones gástricas e intestinales, etc.)

—Recurren a la droga como un mecanismo de compensación de la ansiedad.

—Viven al día, en el aquí y el ahora, no tienen conciencia de tiempo o espacio.

—Son derrochadoras del dinero que ganan.

—Presentan un rechazo hacia la figura masculina. Intentan agredir a su padre agrediéndose y destruyéndose a sí mismas.

—En algunas biografías se presentan abusos sexuales y violaciones sistemáticas por parte del padre.

—Carecen de identificaciones positivas con la figura materna, lo que se traduce en una inmadurez sexual.

—En sus relaciones con los clientes son frígidas, lo cual las sitúa en una posición de superioridad y poder sobre el hombre, con la consiguiente manipulación de éste. Si ellas se permitieran gozar durante la relación se situarían en desventaja y se crearía una dependencia hacia la figura masculina.

—Sienten un profundo desprecio hacia sus clientes.

—Su inicio sexual se ha producido a una edad muy temprana (trece o catorce años).

—Presentan un sentimiento de culpabilidad que disminuyen utilizando como mecanismo de defensa la negación.

¿Exagerado? Que se lo pregunten, por poner un ejemplo, a los funcionarios del consulado de Colombia en Barcelona quienes, sólo en el año 2000, llegaron a tener que auxiliar hasta un caso al mes de jóvenes meretrices colombianas que necesitaban tratamiento psicológico. Es decir, que llegaban a rozar la locura, tras haber sido reclutadas en su país para ejercer la prostitución en Europa.

A veces esa desesperación, esa locura, desemboca en tragedias de proporciones gigantescas. Como lo ocurrido el pasado diciembre de 2003 en el burdel valenciano Saxon II, donde una joven rumana de veinte años dio a luz tras un embarazo que debía compatibilizar con su servicios sexuales en el club y asesinó a su propio hijo nada más nacer.

Pero hay más, mucho más. Otro informe, que lleva por título *Sida, droga y prostitución*, pone de relieve que sobre una muestra de 550 prostitutas que ejercen en la calle, el 23,4 por ciento dan positivo en los test del VIH; mientras que en una muestra de 1.079 prostitutas que ejercen en locales de alterne, dan positivo en el test del sida el 10,7 por ciento. A pesar de ello, un amplio porcentaje de clientes intenta mantener los contactos sexuales sin utilizar preservativo, lo que, además de una estupidez, es una verdadera crueldad para con sus novias y esposas, a las que podrían transmitir cualquier enfermedad venérea que padezca la ramera.

Paulino es uno de ellos. Considera, neciamente, que el sexo sin preservativo es más satisfactorio que utilizando un condón. Yo mismo he presenciado sus discusiones con muchas prostitutas, a las que exigía la felación sin preservativo. Él piensa que, al fin y al cabo, si sólo practica el sexo con profesionales, ¿qué más da si contagia alguna enfermedad de una ramera a otra? Paulino, como miles de puteros similares, continúa gastándose todo su dinero en burdeles, y manteniendo con su adicción a las mafias del tráfico de mujeres, y también a empresarios del sexo como ANELA y su lucrativo negocio.

El día 12 de diciembre del año 2003, ANELA celebró su sexta Asamblea Nacional en el Palacio de Congresos de

Madrid, justo frente al Santiago Bernabéu. Entre los asistentes reconocí a varios propietarios de burdeles de toda España, así como a «personalidades invitadas» tales como Jimmy Jiménez Arnau y Carlos Pumares, ambos ex compañeros míos de programas de televisión y radio respectivamente, con los que siempre tuve una relación amistosa. Me apenó encontrármelos apoyando a los empresarios del sexo.

Tras la convención en la que se respiraba una cierta intranquilidad ante la reforma del artículo 188 del Código Penal, realizada el pasado mes de septiembre, que establece penas de prisión de dos a cuatro años y multa de 12 a 24 meses «para quienes se lucren explotando la prostitución de otra persona, aun con el consentimiento de la misma», los propietarios de burdeles de toda España despedían el año llenos de ambiciosos proyectos de ampliación y extensión de su confederación nacional de burdeles. Aunque pueden ponerles las cosas difíciles, en sus ambiciones empresariales, sentencias como la publicada el día 12 de enero de 2004, en la que el Tribunal Superior de Justicia de Andalucía obligaba al propietario del club Eróticas Goya, de Córdoba, a dar de alta a las mesalinas que alternaban en su local. Partiendo del hecho de que la mayoría de las prostitutas que ejercen en España son inmigrantes ilegales traficadas por las mafias, su regularización resultará una tarea casi utópica. Sin embargo, es de justicia reconocer que pocos días después los empresarios del sexo esgrimían otra sentencia, en este caso de la Audiencia Nacional, y del 23 de diciembre de 2003, en la que «por primera vez regula cómo debe ejercerse la prostitución para ser legal, la define como actividad económica y permite a los dueños de locales de alterne prestar servicios a las prostitutas, siempre y cuando la actividad de éstas se realice con total independencia y sean ellas las que cobren y gestionen sus servicios». La polémica jurídica está servida.

Y qué decir de las «garantías de calidad de ANELA». La confederación de burdeles asegura que sus rameras son sometidas a análisis médicos para certificar su buena salud, como las reses en una feria. Sin embargo nadie analiza a los clientes que desfilan por sus prostíbulos, empeñados en conseguir servicios sin preservativo. Aunque, claro, supongo que la posibilidad de que los puteros infecten a las meretrices no está entre las responsabilidades de la asociación, que sólo debe velar por la satisfacción de los consumidores...

Últimamente, José Luis Roberto frecuenta cada vez más los platós de televisión, anunciando las maravillas de su asociación y los grandes proyectos para este año, entre los que pretende que se avance en la legalización de la prostitución como un «oficio digno y respetable». Sin embargo, su hija María no trabaja en ninguno de los dignos burdeles de ANELA, sino que es una de las dirigentes del partido ultra España2000, partido político de extrema derecha que continúa nutriendo sus filas con los mismos skinheads que confluyen en las manifestaciones contra la inmigración organizadas por ellos mismos en Valencia todos los años.

Los necios rapados no son conscientes de que las mismas inmigrantes contra las que vociferan son las que engrosan las filas de los burdeles confederados por su ideólogo. Tal vez las skingirls que se manifiestan en esos actos contra las inmigrantes, «que nos roban los puestos de trabajo que pertenecen a los españoles», deberían emplearse en los burdeles de ANELA para ser consecuentes con sus arengas racistas. Quizá cuando hayan sido cabalgadas, vejadas y humilladas por tantos honrados españoles blancos como las extranjeras contra las que se manifiestan, se replantearán su ideología racista.

María Roberto Ramón —hija del fundador de ANELA— por cierto, junto con Miguel Ángel Arranz protagonizaron, a finales del año 2003, varias reuniones con el tránsfuga Eduardo Tamayo, quien buscaba el apoyo de los ultras valencianos para el partido Nuevo Socialismo (NS), fundado por el ex socialista tras el escándalo protagonizado por él y por María Teresa Sáez. Según la revista *Interviú*, Tamayo pretendía aliarse con los seguidores españoles de Jean-Marie Le Pen, para intercambiarse favores. En una reunión mantenida por Tamayo con María Roberto y Miguel Ángel Arranz, el ex socialista pedía a los ultras que enviasen gente al primer acto político de Nuevo Socialismo, celebrado en el Hotel Cuzco de Madrid, el 11 de septiembre de 2003, y que les cediesen también algún apoyo para completar su candidatura a la Asamblea de Madrid. El tránsfuga, y fundador de Nuevo Socialismo ofrecía a cambio su apoyo a los ultras, en las poblaciones en que NS y España2000 no coincidiesen en las candidaturas. Supongo que es una coincidencia que las iniciales del partido de Tamayo, NS, sean las mismas que sintetizan la esencia ideológica de los Nacional Socialistas. Al final uno no sabe quién se prostituye más, si los políticos o las fulanas... He sabido por varias publicaciones ultras a las que he tenido acceso que, actualmente, de cara a las elecciones generales de marzo de 2004, María Roberto Ramón coordina una iniciativa llamada «Pacto del Sentido Común», en un nuevo intento por unificar a la extrema derecha española.

Paradójicamente el fenómeno de la prostitución está intrínsecamente asociado al de la inmigración ilegal. El 95 por ciento de las mujeres prostituidas en Europa son extranjeras. Y las oleadas de inmigrantes ilegales son cada año mayores. Un fenómeno que no tiene visos de reducirse en los próximos años. Cada vez habrá más extranjeros ilegales, cada vez más traficantes de seres humanos, cada vez más prostitutas y cada vez más grupos xenófobos de extrema derecha, azuzados por esas oleadas de inmigrantes ilegales...

En el mismo mes de septiembre de 2003, tras las citadas reuniones con Nuevo Socialismo, ANELA puso en marcha una ambiciosa campaña mediática para erradicar la prostitución callejera. Alegando los problemas que comportan los núcleos urbanos de rameras, José Luis Roberto y sus compañeros invitan a las fulanas a dejar las calles y a ingresar en locales de alterne para continuar prostituyéndose. Y si esos locales pertenecen a ANELA, mejor. Claro que, en un acto de evidente hipocresía, José Luis Roberto, Eduardo A., alias *El Duro*, y otros abogados de ANELA vinculados además a la extrema derecha proclaman su desprecio contra las mafias de la prostitución, al mismo tiempo que defienden a los propietarios de burdeles acusados de esos mismos delitos, pero que pagan religiosamente su cuota de ANELA. A los archivos de ALECRIN debo agradecer esta evidencia irrefutable. He aquí un listado de los prostíbulos pertenecientes a ANELA involucrados en los delitos que sus abogados pretenden denunciar en aquellos burdeles que no pertenecen a su asociación:

REDADAS POLICIALES EN CLUBES PERTENECIENTES A ANELA						
NOMBRE DEL CLUB	PROPIETARIO DEL CLUB	JUNTA DIRECTIVA	FECHA REDADA	CONTINÚA EN ANELA	MEDIO DE COMUNICACIÓN	OBSERVACIONES
Nightstar (Cuenca)	Marcos Montoya	Tesorero y Coordinador	14/4/2000	SÍ	Gabinete Prensa Jefatura Superior Policía de Toledo	Red de inmigración ilegal de rusas y de ANELA ucranianas
Club Colores (Sevilla)	José Vicente Iglesias	NO	31/5/01	SÍ	Gabinete Prensa Jefatura Superior Policía de Sevilla	6 detenidos por obligar a prostituirse a varias rusas
Club La Luna (A Coruña)	Manuel Crego	Vocal ANELA	31/5/01	SÍ	Gabinete Prensa Jefatura Superior Policía de Madrid	Relacionado con una red que introducía a ucranianas, lituanas, rusas, etc., ilegales
Club Scándalo (Córdoba)	Manuel López	Secretario ANELA	20/10/01	SÍ	Dirección Gral. Policía y *El País*, 21/10/01	Detenido el encargado, 37 rumanas, rusas, ecuatorianas, colombianas, brasileñas…
Club El Cisne (Valencia)	Adrián Espejo	Primer club	23/02/02	SÍ con placa, y de ANELA	*Las Provincias*, 23/2/02 *El Mundo*, 9/3/02	Trece prostitutas sin permiso de residencia
Nightstar (Cuenca)	Marcos Montoya	Tesorero y coordinador de ANELA	27/2/02	SÍ	*El Mundo*, 9/3/02	Redada anterior, el 14/4/2000

Club Estel (Tarragona)	Balbino García	Vocal de ANELA	5/3/02	SÍ	*El Periódico On Line*, 5/3/02	Detectadas varias extranjeras obligadas a prostituirse
Club Privee (Tarragona)		NO	5/3/02	SÍ	*El Periódico On Line*, 5/3/02	2 lituanas obligadas a a prostituirse
New Aribau (Barcelona)	Javier S. R.	NO	17/4/02	SÍ	*El Periódico de Catalunya,* 17/4/02	13 extranjeras en situación ilegal
Aparthotel L' Moncada (Barcelona)		NO	18/7/02	SÍ	*El Mundo*, 18/7/02	27 ecuatorianas, cubanas, nigerianas, rusas, etc., ilegales
Club Roy Plaza (Almería)		NO	27/8/02	SÍ	Dirección Gral. Policía, 27/8/02	Detenido el dueño, 16 rumanos y 14 rumanas, 3 eran menores
Club Estel (Tarragona)	Balbino García	Vocal de ANELA	13/9/02	SÍ	*Atlántico*, 13/9/02	Detenido el dueño y extranjeras. Redada anterior, 5/3/02
Club Colores (Sevilla)	José Vicente Iglesias	NO	12/10/02	SÍ	*El Mundo*, 12/10/02	Detenido el dueño y rescatada una menor rumana. Redada anterior, 31/5/01
Club Changó (Albacete)	J.R.S. y J.C.N.S	NO	Septiemb. 02	SÍ	www.laverdad.es, 6/5/03	Detenidos varios responsables y 29 extranjeras ilegales, 2 de ellas menores

Y ese listado debe continuar ampliándose. En la madrugada del día 4 de diciembre de 2003, sólo unas horas después de que me encontrase con Sonia Monroy en La Luna, efectivos del Cuerpo Nacional de Policía hicieron una redada en La Fuente, local hermano de La Luna, ambos propiedad de D. Manuel Crego, vocal de ANELA. Según recogió la prensa, y según me confirmó alguna de mis fuentes en dicho burdel, «se incoaron dieciséis expedientes, en función de la situación de ilegalidad que presentaba la documentación acreditada por las implicadas. En algunos casos, se detectó que contaban con papeles falsos». Me habría divertido que, en lugar de entrar en La Fuente, la Policía se hubiese presentado unas pocas horas antes en su local hermano, situado a muy pocos metros de distancia. Habría sido una situación kafkiana pero divertida grabar la entrada de los efectivos policiales, identificando a todos los presentes, mientras la exuberante sex-boom se contoneaba en el escenario del prostíbulo...

A la hora de escribir estas líneas, los abogados de ANELA defienden los intereses del club Changó, de Albacete, en el que también están implicados varios policías que presuntamente sacaban dinero y «servicios» a costa de un trato de favor con el prostíbulo. Y es que la influencia social de la federación de burdeles crece de día en día en la medida en que quizás muchos jueces, abogados, policías o políticos son los primeros consumidores de los servicios que ofrece. En el reciente proceso contra el Club Marta, de Calella, en Barcelona, por ejemplo, fue imputado y condenado el sargento de la Guardia Civil Francisco M. R., colaborador de los proxenetas. ¿A quién puede extrañar que ANELA haya entregado, tras una de sus asambleas nacionales, un premio de la asociación de empresarios de burdeles a la Guardia Civil?

Incluso, el yate *Tetis*, patrocinado por el burdel El

Cisne, primer prostíbulo miembro de ANELA, que está a punto de reabrir un macrocentro del sexo en Barajas, obtuvo el segundo puesto en la última Copa de Su Majestad la Reina —Homenaje a la Armada—, celebrada en el Club Náutico de Valencia los días 4, 5 y 6 del mes de julio de 2003. El capitán del barco recibió el trofeo de manos de Doña Sofía en presencia del Rey, del Príncipe Felipe y de la Infanta Doña Cristina. La directiva de ANELA se sintió orgullosa de este logro.

Al término de esta investigación constato que, curiosamente, los neonazis de Levantina de Seguridad, vigilantes de muchos burdeles de ANELA, y los inmigrantes ilegales que forman parte de las mafias de crimen organizado a los que tanto odian los skins se han aliado ahora en una causa común: todos piden la cabeza de Antonio Salas. Lo triste es que compañeros periodistas, de los que ya he hablado, parecen haberse unido a esa campaña por desvelar mi identidad real a los violentos, o lo que es peor, por identificarme con enemigos personales, para que una vez más alguien les haga el trabajo sucio. En todos los oficios existe algún Judas.

En el año 2004 las cosas no han cambiado demasiado. Siete países europeos han presentado una queja ante lo que consideran un intento de aumentar el número de burdeles en Atenas durante los Juegos Olímpicos que tendrán lugar este mismo año. Suecia, Noruega, Finlandia, Islandia, Estonia, Letonia y Lituania han firmado una carta en la que protestan por una petición para elevar el número de licencias para los prostíbulos de la capital griega durante las Olimpiadas. Y es que el negocio del sexo se hace cada vez más lucrativo, y se extiende por todo el mundo. Mientras Heidi Fleiss, «la madame de Hollywood», cotiza en bolsa, la casa en el barrio de Kowloon Tong, en Hong Kong, que perteneció al legendario Bruce Lee, y en la que los fans del actor querían hacer un museo, se ha convertido en el Hotel Romance, un reputado burdel asiático...

Curiosamente, a finales de septiembre del año 2003, el prestigioso *Herald Tribune*, propiedad desde enero de ese año del *New York Times*, anunció que no continuaría publicando anuncios de prostitutas de lujo en sus páginas. Según Richard Wooldridge, presidente y consejero delegado de este periódico, con sede en París, los «escorts services» no encajan en los estándares y valores de la compañía que se ha hecho cargo del *Herald Tribune*. Sin embargo, más de 10.000 escorts continúan trabajando en Europa. Algunas, como la argentina Mar Ribadeneira, incluso incluyen en su página web, junto con su book erótico, fotografías con algunas de sus «amistades famosas», como los jugadores del legendario equipo de fútbol del Boca: Óscar Córdoba, Guillermo Barros, Palermo, Basualdo o el técnico Carlos Bianchi, o la actriz y modelo Daniela Cardone. Por cierto, resulta muy interesante analizar el servidor empresarial en el que está alojada esa página personal...

Malena Gracia continúa apareciendo en los books de la agencia Numancia, en Barcelona, y también en Double-Star, de Madrid, aunque ha sacado su primer LP de éxito, *Loca*, gracias a su estancia en el *Hotel Glam*. En diciembre recibió un triple disco de platino. Ojalá el éxito musical le dure mucho y su foto desaparezca de los books de rameras de gran lujo.

Una de las famosas que me ofrecieron en la agencia de modelos Woman & Man, tapadera de Double-Star, ha ganado un famoso concurso de televisión, e imagino que desde entonces su tarifa ha aumentado aún más. A mí me pedían al menos tres millones de pesetas por un servicio. Ahora hace cine.

Algunas páginas web de reputados prostíbulos españoles, como www.sonia-madrid.com, se han liado la manta a la cabeza, en incluyen un contrato a rellenar por el internauta, para reservar los servicios sexuales de una famosa... Las nuevas tecnologías llegan ya hasta a las mesalinas de gran lujo.

No es una leyenda urbana. Los clientes de este tipo de fulanas son los mismos poderosos que rigen los destinos de todos los ciudadanos. Y para quien todavía lo dude, el año 2003 nos aportó extraordinarios escándalos internacionales en este sentido. En el mes de junio, en Alemania, el famoso presentador de televisión Michel Friedman, abogado de prestigio, presidente nacional del partido Democracia Cristiana y vicepresidente de la poderosa comunidad judía alemana, protagonizó un vídeo pornográfico. El nieto de Schindler, cuya famosa lista llevó al cine Spielberg, aparecía grabado en una orgía sadomaso, a mediados del verano.

En Francia se produjo un escándalo aún mayor. Un culebrón sexual que relaciona a un asesino en serie, a un ex alcalde, a algunos políticos y a tres altos magistrados. Todos unidos por su afición a las orgías sadomasoquistas, a consecuencia de las cuales habrían perdido la vida algunas rameras. Patrice Alegre, condenado en febrero a cadena perpetua además de un periodo de vigilancia de veintidós años, por el asesinato de cinco mujeres entre 1989 y 1997 y actualmente procesado por otros seis crímenes, entre ellos los de Galbardi y Martínez, confesó haber eliminado por orden de los magistrados y del ex alcalde de Toulouse a un travesti y varias prostitutas que grababan en vídeo a sus influyentes clientes, durante las sesiones de ultrasado. El escándalo afectó hasta al fiscal general de la Corte de Apelaciones de Toulouse, Jean Wolff, y al sustituto general Jean-Jacques Ignacio, que fueron citados en el asunto por su implicación en las orgías, cuando varias prostitutas declararon haber participado en aquéllas con el ex alcalde y los magistrados.

Algo muy similar ocurrió ese mismo año 2003 en Portugal, donde altas personalidades del gobierno, incluido algún ministro, se vieron perjudicados por su afición al sexo violento y de pago. Y lo mismo pasó, aún más recientemente, en Brasil. A la hora de escribir estas líneas está en pleno desarrollo el proceso judicial por corrupción y abuso sexual de niñas de entre diez y dieciséis años, por el cual han sido detenidos y acusados cuatro empresarios y cinco concejales. El escándalo involucra a once menores, según las fotografías y vídeos hallados por la Policía en poder de los acusados, varias de las cuales quedaron embarazadas por los abusos sexuales de los influyentes encausados. Las investigaciones judiciales permitieron establecer que las adolescentes participaban en fiestas privadas que se celebraban todos los lunes en haciendas vecinas a Porto Ferreira, en el sureño estado de São Paulo. Ante casos como éstos, y sólo he mencionado cuatro, clásicos de la reciente historia criminal, como el caso belga de Doutroix o el español de Alcásser, palidecen. Y me consta que en España no tenemos nada que envidiar en este sentido.

¿Excesivo? En su último informe, la agencia de la ONU para la infancia (Unicef) ha denunciado que el tráfico de niños afecta cada año a 1.200.000 menores, fundamentalmente destinados a la explotación sexual. Este informe se ha dado a conocer justamente un día después de que la Policía británica detuviese en Londres, a finales del año 2003, a un total de veintiuna personas, la mayoría de origen nigeriano, acusadas de traficar con menores y adultos.

Scotland Yard abrió esa investigación en septiembre de 2001, tras el descubrimiento en el río Támesis del torso de un niño africano, de unos cinco años, que se sospecha que fue mutilado en un sacrificio ritual, o quizá en una práctica sexual de alto riesgo. Ni siquiera yo podría conceder crédito a historias tan espeluznantes si no hubiese negociado personalmente la compra de seis niñas de trece años, a un narcotraficante mexicano, con objeto de subastar sus hímenes y prostituirlas en burdeles españoles.

Ahora sí creo en esas siniestras historias en la misma proporción en que he perdido la fe en todos los hipócritas convencionalismos sociales: política, justicia, pareja, monogamia, familia, solidaridad, fidelidad... Todo es mentira. Mascaradas necesarias para posibilitar la convivencia en sociedad y para que el desencanto y el asco no nos catapulten a una autodestructiva anarquía.

Como me dijo mi amiga María, siguiendo el símil cinematográfico: «Haber escogido la pastilla azul. Querías conocer el mundo real, ahora asume las consecuencias.

Los demás preferimos vivir en *Matrix*». ¿Realmente es mejor cerrar los ojos y permitir que los traficantes de mujeres continúen expandiendo su poder, amparados por la ignorancia y por la indiferencia?

Por el momento en España, y aunque me consta su existencia, las siniestras prácticas sexuales de nuestros políticos, jueces, famosos y empresarios no han trascendido a la opinión publica, y tras mi investigación las cosas continúan su curso habitual.

Rosalía, la joven empresaria extremeña, ha dejado de insertar su anuncio en prensa, y su participación en el portal de Internet. Quisiera alejarse de la prostitución, pero todavía mantiene algunos clientes fijos, que la «ayudan económicamente» de vez en cuando, entre ellos un famoso humorista, habitual de TVE, y algunos otros políticos y empresarios.

Yola ha dejado Extremadura y también la prostitución. Ahora trabaja sólo como go-go y de vez en cuando como stripper. Un cliente del local donde actúa se ha enamorado de ella y le ha pedido que se case con él. Se lo está pensando. Ojalá sea muy, muy, muy feliz y cada lágrima que ha derramado, soportando las babas de los puteros, se convierta ahora en sonrisa.

Andrea no aguantó demasiado tiempo en Brasil. Ha vuelto a Italia y ahora ejerce la prostitución en Milán. Me pidió que le buscase un marido para obtener la nacionalidad europea, pero me negué a ello. Sin embargo, ojalá encontrase a alguien bueno que se casara con ella por amor, y no por cobrarle los 3.000 euros que vale un «matrimonio blanco».

Diana, la dominicana de El Cisne, ha dejado el local más emblemático de ANELA y ahora trabaja en un prostíbulo de Marbella. Hablamos por teléfono de vez en cuando y siempre me asombra con sus anécdotas sobre las perversiones sexuales que le demandan los divos de la jet marbellí. No he encontrado en ningún tratado sobre parafilias las inimaginables demandas de algunos clientes de estas chicas, tan ridículas como humillantes.

Lara ha sido ascendida en el burdel zaragozano en el que trabaja. Ahora es la encargada y se lleva un diez por ciento de los ingresos de las chicas. Sin embargo, como casi todas sus compañeras, se gasta compulsivamente todo lo que gana en ropa, joyas y perfumes. Vive al día, como todas. Y de vez en cuando rememora, en sus sueños, el momento en el que apretó el gatillo en la garganta de su chulo.

Paulino sigue frecuentando los burdeles, en busca de una dosis de sexo con la que aplacar su «mono» de cariño. Su última argucia para intentar ahorrarse el importe de algunas «papelinas» de amor ha consistido en imprimir unas tarjetas con el texto: «Se necesitan actores y actrices para película porno. Teléfono 676 50 64...». Ahora su agencia de noticias y su productora de televisión se reconvierten en su burdel particular.

Por su parte, según se rumorea en los mentideros de la información, el «agente» Juan ha comenzado a coquetear con otros servicios extranjeros. Su talento ha traspasado las fronteras, y a estas alturas, probablemente, sus hábiles estrategias para obtener datos de las fuentes más inverosímiles se hayan extendido a otros continentes...

Hacia finales del año 2003 el Riviera y el Saratoga de Castelldefels volvieron a ser objeto de una intervención policial. Sólo en el segundo fueron detenidas 16 de las 58 señoritas que ejercían la prostitución en el local, así como los dos encargados del club. Tras pagar la multa pertinente, en el año 2004 continúan abiertos al público. Es lo habitual.

Valérie Tasso trabaja con varios medios de comunicación como comentarista de temas sexuales y ha realizado ya alguna colaboración en el cine y la televisión. Últimamente trabaja en su nuevo libro, que me consta va a sorprender a propios y extraños: *Paris la nuit*, una aventura en las profundidades de la sexualidad y las emociones humanas, mucho más intensa aún que su *Diario de una ninfómana,* y en la que los lectores perspicaces encontrarán muchos guiños y claves del anterior libro de Tasso. Además, colabora altruistamente con una asociación de ayuda a mujeres maltratadas en Barcelona. Ella, como Carmen, la colaboradora de ALECRIN, ha conseguido sobrevivir a la experiencia, pero prácticamente todas sus compañeras en la agencia de lujo continúan ejerciendo la prostitución. Algunas, después de haberse dedicado durante décadas a la prostitución de lujo, y después de haber movido millones de euros y haber contado con clientes en los círculos de poder más relevantes del mundo, no tienen nada y viven casi en la miseria. Temo que mi querida amiga Lara seguirá sus pasos...

Otras, sin embargo, han perdido la vida en el camino. El día 25 de agosto de 2003 volvía a repetirse la atroz historia de Helen, la nigeriana que viajó a Europa buscando un sueño y encontró la muerte más terrible. Esta vez la víctima era una joven de veinte años, Edith Napoleón. Su asesino, José Luis Pérez-Carrillo López, un adinerado empresario de treinta y cinco años que recogió a la africana en la Casa de Campo y se la llevó a su lujoso apartamento de Boadilla del Monte. Allí la estranguló y descuartizó. «La corté por las articulaciones: codos, hombros, fémur, ingle... y separé la cabeza del tronco. Sabía que no podía cortar los huesos», declaró el respetable empresario de raza blanca. Los once pedazos en que troceó a la nigeriana se encontraron distribuidos en ocho bolsas, repartidas por varios contenedores de basura de Boadilla del Monte.

Al fin y al cabo, eso son las putas para muchos de sus clientes: basura. De nuevo resuena el eco de las palabras de Isabel Pisano: «... Un cuerpo desmembrado en la morgue... alguien que se va sin una oración, sin una flor...».

Casi al mismo tiempo que los agentes de la UCRIF detenían a Sunny y desmantelaban la red de trata de blancas en la que yo me había infiltrado en Murcia, sus compañeros desarticulaban en Madrid otra muy similar. Sin embargo, en esta ocasión los proxenetas usaban como tapadera una iglesia evangélica llamada Armadura de Dios. Al frente estaba el pastor Andy A., quien, Biblia en mano, importaba desde Nigeria a las esclavas sexuales destinadas a satisfacer los caprichos sexuales de sus cristianos feligreses. También contaban con una empresa fantasma, Grupo Ritmot, supuestamente dedicada a limpiezas, que tenía como único objetivo tramitar los permisos de trabajo de las inmigrantes.

Curiosamente, mientras el pastor evangélico Andy A. importaba prostitutas para la Casa de Campo, otros sacerdotes, como el francés Jacques Arnould, o el italiano Oreste Benzi, «hacen la calle» diariamente, para socorrer a las mesalinas de sus respectivas ciudades. A las toxicómanas les entregan productos alternativos, a las ilegales les tramitan el permiso de residencia y a las que malviven en hostales de mala muerte les ofrecen una vivienda digna. Y todo ello, sin peroratas beatíficas ni chantajes religiosos. Ellos son un ejemplo del verdadero cristianismo, tolerante e incondicional, que Jesús de Nazaret practicó con María Magdalena. Otros sacerdotes, algunos extremadamente famosos, sin embargo, pretenden combatir el pecado y la lujuria —que me consta ellos mismos consumen como el mejor putero—, amenazando a las meretrices con los terribles tormentos del infierno. Necios patanes. Ellas ya viven en el infierno, y ningún averno podrá conferirles peores sufrimientos que los que padecen cada día de la mano de sus diabólicos proxenetas, mantenidos gracias al dinero de clientes como ellos. Algunos, más implicados en el negocio, como cierto sacerdote mexicano, disfrazan a las futuras prostitutas de monjas para enviarlas a Europa a través del Vaticano, con cobertura eclesiástica, colocándolas posteriormente en burdeles de Italia, Alemania, Francia o España...

Después de varios meses de prisión preventiva, Sunny ha salido de la cárcel y está en espera de juicio. Continúa viviendo en Murcia, e imagino que deseará mi muerte con todas sus fuerzas cuando lea este libro. Susy, sin embargo, fue detenida por la Policía en un control rutinario en Alicante y ha sido extraditada a Nigeria. Pero su hijo permanece en España. Todo el esfuerzo invertido en su caso no ha servido para nada. El próximo 19 de junio, su hijo cumplirá cuatro añitos, pero Susy no estará a su lado para ayudarle a apagar las velas de la tarta. Y yo me siento fracasado.

En Nigeria, al menos en los estados musulmanes, ahora correrá el riesgo de ser lapidada. Al igual que el resto de las jóvenes nigerianas, que han sufrido la ablación de clítoris y que por tanto no tienen la misma percepción de la sexualidad que una mujer europea, que no aspiran a tener una educación, que en el mejor de los casos compartirán marido con otras mujeres, la mejor opción de futuro para Susy es caer en manos de otra mafia. Volver a sufrir un viaje atroz a través del desierto, regresar al pútrido gueto de inmigrantes, embarcarse nuevamente en una frágil patera y, con mucha suerte, volver a vender su cuerpo en las calles de alguna ciudad europea. Para ella, paradójicamente, los traficantes de mujeres son la única alternativa a un futuro de marginación, hambre y miseria en Nigeria.

Después de ver las cintas grabadas, la Policía abrió expediente contra Mario Torres Torres. Sus teléfonos ya habían sido pinchados y la investigación policial tomaba el relevo de la periodística. Desgraciadamente accedí a ser entrevistado en el programa *Siete días, siete noches* y algún responsable del mismo decidió que no era importante atender mi única condición para tal entrevista: que se alterase mi voz y se ocultase mi cara. Poco después de esa entrevista, en la que mi voz, que no fue distorsionada por razones que ignoro, y antes de que la Policía pudiese consumar la detención que ya estaba planeada, Mario Torres abandonaba el país y regresaba a México. Imagino que en estos instantes continuará vendiendo droga y niñas. Supongo que en cuanto vea su fotografía en este libro y descubra que el supuesto traficante Toni Salas era un infiltrado, no reaccionará con deportividad. Todavía no sé a quién debo agradecer en esa redacción que se negasen a proteger mi anonimato como les había pedido, aunque quizás sea el traficante de niñas el que deba agradecerles el favor…

Respecto a Andrei, el traficante rumano que me vendía a Clara por 8.000 euros, la investigación policial también está ya en marcha. Sin embargo, yo no siento que mi investigación haya sido un éxito. Todavía hay miles de Sunnys, Marios y Andreis en libertad, llenando los burdeles europeos de carne fresca y joven.

Se me acaban las páginas y el ánimo. Quedan muchos datos en el tintero y muchos matices y aspectos del sórdido mundo del sexo de pago sin desarrollar. Pero no importa. Sé que nada cambiará. Después de un año infiltrado en el movimiento skinhead, neonazi y ultra; después de haber averiguado sus nombres, sus lugares de reunión, sus formas de financiación; después de llegar hasta sus ideólogos, de identificar a sus cabecillas, y de desvelar sus motivaciones y forma de vida. Sobre todo, después de haber divulgado toda esa información en un libro, Manuel Ríos Suárez murió asesinado a patadas, como un perro, por un grupo de ultras, tras un partido de fútbol, el 7 de septiembre de 2003. Y si intentar cambiar la mentalidad de los radicales del fútbol es utópico, qué decir de la de los usuarios del «oficio» más antiguo del mundo. Sé que es una labor condenada al fracaso desde su inicio. Pero ¿debemos renunciar a las utopías, por el mero hecho de serlo?

Por supuesto, existe un abismo entre las mujeres que voluntariamente deciden ejercer la prostitución —sólo un cuatro por ciento del total, según Isabel Pisano—, y la inmensa mayoría de las rameras que pueblan los burdeles del mundo. Casi todas son mujeres traficadas por las mafias de la trata de blancas. ¿Quién es el culpable de esa realidad social?

Yo digo que los clientes. Afortunadamente, algunos especialistas empiezan a dirigir sus estudios en esa dirección, a mi juicio, el aspecto más desatendido de la Santa Trinidad compuesta por putas, puteros y proxenetas. A mediados del año 2003, la Dirección General de la Mujer publicó el fruto de un insólito informe titulado *Una aproximación al perfil del cliente de prostitución femenina en la Comunidad de Madrid* que había sido realizado por Mª José Barahona y Luis Mariano García. Durante un mes, los investigadores se apostaron, dos noches a la semana, en puntos estratégicos como la Casa de Campo, para observar y tomar nota sobre el comportamiento y apariencia de los clientes de las rameras callejeras. El perfil del prostituidor asiduo es el de un varón de treinta y cinco años, vestido de sport, que se desplaza en un utilitario de precio medio, recibe el servicio sexual en los asientos posteriores del vehículo y emplea una media de cinco minutos en el contacto sexual.

El 29 de enero de 2004 la concejala de Asuntos Sociales del Ayuntamiento de Madrid, doña Ana Botella, y el entonces ministro de Trabajo don Eduardo Zaplana presentaban en Madrid, auspiciado por la Embajada de Suecia, el modelo legal sueco que penaliza al cliente prostituidor. Si esta iniciativa prospera, los proxenetas y también los honrados empresarios de locales de alterne tendrán un año con parcos beneficios. Y los Paulinos, Manueles y Juanes podrían ser responsabilizados legalmente de su apoyo intrínseco al negocio de las mafias. Y no seré yo quien lo lamente.

En un receso de dicho acto Ana Míguez, presidenta de ALECRIN, me presentó a doña Ana Botella, haciendo un inmerecido elogio de mi infiltración en las redes de la prostitución. Y la esposa del presidente del Gobierno se mostró muy interesada por mi investigación sobre la compraventa de mujeres y niñas en la España del siglo XXI, asegurando que aportaba una perspectiva nueva sobre los mecanismos, tácticas y funcionamiento de las mafias en nuestro país. Pero yo, como periodista, ya no puedo hacer nada más. Le toca el turno a los políticos y jueces. Ahora la pelota está en su tejado, doña Ana...

Al contrario que asociaciones como ALECRIN, muchas personas, fundamentalmente prostitutas, puteros y proxenetas, defienden la prostitución como un servicio social inevitable. Aseguran que es la única forma en que algunos hombres y algunas mujeres pueden desarrollar su sexualidad, por padecer cualquier tipo de dificultad física o psíquica para relacionarse sexualmente con otras personas. Alegan también que gracias a la existencia de las rameras, se evitan muchas violaciones y crímenes sexuales... Yo opino que no. Los asesinos y delincuentes han existido y existirán siempre, como las rameras, y dudo que mengüen sus fechorías por el mero hecho de «ir de putas». Al contrario, cuando un Jack el Destripador, un Andrei Chikatilo o un Joaquim Ferrandis contrataban los servicios de una ramera... la mataban. El psicópata no se consuela con una eyaculación de pago. Necesita el dolor de la víctima.

Pero, y aunque fuese así, ¿justifica eso la existencia de la prostitución? Siempre habrá argumentos para justificar comportamientos injustificables. ¿Justifica una tradición centenaria que la tortura y matanza de un animal sea nuestra fiesta nacional? ¿Justifica la necesidad de equilibrar el mercado que se desechen toneladas de alimentos, mientras cientos de niños mueren diariamente de hambre? ¿Justifica que miles de personas vivan de las fábricas de aerosoles que mutilemos el ecosistema del planeta para siempre? ¿Justifica nuestra ansia por experimentar lo trascendente que las religiones hayan originado más muerte y dolor que ningún otro poder en la historia?

Supongo que los seres humanos, en nuestra debilidad, debemos convivir con aspectos de nuestra sociedad que no deberían existir. Y la prostitución es uno de ellos. Pero pienso que sería mejor que aceptásemos nuestras propias miserias, y no intentásemos esconderlas en justificaciones absurdas. Las putas existen porque a los hombres nos gusta el sexo fácil y preferimos pagar que invertir tiempo o esfuerzo en la conquista. O porque simplemente deseamos materializar fantasías que no osamos proponer a nuestras compañeras sentimentales. Por eso buscamos pedazos de carne sin alma —más bien, cuya alma nos es indiferente—, para materializar esas fantasías, en buena medida inspiradas por la industria pornográfica. Todo lo demás es retórica estéril.

Los hechos son irrefutables e indiscutibles: la inmensa mayoría de las prostitutas que ejercen en España lo hacen en locales de alterne. La inmensa mayoría de las rameras que ejercen en locales de alterne son extranjeras. La inmensa mayoría de las extranjeras que ejercen la prostitución son inmigrantes ilegales que vienen traficadas por mafias. Por lo tanto, la inmensa mayoría del dinero que mueve la prostitución en Europa, desde el cubalibre que se toma en un burdel de carretera hasta el precio de un «francés y un completo» negociado con la fulana, redunda en beneficio de las mafias del tráfico de seres humanos. Éste es el hecho incuestionable del que se deduce que todos los clientes de estos servicios son, de una forma u otra, cómplices de esas mafias. Obren en consecuencia.

Yo soy periodista. Creo que el periodismo es una profesión digna, que puede aportar algo a la sociedad, y que puede ayudarnos a comprender el mundo en el que vivimos. A mí no me importaría, al contrario, que mi madre o mi hija ejerciesen el periodismo, porque sinceramente creo que descubrir y compartir la información con todo el mundo es algo positivo.

Si los proxenetas, puteros, chulos o «respetables empresarios» que defienden la prostitución como un oficio digno, son consecuentes con lo que predican, deberían dar ejemplo poniendo a trabajar en sus burdeles a sus madres y a sus hijas. Todo lo demás es mierda y puta palabrería barata.

Prostíbulos que poseen placa de ANELA (en el año 2003)

PROVINCIA	MUNICIPIO DEL LOCAL	LOCAL	TELÉFONO	DOMICILIO LOCAL
A CORUÑA	A CORUÑA	DAMA-DAMA2	981 511 142	AMENAL O PENO-CASTROFEITO, 1-0 PINO
	BERGONDO	LA LUNA	981 795 240	VILAR GUISAMO, S/N
	CORUÑA-VIGO	CLUB BARBARELA 2	986 460 488	CTRA. CAMPOSANCOS, 372
	POBRA DE CARAMIÑAL	RELAX	981 833 049	LE CAIÑOS, S/N
ALBACETE	ALBACETE	HOSTAL CHANGO	967 580 355	CTRA. JAÉN, Nº 118 - S' D
ALICANTE	ALCOI	ENIGMA	96 552 48 10	CARRERO DE LA MARQUESINA, 5
	ALICANTE	CLUB GOLDEN	96 596 01 02	CRTA. DE AGOST, KM 5
	SANTA POLA	BLUE STAR	96 541 62 07	CTRA. ELCHE-STA POLA, 92
	TORREVIEJA	SKALA	96 532 16 12	CTRA. TORREVIEJA-CARTAGENA, KM 8,5 URB. LA REGIA
ALMERÍA	LOS GALLARDOS	ROY.PLAZA	950 46 94 88-90	AUTOVÍA DEL MEDITERRÁNEO, SALIDA 520
ASTURIAS	GRANDA-SIERO	HOTEL MODELS	98 579 15 80	POLÍGONO DE GRANDA, NAVE 29
	PRUVIA-LLANERA	HOTEL ELVIS	98 526 09 30	CTRA. ANTIGUA OVIEDO-GIJÓN, KM 6
	VILLAVICIOSA	NINFAS		PUENTE ARROES, 7
BARCELONA	BARCELONA	NEW ARIBAU	93 414 29 98	C/ARIBAU, 226-228
	LLISA D'AMUNT	KILÓMETRO DE ORO	93 841 77 00	KM. 27,200. AUTOVÍA DE AMETLLA
	MARTORELL	PALACE	93 775 20 34	AVDA. COMTE DE LLOBREGAT, 35
CÁDIZ	SANLÚCAR DE BARRAMEDA	GARDEN CLUB	956 361 190	CARRETERA SANLÚCAR-CHIPIONA, KM 3
CASTELLÓN	ALMAZORA	LAS PALMERAS	964 565 330	P.I. ALMAZORA 2 MASÍA DE LA PROVIDENCIA
	NULES	LA SIRENA	964 674 344	CTRA. NAC. 340, KM 952 O KM 43
CÓRDOBA	LA CARLOTA	S'CANDALO	957 300 336	AV. CARLOS 111, Nº 262
CUENCA	CASAS LOS PINOS	NIGHT STAR	969 385 064	CTRA. NAC. 301, KM 190

CUENCA	EL PROVENCIO	LAS TORRES		CTRA NAC. 301, KM 168, 4
CIUDAD REAL	FERNÁN CABALLERO	H. ROSABLANCA	926 809 182	CTRA. NACIONAL 401, KM 171
G. CANARIA	S. BARTOLOMÉ DE TIRAJANA	SALÓN CLAUDINE	928 767 458	C.C.S.AGUSTÍN, PTA. SÓTANO, LOC 1/1
GIRONA	ALP	LA TORRE	972 890 642	CTRA. PUIGCERDÀ-LA MOLLNA, KM 7
GRANADA	ARMILLA	DON JOSÉ	958 134 759	CORTIJO SAN NICOLÁS, CTRA.ARMILLA, S/N
	DÚRCAL	LA LUNA	958 781 160	BARRIADA DE MARCHENA, S/N
	GRANADA	SALA FOR MEN	958 800 411	CAMINO DE PURCHIL, Nº 96
	ATARFE	LADY GRANADA	958 434 154	CTRA. DE CÓRDOBA, KM 429. POL. EL REY
	TORRENUEVA-MOTRIL	BALANDROS	958 655 502	NACIONAL 340, KM 336
GUADALAJARA	ALMADRONES	OLIMPO	949 285 578	NACIONAL 11, KM 101
HUELVA	ALJARAQUE	CASITA DE CAMPO	959 318 028	AUTOVÍA HUELVA, KM 4 S/N - P. UMBRÍA
	HUELVA	HARÉN	959 222 502	CTRA. SAN JUAN DEL PUERTO, P. SAN DIEGO, 33
	S. BÁRBARA DE CASA	C. DE CAMPO.SIERRA	959 570 241	AVDA. FAUSTO ARROYO, S/N
IBIZA	IBIZA	C. CONCIERTO VIP'S	971 192 441	C/CARLOS 1, EDIFICIO MEDITERRÁNEO BAJO
JAÉN	ANDÚJAR	SALA LIDO	953 502 903	AUTOVÍA MADRID-CÁDIZ, 312
	JAÉN	FANTASÍA	953 326 121	CTRA. BAILÉN-MOTRIL, KM 23,200
	GUARROMÁN	SALA TANGO	953 615 478	ALDEA DE LOS RÍOS, S/N
LEÓN	LEÓN	LATIN LOWER	987 260 160	AVDA ALCALDE MIGUEL CASTAÑO, 114, BAJO
	ONZONILLA	LEÓN DE ORO	987 214 258	CTRA. LEÓN-BENAVENTE, KM 8, SOTANO
	PONFERRADA	LA REJA	987 426 319	AVDA. DE ESPAÑA, Nº 36
	VILLARGUITE	BIG BEN		CTRA. LEÓN-CISTIERNA, KM 27
LLEIDA	ALAMUS	WHISKERÍA EVA	973 199 111	CTRA. N. 11, KM 741
LUGO	SANTA MARIÑA	TRITÓN	982 300 395	CTRA. NACIONAL VI, KM 490,2 SALIDA CORGO
MADRID	HUMANES DE MADRID	COTTON CLUB	91 609 72 97	AVDA. INDUSTRIA, 13
	TORREJÓN DE ARDOZ	CELESTE	91 677 25 21	CTRA. DE LOECHES, 63
	MADRID	KAPRY	91 747 15 91	C/ TAURO, Nº 3
	MADRID	HOTEL AVIÓN	91 721 63 60	CTRA. BARCELONA, KM 14
MÁLAGA	GUADALHORCE	SCANDALO	95 224 416 2	C/ DIDEROT, 2 POL. IND. GUADALHORCE

MÁLAGA	BENALMÁDENA COSTA	LA SIRENITA	95 244 29 42	C/ MALAGUEÑA, S/N
	TORROX	LADY	95 253 05 19	CTRA. MÁLAGA-ALMERÍA, N. 340, KM 283
	ALHAURÍN	JULIA B. SABROSO	666 980 146	URB. PINOS ALHAURÍN LA TORRE-PABLO PICASSO,
	TORREMOLINOS	SELECTA		PARC 1010 TORREMOLLNOS
		TITANIC	95 238 81 05	C/ DECANO JUAN DE HOYOS, 10
		GEISHA	629 466 525	AVDA. CARLOTA, 10
	TORROX	CONEJITO BLANCO	95 253 05 76	CTRA. MÁLAGA - ALMERÍA, KM 283
MURCIA	MOLINOS DE MARFAGONES	H. CLUB OBA OBA	968 168 700	CTRA. MAZARRÓN, KM 5
NAVARRA	OLAZAGUTIA	HOSTAL EDERRENA	948 562 763	C/ CIRCUNVALACIÓN, S/N.
OURENSE	BARCO DE VALDEORRAS	HOTEL OSIRIS	988 325 194	CTRA. NAC. 120, KM 28, LA CERÁMICA
PALMA DE MALLORCA	EL ARENAL	JULIO'S	971 260 018	LLAUD, Nº 33
	PALMA DE MALLORCA	DELFOS	971 288 601	C/ CAMILO JOSÉ CELA, 7
PONTEVEDRA	LALÍN	CLUB LONOORS-2	988 794 068	C/ BERGAZOS, 38
	VILABOA	HABANA CLUB	986 708 440	C/ BORBEITA, 3
SEVILLA	CAMAS	LOS DANESES	95 439 45 13	C/ DR. FRANCISCO OCAÑA, S/N
	SEVILLA	COLORES	95 436 81 94	POL. LND. CALONGE, CALLE B, S/N PARC 23
	SEVILLA	SUPER COLORES	95 436 81 94	POL. IND. CALONGE, CALLE B, S/N PARC 23
TARRAGONA	BELLVEI	ESTEL	977 668 885	AV. BELLVEI, Nº 14. POL. IND. EL MASET
	REUS	PRIVEE	977 757 578	CARRETERA REUS-SALOU, KM 4.700
		CLUB HAVANA	977 802 603	VÍA DE APOYO, Nº 10
		TORREDEMBARRA N. 340		
TOLEDO	MADRIDEJOS	H. ROSA BLANCA		CTRA. MADRID-CÁDIZ, KM 117
VALENCIA	PALOMAR	OBA OBA	96 290 06 44	LES CLOTES, 5
	MASALAVES	PUNTO G	96 244 24 58	CTRA. NACIONAL 340, KM 687
	SILLA	EL CISNE	96 121 26 33	AVDA. DE ALICANTE, S/N. ANTIGUA CTRA. N.332, KM 246
	VALENCIA	ROMANI	96 178 28 79	CTRA. NAC. VALENCIA-ALICANTE, KM 272
	VALENCIA	HELP	96 380 47 76	C/ DR. VILA BARBERÁ, 20 BAJO
	ALGINET	FALCON CREST	96 175 12 29	C/ MAYOR, S/N, FINAL
VIZCAYA	VALLE DE TRÁPAGA	TRASTÉVERE	94 495 79 08	POLÍGONO AURREA, PAB Nº 54

REDES DE INMIGRACIÓN ILEGAL
Y DOCUMENTOS FALSOS DESARTICULADOS

		2002	2003
FAVORECIMIENTO DE LA INMIGRACIÓN ILEGAL	Redes desarticuladas en España	124	59
	Responsables detenidos en España	281	163
	Redes desarticuladas en países de origen*	134	194
	Responsables detenidos en países de origen*	178	3003
	Inmigrantes detenidos en países de origen*	8.604	10.567
	TOTAL DE REDES DESARTICULADAS	258	253
	TOTAL DE RESPONSABLES DETENIDOS	459	466
CONTRA EL DERECHO DE LOS TRABAJADORES (explotación laboral)	Redes desarticuladas	120	104
	Responsables detenidos	271	242
PROSTITUCIÓN	Redes desarticuladas	217	194
	Responsables detenidos	880	764
DOCUMENTOS FALSOS**	Redes desarticuladas	90	59
	Responsables detenidos	320	338
Documentos falsos intervenidos		6.762	8.575
	Redes desarticuladas	92	69
	Responsables detenidos	234	221
TOTALES	TOTAL REDES DESARTICULADAS	777	679
	TOTAL RESPONSABLES DETENIDOS	2.164	2.031
OTROS SERVICIOS DESTACADOS* (con responsables extranjeros)**	Organizaciones criminales	44	35
	Responsables detenidos	244	259
OPERACIONES DE EXTRANJERÍA NO CALIFICABLES COMO REDES	Operaciones realizadas	1.114	997
	Responsables detenidos	1.447	1.272

* Operaciones desarrolladas en colaboración con el Cuerpo Nacional de Policía español.
** Por red de documentos falsos se entiende exclusivamente la que tiene como actividad primordial la falsificación y distribución de los mismos, en el bien entendido de que los restantes tipos de organizaciones criminales pueden también realizar alguna de estas acciones con documentos falsos para sus fines.
*** Figuran otros delitos no incluidos en los cuadros anteriores.

4526 Jueves 12 abril 2001 BOE núm. 88

Resolución de la Dirección General de Trabajo, Subdirección General de Programación y Actuación Administrativa, sobre anuncio de depósito del Acta de Constitución y Estatutos de la Organización Patronal «Asociación Nacional de Empresarios de Locales de Alterne» (expediente número 7.844).

Al estimarse que concurren los requisitos subjetivos, objetivos y causales, establecidos por la Ley 19/1977, de 1 de abril, reguladora del Derecho de Asociación Patronal en el ámbito laboral («Boletín Oficial del Estado» número 80, del 4), ha sido admitido el depósito del Acta de Constitución y Estatutos, solicitado por don Eduardo en calidad de representante, mediante su escrito número 1546-1125-1935, de entrada de documentos en el Registro del día 13 de febrero de 2001, subsanado por el de 15 de marzo de 2001, de entrada número 2726-1828-3412, de la Organización Patronal, cuya denominación y número de expediente, figura en el encabezamiento de este anuncio. Se indica que su domicilio se encuentra en Valencia, en la calle José Orgaz, número 16, su ámbito territorial es nacional y el funcional agrupar a las empresas de locales de alterne;

Apareciendo firmados los documentos de constitución por don Balbino García Caurel, en nombre y representación de «Nous Serveis Hotelers, Sociedad Limitada», don Juan Carlos Martínez Antúnez, en nombre y representación de «Kratu, Sociedad Limitada»; don Manuel Greco Gómez, en nombre y representación de «Hostenor La Luna, Sociedad Limitada»; don Pablo Mayor Sampedro, en calidad de apoderado de doña Felicia Almonte Melo; don Juan Rueda Salto, en calidad de apoderado de doña María Begoña Leal López; don José Aguayo Gómez, en calidad de Administrador único de «Explotaciones Hosteandújar, Sociedad Limitada»; don Alberto Bellido Barrionuevo, en calidad de Administrador único de «Explhoartas, Sociedad Limitada»; don Marcos Montoya Fernández, en calidad de Administrador único de «Tazke Peniaze, Sociedad Limitada», y don Moisés González Rey, en calidad de Administrador único de «El Rosal Cincorey, Sociedad Limitada».

Por lo que, a fin de dar publicidad a la admisión del depósito efectuada, se dispone la inserción de este anuncio en el «Boletín Oficial del Estado» y su exposición en el tablón de anuncios de esta Dirección General.

La referida Organización Patronal adquirirá personalidad jurídica y plena capacidad de obrar transcurridos veinte días hábiles a contar desde el de hoy. Cualquier interesado puede examinar los documentos depositados y obtener copia de los mismos, en esta Dirección General (calle Pío Baroja, número 6, despacho 210, Madrid), y formular la impugnación de los mismos, ante la Sala de lo Social de la Audiencia Nacional, a tenor de lo establecido por el Texto Refundido de la Ley de Procedimiento Laboral, aprobado por el Real Decreto Legislativo 2/1995, de 7 de abril («Boletín Oficial del Estado» número 86, de 11 de abril de 1995).

Madrid, 27 de marzo de 2001.—La Directora general, P. D. (Orden de 12 de marzo de 1997 «Boletín Oficial del Estado» del 14), la Subdirectora general, María Antonia Diego Revuelta.—15.426.

Publicación en el BOE del Acta de Constitución y Estatutos de la Organización Patronal «Asociación Nacional de Empresarios de Locales de Alterne» (ANELA).

El acto de España 2000 contra la inmigración reúne a un centenar de 'skins' en Russafa

Los cabezas rapadas protagonizaron varios conatos de violencia pero la Policía los disolvió

PACO TORMO

VALENCIA.— La manifestación contra la inmigración ilegal organizada por el partido de ultraderecha España 2000 reunió ayer en Russafa a cerca de un centenar de *Skinheads* de ideología neonazi que recorrieron las calles del barrio desde poco después de las siete de la tarde hasta cerca de las diez de la noche. La gran mayoría de los cabezas rapadas abandonó el lugar después de protagonizar varios conatos de violencia que fueron abortados por la Policía y por otros afiliados del partido y, curiosamente, mientras los líderes del partido exponían sus discursos.

Al igual que el pasado dos de marzo de 2002 la mayoría de los que participaron en la protesta se dedicaron a proferir insultos contra los inmigrantes o contra los vecinos del barrio que les increpaban desde los balcones golpeando cacerolas, a quienes se dirigían con gritos de «la de la cazuela es una ramera» o «no sois españoles, sois hijos de puta».

Tal y como ocurrió en la manifestación de hace poco más de un año, ayer los vecinos de Russafa también escucharon gritos de «*sieg heil*», «negros no, España no es un zoo», «puto moro el que no bote», «se va a acabar, Ruzafa vamos a limpiar», «la inmigración destruye tu nación», «Ruzafa y Marraquech la misma mierda es» y «no somos moros, nosotros no robamos» que corearon los cabezas rapadas.

Los organizadores del desfile

> Todos los efectivos de los antidisturbios de la Policía acudieron al barrio para evitar altercados

convocaron a sus afines en la plaza Doctor Landete a las 19.00 horas y desde las seis de la tarde fueron llegando hasta el lugar grupos de jóvenes dispuestos a participar. Sin embargo, varias asociaciones de inmigrantes y de vecinos habían organizado una «cacerolada antifascista» a esa misma hora, por lo que todos los efectivos de la Unidad de Intervención Policial(UIP) de la ciudad de Valencia estaban desde las cinco vigilando el barrio para evitar que se repitieran los enfrentamientos violentos del año pasado.

Aquellos que se unieron a la cacerolada hicieron su protesta en la calle Arquebisbe Melo, donde un doble cordón de agentes de Policía se encargaba de identificar a todos los que se sumaban a la manifestación de carácter ilegal. España 2000, por su parte, no tuvo que llevar ante los tribunales el permiso para manifestarse como ha ocurrido en otras ocasiones.

Uno de los momentos más tensos se vivió cuando, a la altura de la calle Sueca, varios neonazis abandonaron la manifestación para agredir a unos inmigrantes magrebíes con los palos de aluminio que sujetaban las banderas de España que portaban (y que les había proporcionado

Varios cabezas rapadas durante la manifestación de España2000, ayer en Russafa. / BENITO PAJARES

de la Policía evitó males mayores.

José Luis Roberto, presidente de España 2000 y candidato a la alcaldía de Paterna, también fue protagonista de un conato violento en la calle Carlos Cervera, cuando junto a ocho hombres de gran corpulencia corrió en dirección a varios radicales de extremaizquierda que les increpaban desde el cruce con Mossén Femenia. Un agente de la UIP acudió al lugar y a gritos hizo que volvieran al grueso de la manifestación. Roberto y sus acompañantes obedecieron entre risas. Muchos de los que protestaron contra la inmigración ilegal también exhibieron símbolos de carácter nazi, tanto tatuados en su cuerpo como en forma de camiseta: esvásticas, cruces celtas (en la foto), el escudo de las *Waffen SS* del ejército de Adolf Hitler, lemas de *White Power* (poder blanco) y parafernalia de *Blood & Honour*, una de las organizaciones neonazis más activas del mundo.

Los manifestantes avanzan, ayer, por el barrio de Ruzafa. / VICENTE MARTÍNEZ

Cacerolada contra la marcha de España 2000 en Ruzafa

La Policía bloqueó a los contramanifestantes

OLGA LÓPEZ ■ VALENCIA

Vecinos de Ruzafa irrumpieron ayer en una sonora cacerolada al paso de la manifestación de España 2000, un grupo político de extrema derecha que congregó a unos 200 seguidores en una marcha por el barrio.

El tono provocativo durante toda la manifestación motivó numerosos altercados, aunque en ningún momento llegaron a las manos con los contramanifestantes antifascistas. Dos cordones policiales custodiaron la marcha de España 2000 en todo momento. Además, la contramanifestación fue bloqueada en la calle Arzobispo Nelo y no permitieron su paso hasta acabado el acto.

Artículos de la prensa valenciana sobre la manifestación contra la inmigración de España2000, repleta de skinhead, unas horas antes de mi reunión con el presidente del partido ultraderechista en su propio despacho.

MANIFESTACION
2 de marzo 2002

¿Ruzafa para los inmigrantes ilegales hoy?
¿España mañana? ¡No, nunca!

No sólo en Ruzafa sino en numerosos barrios de España se está desarrollando desde hace ya demasiado tiempo una peligrosa dinámica social que perjudica al honrado ciudadano español, destruye nuestros barrios y favorece unicamente a los elementos criminales que, inmigrantes o no, viven del tráfico de drogas y transforman los tradicionales sitios de convivencia en lugares peligrosos, y a los mismos barrios en guettos.
Esa dinámica se desarrolla ante los ojos de todos, frente la impotencia de las fuerzas de Orden Público y debido a la incompetencia, cuando no complicidad, de algunas fuerzas políticas que van desde la izquierda disolvente a la derecha inconsciente.
Es hora de plantar cara a la inmigración ilegal y a sus consecuencias. Sólo la Oposición Nacional se ha atrevido a llamar a las cosas por su nombre, sólo la Oposición Nacional puede ofrecer alternativas al caos.
Desde nuestro website NuevOrdeN ofrecemos a los grupos nacionales que convocan esta marcha y al pueblo español que en Ruzafa, y en tantos otros lugares, sufre las consecuencias de una inmigración ilegal y salvaje nuestra solidaridad y apoyo.

Rufaza para los españoles hoy,
España mañana, siempre...

http://www.nuevorden.org

NUEVORDEN
Un website para la Libertad

Cartel del grupo nazi Nuevorden, anunciando otra de las manifestaciones de España2000 contra la inmigración, en el barrio de Ruzafa. El partido de José Luis Roberto, fundador de ANELA, cuenta con todo el apoyo de los neonazis españoles.

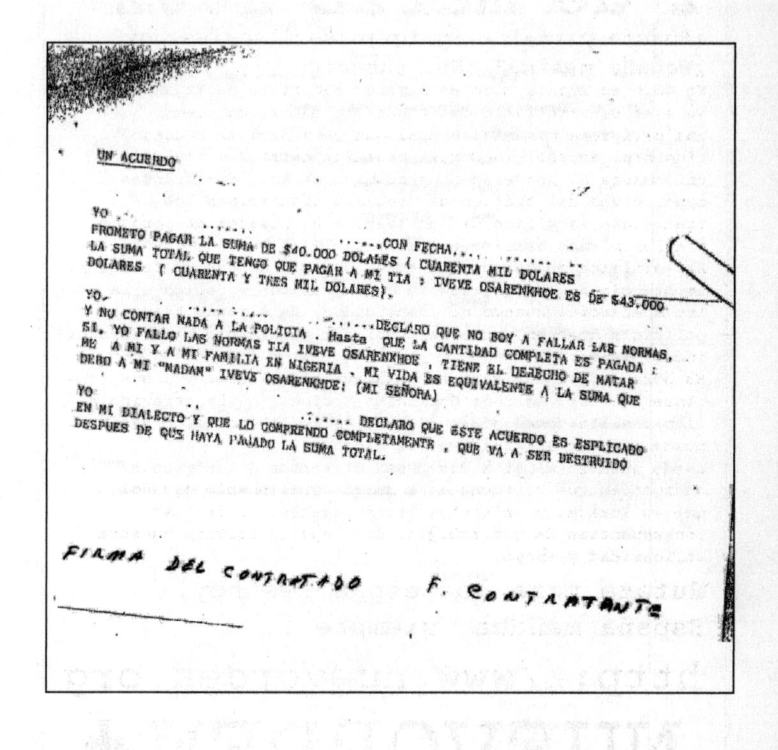

UN ACUERDO

YO ..
....
PROMETO PAGAR LA SUMA DE $40.000 DOLARES (CUARENTA MIL DOLARES ......CON FECHA..... ....
LA SUMA TOTAL QUE TENGO QUE PAGAR A MI TIA : IVEVE OSARENKHOE ES DE $43.000
DOLARES (CUARENTA Y TRES MIL DOLARES).

YO.
....
Y NO CONTAR NADA A LA POLICIA . Hasta ....DECLARO QUE NO BOY A FALLAR LAS NORMAS,
SI. YO FALLO LAS NORMAS TIA IVEVE OSARENKHOE QUE LA CANTIDAD COMPLETA ES PAGADA :
ME A MI Y A MI FAMILIA EN NIGERIA , TIENE EL DERECHO DE MATAR
DEBO A MI "MADAM" IVEVE OSARENKHOE: . MI VIDA ES EQUIVALENTE A LA SUMA QUE (MI SEÑORA)

YO
..
EN MI DIALECTO Y QUE LO COMPRENDO .... DECLARO QUE ESTE ACUERDO ES ESPLICADO
DESPUES DE QUE HAYA PAGADO LA SUMA TOTAL. COMPLETAMENTE , QUE VA A SER DESTRUIDO

FIRMA DEL CONTRATADO F. CONTRATANTE

Uno de los escalofriantes contratos en los que las adolescentes nigerianas, traficadas por las mafias, ponen su vida y la de su familia a disposición de nuevo dueño que, como yo, las compra a sus proxenetas.

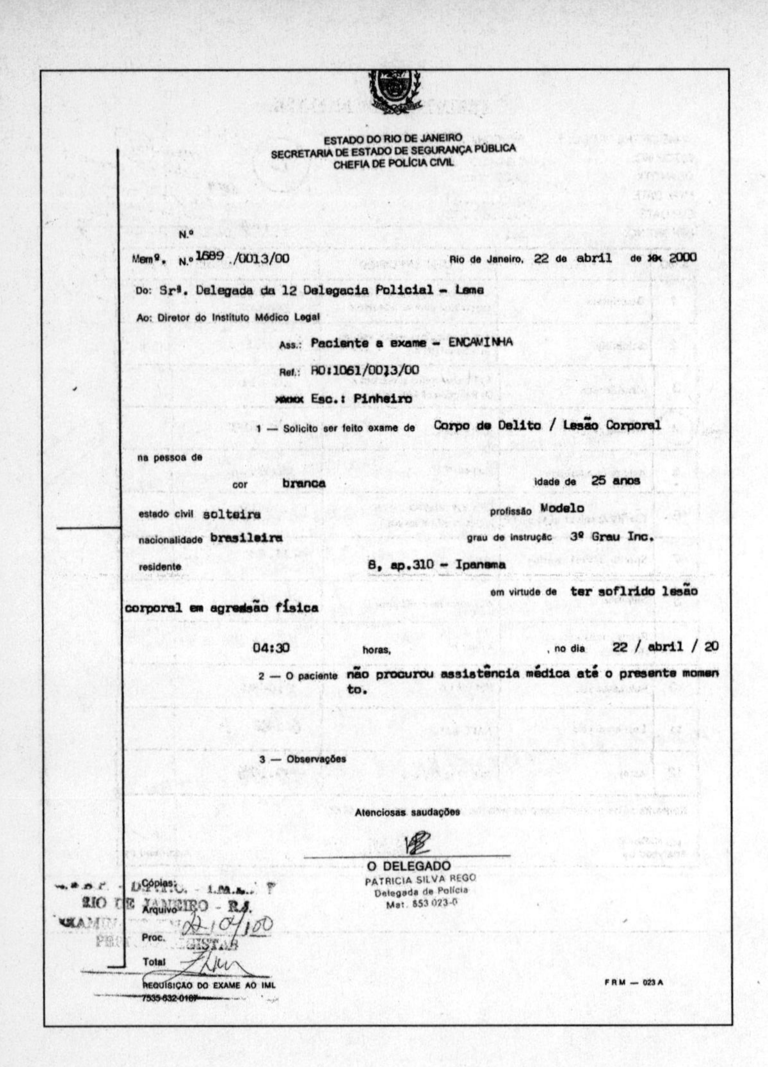

ESTADO DO RIO DE JANEIRO
SECRETARIA DE ESTADO DE SEGURANÇA PÚBLICA
CHEFIA DE POLÍCIA CIVIL

N.º

Memº. N.º 1689 ./0013/00 Rio de Janeiro, 22 de abril de 2000

Do: Srª. Delegada da 12 Delegacia Policial - Leme

Ao: Diretor do Instituto Médico Legal

Ass.: Paciente a exame - ENCAMINHA

Ref.: RO:1061/0013/00

Esc.: Pinheiro

1 — Solicito ser feito exame de Corpo de Delito / Lesão Corporal

na pessoa de

cor branca idade de 25 anos

estado civil solteira profissão Modelo

nacionalidade brasileira grau de instrução 3º Grau Inc.

residente 8, ap.310 - Ipanema

em virtude de ter sofrido lesão corporal em agressão física

04:30 horas, , no dia 22 / abril / 20

2 — O paciente não procurou assistência médica até o presente momento.

3 — Observações

Atenciosas saudações

O DELEGADO
PATRICIA SILVA REGO
Delegada de Polícia
Mat. 853 023-0

Cópias:
Arquivo 21/04/00
Proc.
Total

RIO DE JANEIRO - RJ.

REQUISIÇÃO DO EXAME AO IML
7535-632-0187

FRM — 023 A

Informe médico que certifica la paliza sufrida por Andrea, poco antes de presentarse a la sesión de fotos eróticas para la revista Hustler, y que la obligó a terminar en los burdeles españoles e italianos.

CERTIFICATE OF ANALYSIS

NAME OF THE PRODUCT : EPHEDRINE HYDROCHLORIDE IP
BATCH NO. : EH10403
QUANTITY : 1x20 grs
MFG. DATE : April, 2003
EXP. DATE : March, 2008
REPORT NO. : EH1

DATE : 26-04-2003

CHK
1
Linea 4
esto es correcto
El tiempo para disol
a temperatura lo cual dice 4
seca muy rap
Estoy lo correct

S.NO.	TEST	LIMIT SPECIFIED	RESULT
1	Description	Colourless crystals or white crystalline powder odourless	White crystalline powder
2	Solubility	Freely soluble in water, soluble in ethanol (95%)	Complies
3	Identification	A) IR absorption spectrum D) Reaction of Chloride	Complies
4	Melting range	217° - 220°C	217°-219°C
5	Acidity or alkalinity	As per IP	Complies
6	Clarity & colour of solution	10% w/v solution is clear and colourless	Complies
7	Specific optical rotation	-33.5° to -35.5°	-34.43°
8	*Sulphate*	*Not more than 100 ppm*	Complies
9	Related substabces (by TLC)	As per IP	Complies
10	Sulphated ash	NMT 0.1%	0.048%
11	Loss on drying	NMT 0.5%	0.14%
12	Assay	98.0 - 100.5% w/w	99.52%

Remarks : The product complies with the prescribed standards of IP.

Analysed by — Checked by — Approved by

Informe químico de la sustancia que Mario Torres, el narcotraficante mexicano, buscaba en España, y que me entregó durante nuestra negociación para comprarle 6 niñas de 13 años para mis ficticios burdeles.

JUZGADO DE INSTRUCCIÓN DE GUARDIA DE MADRID

Dª ALMUDENA GRACIA MANZANOS, conocida
mente con el sobrenombre de MALENA GRACIA, mayor de
oltera, de profesión artista, y provista de D.N.I. nº
omicilio en
ante el Juzgado comparezco y como mejor proceda en Derecho

Que mediante este escrito vengo a formular denuncia por
esunto delito de REVELACIÓN DE SECRETOS, del art. 197.1 en
n con el párrafo 3 del mencionado artículo, contra el editor de la
DÍGAME, D. EMILIO RODRÍGUEZ MENÉNDEZ, con domicilio
o, en su defecto en su
cho Profesional sito en
0 y contra el director de Publicaciones de la misma D. JAVIER
A, al amparo de la Ley Protección Jurisdiccional de los Derechos
amentales de la Persona (Ley 62/1978 de 26 de Diciembre de
), basando la presente en los siguientes

AUTO

En MADRID a cinco de Noviembre de dos mil.

HECHOS

UNICO.- El presente procedimiento se inició por denuncia formulada por ALMUDENA GARCIA MANZANOS, por un presunto delito de Revelación de Secretos, contra Emilio Rodriguez Menéndez y Javier Bleda, habiéndose practicado las diliencias de investigación que se han estimado oportunas.

El Ministerio Fiscal ha informado en el sentido que consta en autos.

RAZONAMIENTOS JURIDICOS

UNICO.- Incoadas Diligencias Previas en virtud de la denuncia formulada por Almudena Gracia Mazanos, este Juzgado en funciones de Guardia ordenó como primera diligencia la investigación del lugar donde haya tenido o se produzca la distribución o publicación de la revista o periodico "DIGAME". Considerando que de los hechos que se vierten en dicha denuncia si aparece con caracteres que pudieran constituir infracción penal el publicar en titulares "MALENA GRACIA es una puta" como una posible injuria, de protección incluso por la L.P.J.D.F. 62/1978. Se llegó al conocimiento que la distribución o publicación se efectua en calle Valdelaparra, 29 de Alcobendas (Madrid). Por lo tanto, es preciso que el Juzgado se pronuncie previamente sobre la competencia. A este respecto señalar que el articulo 7.1. de la citada Ley 62/78 se remite a las normas de la Ley de Enjuiciamiento Criminal, en los delitos perpetrados a través de la imprenta, y en este punto es tradicional la jurisprudencia según la cual será el lugar de publicación el que determine la competencia territorial, pues el presunto delito no estará consumado hasta que se produzca la publicación (Sentencias 19.5.1885, 4.7.1887.....,21.1.1982, 26.5.1986, etc...). En igual sentido el Tribunal Supremo tiene señalado

Denuncia de Malena Gracia contra Emilio Rodríguez Menéndez, por divulgar el vídeo grabado durante uno de sus servicios como prostituta de lujo.

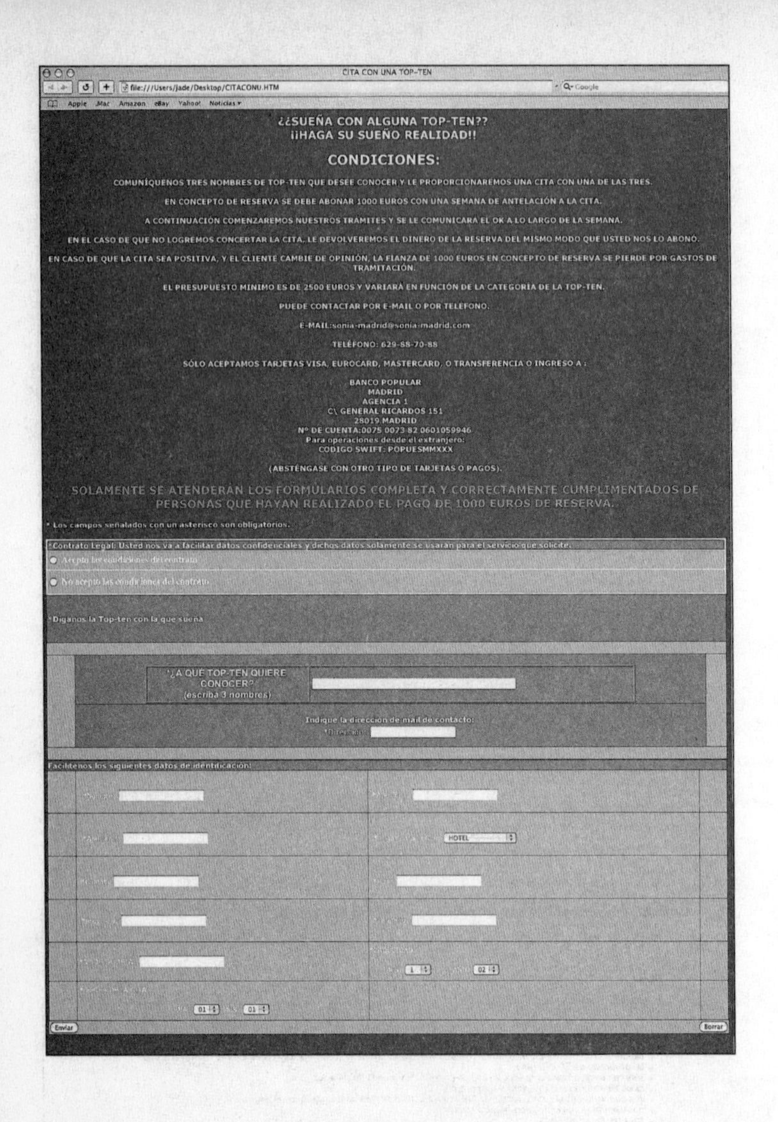

CITA CON UNA TOP-TEN

¿¿SUEÑA CON ALGUNA TOP-TEN??
¡¡HAGA SU SUEÑO REALIDAD!!

CONDICIONES:

COMUNÍQUENOS TRES NOMBRES DE TOP-TEN QUE DESEE CONOCER Y LE PROPORCIONAREMOS UNA CITA CON UNA DE LAS TRES.

EN CONCEPTO DE RESERVA SE DEBE ABONAR 1000 EUROS CON UNA SEMANA DE ANTELACIÓN A LA CITA.

A CONTINUACIÓN COMENZAREMOS NUESTROS TRAMITES Y SE LE COMUNICARA EL OK A LO LARGO DE LA SEMANA.

EN EL CASO DE QUE NO LOGREMOS CONCERTAR LA CITA, LE DEVOLVEREMOS EL DINERO DE LA RESERVA DEL MISMO MODO QUE USTED NOS LO ABONÓ.

EN CASO DE QUE LA CITA SEA POSITIVA, Y EL CLIENTE CAMBIE DE OPINIÓN, LA FIANZA DE 1000 EUROS EN CONCEPTO DE RESERVA SE PIERDE POR GASTOS DE TRAMITACIÓN.

EL PRESUPUESTO MINIMO ES DE 2500 EUROS Y VARIARÁ EN FUNCIÓN DE LA CATEGORIA DE LA TOP-TEN.

PUEDE CONTACTAR POR E-MAIL O POR TELEFONO.

E-MAIL:sonia-madrid@sonia-madrid.com

TELÉFONO: 629-88-70-88

SÓLO ACEPTAMOS TARJETAS VISA, EUROCARD, MASTERCARD, O TRANSFERENCIA O INGRESO A :

BANCO POPULAR
MADRID
AGENCIA 1
C\ GENERAL RICARDOS 151
28019 MADRID
Nº DE CUENTA:0075 0073 82 0601059946
Para operaciones desde el extranjero:
CODIGO SWIFT: POPUESMMXXX

(ABSTÉNGASE CON OTRO TIPO DE TARJETAS O PAGOS).

SOLAMENTE SE ATENDERÁN LOS FORMULARIOS COMPLETA Y CORRECTAMENTE CUMPLIMENTADOS DE PERSONAS QUE HAYAN REALIZADO EL PAGO DE 1000 EUROS DE RESERVA.

* Los campos señalados con un asterisco son obligatorios.

*Contrato Legal: Usted nos va a facilitar datos confidenciales y dichos datos solamente se usaran para el servicio que solicite.

Acepto las condiciones del contrato

No acepto las condiciones del contrato

*Díganos la Top-ten con la que sueña

*¿A QUE TOP-TEN QUIERE CONOCER?
(escriba 3 nombres)

Indique la dirección de mail de contacto:

Facilítenos los siguientes datos de identificación:

HOTEL

Enviar

Borrar

La agencia Sonia-Madrid incluye en su página web un contrato para el cliente que desee tener relaciones sexuales con una famosa y esté dispuesto a seguir las condiciones de este cuestionario.

Las mujeres procedentes de Nigeria eran explotadas en el ejercicio de la prostitucion utilizando los rituales del vudû

La Policía desarticula en Murcia una red internacional de tráfico de seres humanos y falsificadores de documentos

27-noviembre-02.-. Agentes del Cuerpo Nacional de Policía adscritos a la Brigada Central de Redes de Inmigración y de la U.C.R.I.F. de la Jefatura Superior de Policía de Murcia, han desarticulado una organización delictiva compuesta por nigerianos, rumanos y españoles.

En la operación policial han sido detenidas diecisiete personas, entre los que se encuentran los principales responsables de la red, implicados en el tráfico de seres humanos, delitos relativos a la prostitución, falsificación, estafa y tráfico de estupefacientes.

Se han practicado varios registros en cuatro domicilios y un establecimiento comercial, habiéndose intervenido numerosos documentos de identidad de EE.UU. y Nigeria, falsificados; tarjetas de crédito y documentos de conducir e identidad españoles, así como otros efectos y útiles relacionados con ceremonias vudú.

Los rituales de vudú nigerianos y el sometimiento de las víctimas de dicha nacionalidad

Los ciudadanos nigerianos se dedican habitualmente a la trata de blancas con nacionales de su país, mediante contrato no escrito a través de prácticas de vudú. Este ritual consiste en recoger efectos de la persona que va a ser objeto de vudú tales, como pelo, uñas, sangre de menstruación y después de sacrificar a un animal se hace una especie de mezcla sobre la que practican ritos orientados a amenazar a la persona, para que esta cumpla sus presuntas deudas contraídas en el pais de origen.

Una vez satisfecha la deuda, la mezcla se rompe y la persona queda liberada de la obligación económica. Como se puede apreciar es una práctica contractual no escrita que tiene el rigor de un convenio de los que se extienden en el área europea y, además, tiene más fuerza si cabe que el documento escrito. Eso atenaza a las víctimas que debido a su formación religiosa y cultural las convierte en esclavas de la práctica y de quien dice habérsela hecho, de tal forma que hasta que ellas no ven la destrucción de la mezcla que se hace constar anteriormente no se sienten liberadas de esa maldición latente.

Es curioso en el caso presente la colaboración entre ciudadanos nigerianos y ciudadanos de países del Este, ya que varios de los detenidos son de nacionalidad rumana, lo que hace pensar a los investigadores que mientras los nigerianos se dedicarían a la sustracción o falsificación de tarjetas de crédito posteriormente facilitadas a ciudadanos rumanos para que estos den salida a las mismas, previo contacto con tiendas de conveniencia en las que estarían instalados terminales de post-venta a través de estos documentos de crédito o pago.

Entre los efectos intervenidos se ha incautado un *cheque de 17.000.000 pesetas*, unos *105.000 euros*, que estaban destinados a la compra de alguna ciudadana nigeriana a quien la tuviera en su poder y después explotaría en la prostitución.

Se ha llegado a determinar que las mujeres que ejercen la prostitución son sometidas en caso de embarazo a prácticas abortivas para garantizar su actividad de forma continuada que en caso de embarazo habrían muestras externas del mismo e impediría la obtención de beneficios para la organización.

DETENIDOS

- **Prince Sunny A.**, de Nigeria. Implicado en delitos contra los derechos de los ciudadanos extranjeros, relativos a la prostitución coactiva, tráfico de estupefacientes, estafa y falsificación de moneda.

- **Superior N.**, natural de Nigeria. Implicado en los mismos hechos del anterior.

- **Omone Aretha M.**, de Nigeria. Encartado en delitos contra los derechos de los ciudadanos extranjeros y relativos a la prostitución coactiva.

- **Mony A.**, nacido en Nigeria. Autor de delitos contra los derechos de los ciudadanos extranjeros, relativos a la prostitución coactiva, estafa, falsificación de moneda y tráfico de estupefacientes.

- **Ángel P.**, natural de Rumania. Encartado en delitos de estafa y falsificación de moneda.

- **Francisco L.P.**, español. Implicado en delitos de estafa y falsificación de moneda.

POR INFRACCIÓN A LA LEY DE EXTRANJERÍA (Estancia ilegal)

- **Patience G.**, de Nigeria.
- **Horda R.**, natural de Sierra Leona.
- **Mary J.**, de Nigeria.
- **Osarjewen Festius I.**, de Nigeria.
- **Takey S.**, natural de Nigeria.
- **María M.**, natural de Nigeria.
- **Isía O.**, de la República del Congo.
- **Evelin A.**, nacida en Nigeria.
- **Radu M.**, de Rumania.
- **Lazar S.**, natural de Rumania.
- **Ministru R.**, de Rumania.

EFECTOS INTERVENIDOS

- *Útiles relacionados con ceremonias vudú; 520 €;*
- *siete trozos de hachís;*
- *un cheque por valor de 105.000 €;*
- *cuadernos de contabilidad manual con anotaciones de nombres de mujeres, fechas y cantidades de dinero recibidas;*
- *un pasaporte de EE.UU. falso;*
- *seis carnés nigerianos originales en blanco y uno confeccionado (falsificado);*
- *cinco tarjetas de crédito de titulares españoles;*
- *dos permisos de conducir, un carné de identidad y un libro de familia de ciudadanos españoles;*
- *dos terminales de cobro para tarjetas de crédito;*
- *trece teléfonos móviles.*

Para más información** Gabinete de Prensa **de la Jefatura Superior de Policía de Murcia (Teléfono** 968 355 548**)

Comunicado emitido por el Ministerio del Interior tras la detención de Prince Sunny y de toda la organización que lideraba.

http://www.registradores.org Información Registral

Fecha 20 de enero de 2004

Solicitante: D.N.I.:

DESCRIPCION

URBANA. En Valencia, CALLE JOAQUIN COSTA, NUMERO 41

LOCAL EN PLANTA BAJA

SUPERFICIE construida: 128.00 m2.

Cuota elementos comunes: 9.000000%.-

\+ DATOS DE INSCRIPCION

INSCRIPCION: tomo 1495, libro 201, folio 11, finca 4550

TITULARIDAD

DOÑA PIÑAR LOPEZ MARIA ISABEL, con D.N.I./N.I.F. [illegible] en cuanto a LA TOTALIDAD EN PLENO DOMINIO con carácter privativo.

\- Inscripción 2ª. En la fecha treinta de Abril de mil novecientos ochenta y seis

SIN CARGAS

---------------------------------- FIN DE LA NOTA SIMPLE ---

ADVERTENCIA: Los datos consignados en la presente nota simple se refieren al día de la fecha antes de la apertura del Libro Diario.

Hons. 3.01 euros

Pag. 2

Documentos del Registro de la Propiedad de Valencia que informan sobre la titularidad del local Showgirl de Valencia, y demuestran que pertenece a la hermana de Blas Piñar.

Para contactar con el autor:
www.antoniosalas.net
antoniodavidsalas@yahoo.es
Apdo. postal 20009
28080 Madrid